빠작 초등 국어 비문학 독해 무료 스마트러닝

KB132584

첫째 QR코드 스캔하여 1초 만에 바로 강의 시청

둘째 최적화된 강의 커리큘럼으로 학습 효과 UP!

지문 분석 강의
- 비문학 영역별 지문 분석을 통한 바른 독해법 강의 제공
- 설명문, 논설문 등 문종별 지문 분석과 배경지식 제공

빠작 초등 국어 **비문학 독해 4단계** 강의 목록

빠작 초등 국어 비문학 독해 4단계 **학습 계획표**

학습 계획표를 따라 차근차근 독해 공부를 시작해 보세요.
빠작과 함께라면 비문학 독해, 어렵지 않습니다.

초등 국어
비문학 독해

4 단계
3·4학년

바른 독해의 빠른 시작,
〈빠작 초등 국어 독해〉를 추천합니다

독해 교재의 홍수 속에서 보석을 하나 찾은 느낌입니다. 『빠작 초등 국어 독해』는 **문학과 비문학을 나누어 초등학생 눈높이에 맞게 만든 독해 전문 교재**라는 생각이 드네요. 특히 지문의 핵심 내용을 이해하는 것은 물론 깊이 있는 배경지식까지 쌓을 수 있도록 섬세하게 구성한 점이 굉장히 마음에 듭니다. 『빠작 초등 국어 문학 독해』와 『빠작 초등 국어 비문학 독해』로 문학과 비문학의 독해 방법을 바르게 배워 보세요.

김소희 원장 | 한올국어학원

독해 능력은 글 읽기를 두려워하지 않는 데에서 출발합니다. 그리고 좋은 제재의 글을 읽으며 호기심과 즐거움을 느낄 때 독해는 완성되지요. 『빠작 초등 국어 비문학 독해』는 **영역별 다양한 제재의 지문과 사실적·추론적 사고력을 묻는 문제, 지문의 핵심 내용을 파악하는 지문 분석 훈련으로** 글을 정확하게 읽게 합니다. 또한 비문학 독해 비법을 충실히 담고 있어 낯설고 어려운 지문도 재미있게 읽을 수 있도록 이끌어 줄 것입니다.

김종덕 원장 | 갓국어학원

최근 수능에서 국어 영역이 가장 까다롭기로 유명합니다. 이런 국어를 잘하려면 무엇보다도 독해력을 길러야 합니다. 특히 문학은 작가가 전하는 주제를 파악하는 것이 중요합니다. 『빠작 초등 국어 문학 독해』는 다양한 갈래의 작품을 읽고, **작품의 구성 요소를 파악해 중심 내용을 스스로 정리해 보는 지문 분석 훈련**을 할 수 있어 좋습니다. 『빠작 초등 국어 문학 독해』로 까다로워진 수능 국어 영역을 지금부터 대비하시기 바랍니다.

하승희 원장 | 리딩아이국어논술학원

『빠작 초등 국어 독해』는 지문 독해, 지문 분석, 어휘 공부까지 탄탄한 구성이 눈길을 끄는 교재입니다. 특히 **비문학에서 영역을 세분화하여 지문을 수록한 것과 문학에서 온 작품을 다룬 것은 깊이 있는 독해를 가능하게** 할 것입니다. 다양한 글을 읽고 내용을 바르게 파악해야 하는 비문학과 작품을 읽고 제대로 감상해야 하는 문학의 독해력은 단기간에 높일 수 없습니다. 지금부터 『빠작 초등 국어 독해』와 함께 독해 연습을 부지런히 하길 추천합니다.

강행림 원장 | 수풀림학원

이 책을 검토하신 선생님

강명자	창원지역방과후교사
강유정	참좋은보습학원
강행림	수풀림학원
구민경	혜윰국어논술
권애경	해냄국어논술
김나나	국어와나
김미숙	글과문장독서논술
김민경	리드인
김소희	한올국어논술학원
김수진	브레인논술교습소
김종덕	갓국어학원
문주희	다독과정독논술학원
박윤희	장복논술
박창현	탑학원
박현순	뿌리깊은독서논술국어교습소
방은경	열정학원
배성현	아카데미창논술국어학원
설호준	청암국어학원
송설아	한우리독서토론논술
심억식	천지인학원
안수현	안샘학원
염현경	박쌤과국어논술학원
오연	글오름국어언어논술학원
오영미	천호하나보습학원
윤인숙	윤쌤국어논술
이대일	멘사수학과연세국어학원
이동수	국동국어고샘수학학원
이선이	수논술교습소
이시은	이시은논술
이용순	한우리공부방
이정선	토론하는아이들
이지영	해랑
이지은	이지은의이지국어논술학원
이지해	이지국어학원
이창미	박원국어논술학원
이현주	토론하는아이들
이화정	창신보습학원
전민희	토론하는아이들
전지영	두드림에듀학원
조원식	이석호국어학원
조현미	국어날개달기학원
하승희	리딩아이국어논술학원
한민수	숙명창의인재교육
한수진	리드앤리드논술학원
허성완	st클래스입시학원
홍미애	이엠영수전문학원

바른 독해의 빠른 시작,
〈빠작 초등 국어 독해〉를 소개합니다

❶ 비문학과 문학을 분리하여 각각의 특성에 맞게 독해를 훈련하는 초등 국어 독해 기본서입니다.

❷ 설명문, 논설문 등 비문학 글의 종류별 지문 분석 훈련으로 바른 독해 학습이 가능합니다.

❸ 소설, 시, 수필 등 문학 작품의 갈래별 지문 감상 훈련으로 바른 독해 학습이 가능합니다.

**빠작
비문학 독해**

단계	대상	영역
1단계	1~2학년	언어, 실용/생활, 사회, 문화, 경제, 자연/과학, 기술, 예술, 인물, 안전/위생
2단계		
3단계	3~4학년	언어, 역사, 사회, 문화, 경제, 과학, 기술, 예술, 인물, 환경
4단계		
5단계	5~6학년	언어, 인문, 사회, 문화, 경제, 과학, 기술, 예술, 인물, 환경
6단계		

주요 키워드
- **1~2단계** 가족 (1단계 실용/생활), 낮과 밤 (2단계 자연/과학), 이 닦기 (2단계 안전/위생)
- **3~4단계** 문명 (3단계 역사), 물물 교환 (3단계 경제), 조선 건국 (4단계 역사)
- **5~6단계** 커피 (5단계 인문), 백신 (5단계 과학), 심리학 (6단계 인문)

**빠작
문학 독해**

단계	대상	갈래
1단계	1~2학년	창작·전래·외국 동화, 동시, 동요, 수필, 희곡
2단계		
3단계	3~4학년	창작·전래·외국 동화, 시, 현대·고전·외국 수필, 희곡
4단계		
5단계	5~6학년	현대·고전·외국 소설, 현대시, 고전 시조, 현대·고전 수필, 시나리오
6단계		

주요 작품
- **1~2단계** 아기의 대답 (1단계 시), 꺼벙이 억수 (2단계 창작 동화), 만복이네 떡집 (2단계 창작 동화)
- **3~4단계** 바위나리와 아기별 (3단계 창작 동화), 잘못 뽑은 반장 (4단계 창작 동화), 물새알 산새알 (4단계 시)
- **5~6단계** 이상한 선생님 (5단계 현대 소설), 고무신 (6단계 현대 소설), 풀잎에도 상처가 있다 (6단계 현대시)

비문학과 문학,
바른 독해 방법이 다릅니다

비문학의 바른 독해 방법

비문학은 핵심 주제를 파악하고 글쓴이의 관점을 이해하는 것이 중요합니다.

비문학은 지식이나 정보 또는 자신의 의견을 전달하는 글의 특성이 있기 때문에, 전체 글의 핵심 주제, 문단별 핵심 내용, 글쓴이의 관점 등을 이해하며 읽는 훈련을 해야 합니다. 따라서 비문학을 바르게 읽고 이해하려면 글의 전체 구조를 그려볼 수 있어야 하고, 글 전체의 중심 내용과 문단별 중심 내용 그리고 핵심 주제를 찾아보는 연습이 필요합니다.

설명문의 일반 구조

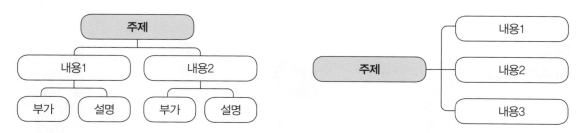

논설문의 일반 구조

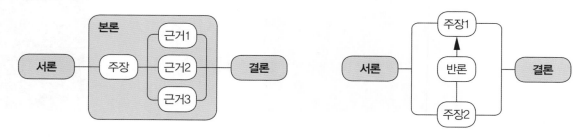

비문학은 정보 전달의 목적이 있기 때문에 다양한 지식과 정보를 쌓아야 합니다.

비문학은 어린이 신문이나 잡지 등을 통해 지식과 정보를 쌓는 것이 독해에 도움을 줍니다. 또한 독해 교재를 학습하면서 비문학 지문의 내용을 깊이 있게 이해하는 것도 중요합니다.

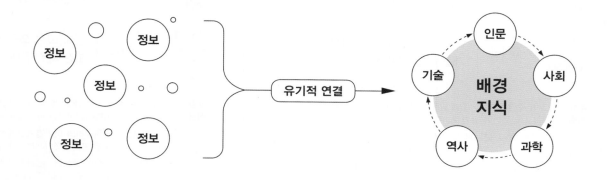

문학의 바른 독해 방법

문학은 갈래별 구성 요소를 이해하고 작품을 감상하는 것이 중요합니다.

문학은 소설, 시, 수필, 희곡 등 갈래에 따라 작품을 구성하는 요소가 다르기 때문에 갈래별 특징을 이해하고 작품을 감상하는 것이 중요합니다. 따라서 문학 작품을 읽고, 갈래에 따른 구성 요소를 중심으로 작품의 중요 내용을 정리하는 훈련이 필요합니다. 이때 온작품을 읽으면 작품 내용을 더욱 깊이 있게 이해할 수 있습니다.

갈래별 구성 요소

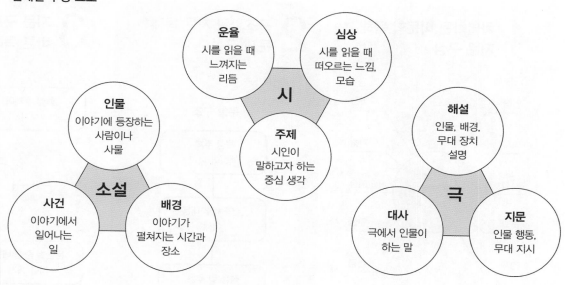

문학 작품을 감상하기 위해서 시대적 배경을 이해하고, 내용 흐름을 파악해야 합니다.

문학 작품을 읽을 때 작품이 쓰인 시대적 배경이나 작가의 삶과 관련지어 감상하면 작가가 전하고 싶은 주제를 파악하는 데 도움이 됩니다. 또 글의 내용 흐름을 제대로 파악하는 것도 중요합니다.

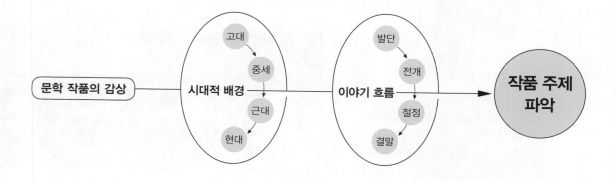

구성과 특징

빠작 초등 국어 비문학 독해 4단계는 초등 3~4학년 학생들이 비문학 지문을 읽고 내용을 정확하게 이해하는 훈련 중심으로 구성하였습니다. 특히 설명문, 논설문 등 정보 글의 구조 분석 훈련을 통해 바른 독해 학습이 가능하도록 구성하였습니다.

1 차별화된 비문학 독해 지문 구성

언어　과학
역사　기술
사회　예술
문화　인물
경제　환경

3~4학년
필수 영역 10개
선정

2 구조화된 지문 독해 문제 구성

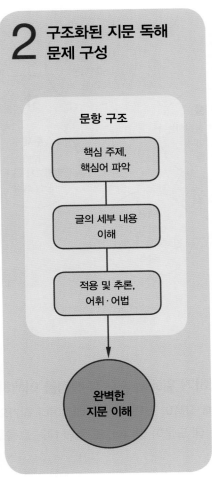

문항 구조

핵심 주제,
핵심어 파악

글의 세부 내용
이해

적용 및 추론,
어휘·어법

완벽한
지문 이해

3 지문 구조 분석을 통한 바른 독해 훈련

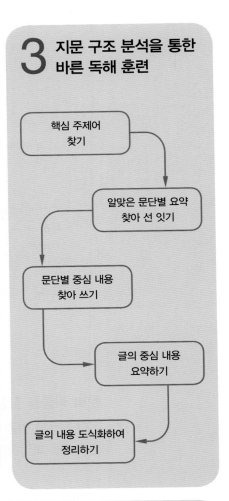

핵심 주제어
찾기

알맞은 문단별 요약
찾아 선 잇기

문단별 중심 내용
찾아 쓰기

글의 중심 내용
요약하기

글의 내용 도식화하여
정리하기

4 다양한 배경지식 습득

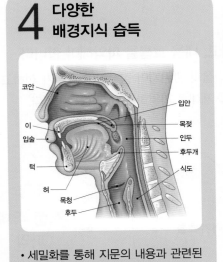

코안　입안
이　목젖
입술　인두
턱　후두개
혀　식도
목청
후두

• 세밀화를 통해 지문의 내용과 관련된 지식을 풍부하게 알 수 있도록 구성
• 3~4학년 눈높이에 맞춰 쉽게 이해할 수 있도록 구성

5 지문별 5개 필수 어휘 학습

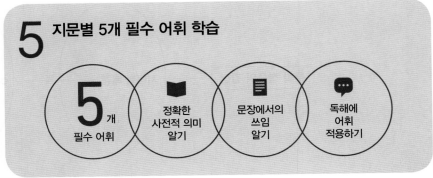

5개
필수 어휘

정확한
사전적 의미
알기

문장에서의
쓰임
알기

독해에
어휘
적용하기

⊙ 차별화된 독해 지문

⊙ 구조화된 독해 문제

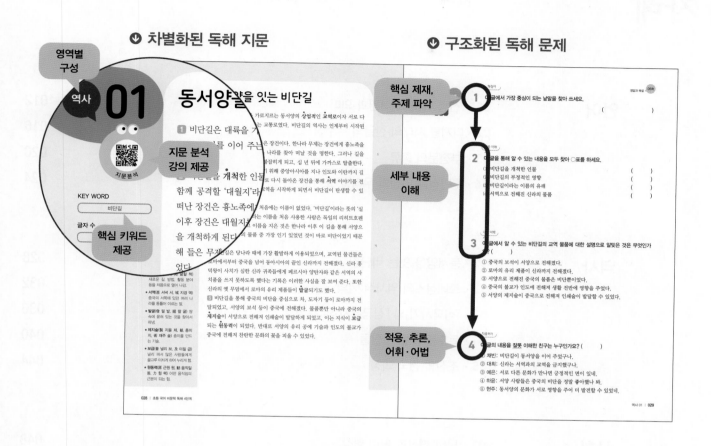

영역별 구성

역사 01

동서양을 잇는 비단길

KEY WORD
비단길

지문 분석 강의 제공

핵심 키워드 제공

글자 수

핵심 제재, 주제 파악

1 이 글에서 가장 중심이 되는 낱말을 찾아 쓰세요.

세부 내용 이해

2 이 글을 통해 알 수 있는 내용을 모두 찾아 ○표를 하세요.
⑴ 비단길을 개척한 인물 ( )
⑵ 비단길의 부정적인 영향 ( )
⑶ 비단길이라는 이름의 유래 ( )
⑷ 서역으로 전해진 신라의 물품 ( )

3 이 글에서 알 수 있는 비단길의 교역 물품에 대한 설명으로 알맞은 것은 무엇인가요? ( )
① 중국의 보석이 서양으로 전해졌다.
② 로마의 유리 제품이 신라까지 전해졌다.
③ 서양으로 전해진 중국의 물품은 비단뿐이었다.
④ 중국의 불교가 인도에 전해져 생활 전반에 영향을 주었다.
⑤ 서양의 제지술이 중국으로 전해져 인쇄술이 발달할 수 있었다.

적용, 추론, 어휘·어법

4 이 글의 내용을 잘못 이해한 친구는 누구인가요? ( )
① 재빈: 비단길이 동서양을 이어 주었구나.
② 대희: 신라는 서역과의 교역을 금지했구나.
③ 예은: 서로 다른 문화가 만나면 긍정적인 면이 있네.
④ 하윤: 서양 사람들은 중국의 비단을 정말 좋아했나 봐.
⑤ 현주: 동서양의 문화가 서로 영향을 주어 더 발전할 수 있었네.

역사 01 | 029

⊙ 지문 구조 분석 & 배경지식

⊙ 오늘의 어휘

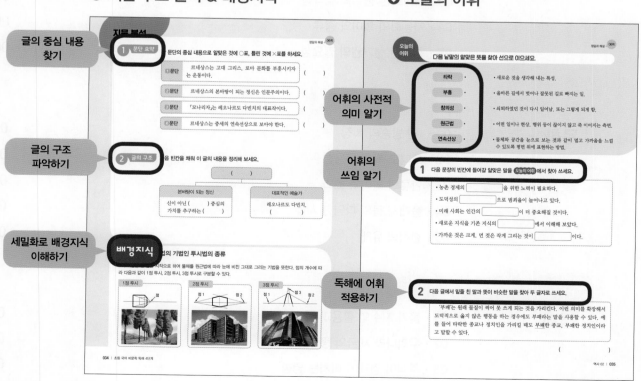

글의 중심 내용 찾기

1 문단 요약

문단의 중심 내용으로 알맞은 것에 ○표, 틀린 것에 ✕표를 하세요.

1문단 르네상스는 고대 그리스, 로마 문화를 부흥시키자 는 운동이다. ( )
2문단 르네상스의 본바탕이 되는 정신은 인문주의이다. ( )
3문단 「모나리자」는 레오나르도 다빈치의 대표작이다. ( )
4문단 르네상스는 중세의 연속선상으로 보아야 한다. ( )

글의 구조 파악하기

2 글의 구조

다음 빈칸을 채워 이 글의 내용을 정리해 보세요.

( )

| 본바탕이 되는 정신 | 대표적인 예술가 |
| 신이 아닌 ( ) 중심의 가치를 추구하는 ( ) | 레오나르도 다빈치, ( ) |

세밀화로 배경지식 이해하기

배경지식

~의 기법인 투시법의 종류

어휘의 사전적 의미 알기

오늘의 어휘

다음 낱말의 알맞은 뜻을 찾아 선으로 이으세요.

타락 •
부흥 •
창의성 •
원근법 •
연속선상 •

• 새로운 것을 생각해 내는 특성.
• 올바른 길에서 벗어나 잘못된 길로 빠지는 일.
• 쇠퇴하였던 것이 다시 일어남. 또는 그렇게 되게 함.
• 어떤 일이나 현상, 행위 등이 끊이지 않고 쭉 이어지는 측면.
• 물체와 공간을 눈으로 보는 것과 같이 멀고 가까움을 느낄 수 있도록 평면 위에 표현하는 방법.

어휘의 쓰임 알기

1 다음 문장의 빈칸에 들어갈 알맞은 말을 오늘의 어휘 에서 찾아 쓰세요.
• 농촌 경제의 [ ]을 위한 노력이 필요하다.
• 도덕성의 [ ]으로 범죄율이 늘어나고 있다.
• 미래 사회는 인간의 [ ]이 더 중요해질 것이다.
• 새로운 지식을 기존 지식의 [ ]에서 이해해 보았다.
• 가까운 것은 크게, 먼 것은 작게 그리는 것이 [ ]이다.

독해에 어휘 적용하기

2 다음 글에서 밑줄 친 말과 뜻이 비슷한 말을 찾아 두 글자로 쓰세요.

'부패'는 원래 물질이 썩어 못 쓰게 되는 것을 가리킨다. 이런 의미를 확장해서 도덕적으로 옳지 않은 행동을 하는 경우에도 부패라는 말을 사용할 수 있다. 예를 들어 타락한 종교나 정치인을 가리킬 때도 부패한 종교, 부패한 정치인이라고 말할 수 있다.

( )

역사 02 | 035

빠작 초등 국어 비문학 독해 4단계
차례

'산통 깨다'의 어원과 의미

1 반 친구들과 함께 선생님의 깜짝 생신 파티를 준비하려고 한다. 그런데 한 친구가 선생님께 파티 계획을 미리 말씀드려 버리면 어떻게 될까? 이럴 때 우리는 '산통을 깼다.'라고 한다. '산통 깨다'의 **어원**과 관련해서는 두 가지 **설**이 있다.

2 우선 '산통계'에서 **유래**된 것으로 보는 주장이다. '계'란 **목돈**을 마련하기 위해 여럿이 모임을 만들어 매월 일정한 금액을 내면, 모인 돈 전부인 '곗돈'을 순서를 정하여 한 명씩 받아 가는 조직이다. 곗돈을 받는 순서는 이름과 번호를 적어 놓은 나무 알을 통에 넣고 흔들어 한 명씩 뽑는 **추첨** 방식으로 정하기도 했는데, 이렇게 진행되는 계를 산통계라고 했다. 그런데 중간에 누군가가 곗돈을 먼저 받고 도망가 버려 산통계를 **어그러뜨리는** 일에서 '산통계를 깨다'라는 말이 나왔고, 이 말이 줄어서 '산통 깨다'가 되었다는 것이다.

3 '산통 깨다'가 '산통점'에서 유래된 것으로 보는 주장도 있다. 산통점이란 옛날 사람들이 자신의 앞날을 알고 싶어 점을 칠 때, 숫자가 새겨진 긴 막대기를 통에 넣고 흔든 다음 하나를 뽑아 **점괘**를 내어 보는 것을 말한다. 이때 막대기를 넣은 통을 '산통'이라고 불렀다. 그런데 이 산통이 깨지면 점을 치지 못하게 되므로, 산통을 깨는 행동은 어떤 일을 중간에서 망친다는 의미가 된 것이다.

4 두 가지 어원 중 무엇이 맞고 틀린지는 알기 어렵다. 하지만 공통적으로 '산통 깨다'의 의미가 [㉠]는 뜻이라는 것은 이해할 수 있다.

KEY WORD

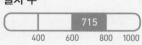
산통 깨다

글자 수

715
400 600 800 1000

- **어원**(語 말씀 어, 源 근원 원) 어떤 말이 생겨난 근본이나 원인.
- **설**(說 말씀 설) 견해나 학설.
- **유래**(由 말미암을 유, 來 올래) 사물이나 일이 생겨남. 또는 그 사물이나 일이 생겨난 바.
- **목돈** 한몫이 될 만한, 비교적 많은 돈.
- **추첨**(抽 뺄 추, 籤 제비 첨) 제비를 뽑음.
- **어그러뜨리는** 기대가 빗나가거나 달라져 이루어지지 않게 하는.
- **점괘**(占 차지할 점, 卦 점괘 괘) 앞날이 잘되고 못됨을 점쳤을 때 나온 결과.

지문 독해

1 이 글에서 가장 중심이 되는 말을 찾아 네 글자로 쓰세요.

(   )

2 이 글을 통해 알 수 있는 내용을 모두 찾아 ○표를 하세요.

(1) 산통계와 산통점의 의미   (   )
(2) 곗돈을 통한 목돈 마련의 중요성   (   )
(3) '산통 깨다'의 유래에 관한 두 가지 설   (   )
(4) 곗돈을 받는 순서를 정하는 여러 가지 방법   (   )

3 ㉠에 들어갈 '산통 깨다'의 의미로 알맞은 것은 무엇인가요? (   )

① 잘되는 일을 더 잘되도록 힘써 돕는다
② 잘 풀리지 않는 일을 더욱 꼬이게 만든다
③ 진행하고 있던 일을 아예 없던 일로 한다
④ 잘 진행되는 일에 끼어들어 일을 그르치게 한다
⑤ 여러 사람이 일을 진행할 때는 반드시 갈등이 있다

4 다음 중 '산통 깨다'와 바꿔 쓸 수 있는 속담은 무엇인가요? (   )

① 다 된 죽에 코 풀기
② 소 잃고 외양간 고친다
③ 혹 떼러 갔다가 혹 붙인 격
④ 개구리 올챙이 적 생각 못 한다
⑤ 가랑잎이 솔잎더러 바스락거린다고 한다

지문 분석

1 문단 요약

다음 빈칸을 채워 각 문단의 중심 내용을 정리해 보세요.

1 문단	'(　　　) 깨다'라는 말을 쓰는 사례
2 문단	'산통계'에서 (　　　)되었다고 보는 설
3 문단	'(　　　)'에서 유래되었다고 보는 설
4 문단	'산통 깨다'의 (　　　)

2 글의 구조

다음 빈칸을 채워 이 글의 내용을 정리해 보세요.

'산통 깨다'의 어원

'(　　　)'에서 유래
중간에 (　　　)을 받고 도망가 버려 산통계를 어그러뜨리는 일에서 생겨난 말

'(　　　)'에서 유래
점을 칠 때 필요한 (　　　)이 깨져 점을 치지 못하게 되는 일에서 생겨난 말

'산통 깨다'의 의미
잘 진행되는 일에 끼어들어 일을 그르치게 하다.

배경지식 '산통 깨다'와 비슷한 뜻의 우리말 표현

초를 치다

한창 잘되고 있거나 잘되려는 일에 방해를 놓아서 일이 잘못되거나 시들하여지도록 만든다는 뜻이다.

재를 뿌리다

일이나 분위기 등을 망치거나 훼방을 놓는다는 뜻이다.

다 된 죽에 코 빠졌다

거의 다 된 일을 망쳐 버리는 행동을 이르는 말이다.

오늘의 어휘

다음 낱말의 알맞은 뜻을 찾아 선으로 이으세요.

어원 •　　　　　•　제비를 뽑음.

유래 •　　　　　•　한몫이 될 만한, 비교적 많은 돈.

목돈 •　　　　　•　어떤 말이 생겨난 근본이나 원인.

추첨 •　　　　　•　앞날이 잘되고 못됨을 점쳤을 때 나온 결과.

점괘 •　　　　　•　사물이나 일이 생겨남. 또는 그 사물이나 일이 생겨난 바.

1 다음 문장의 빈칸에 들어갈 알맞은 말을 (오늘의 어휘)에서 찾아 쓰세요.

- '노래'라는 말의 [　　　　　]은 '놀다'에 있다.
- [　　　　　]을 마련하기 위해 적금을 들었다.
- 누가 조장을 맡을지 [　　　　　]으로 정했다.
- 올해 일이 잘 풀릴 것이라는 좋은 [　　　　　]가 나왔다.
- 사물놀이는 풍물놀이에서 [　　　　　]된 것으로 볼 수 있다.

2 다음 글에서 밑줄 친 말과 뜻이 반대되는 말을 찾아 두 글자로 쓰세요.

　　돼지 저금통에 백 원씩, 오백 원씩 <u>푼돈</u>을 모아서 어려운 이웃을 위해 기부를 했다. 일 년을 모았더니 제법 목돈이 되어 좋은 곳에 쓰일 수 있는 금액이 되었다. 앞으로는 십 원짜리 동전도 잘 모아서 의미 있게 사용해야겠다.

(　　　　　)

디지털 시대의 한글의 우수성

지문분석

KEY WORD

디지털 시대의 한글

글자 수

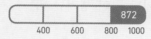
872
400 600 800 1000

① 한글은 발음 기관의 모양을 본떠 만들어져서 글자만 보고도 어떻게 발음해야 할지 알 수 있는 과학적인 문자이다. 이러한 장점은 오늘날 디지털 시대에 더욱 빛을 발하고 있다.

② 편리함과 속도가 중요한 디지털 시대에 한글은 컴퓨터나 스마트폰으로 쉽고 빠르게 글을 입력할 수 있다. 컴퓨터에 중국의 한자로 '나는 너를 사랑해.'라는 뜻의 '我爱你(워아이니).'를 입력하려면 우선 '워[wo]'라는 중국 발음을 알파벳으로 쳐야 한다. 그다음 '워'로 발음하는 한자 대여섯 개 중에서 '我'를 골라 선택한다. 이렇게 여러 과정을 거쳐야 입력할 수 있는 한자에 비해 한글은 자음자 14개, 모음자 12개의 키보드 자판을 그대로 치기만 하면 되기 때문에 빠른 입력이 가능하다. 특히 스마트폰 등에서 **천지인** 입력 방식을 이용하면 'ㆍ', 'ㅡ', 'ㅣ'의 세 모음자만으로 모든 글자의 모음자를 만들어 낼 수 있기 때문에 입력 속도가 빠를 뿐만 아니라 자판의 개수를 **대폭** 줄일 수 있다.

③ 최근 크게 발전하고 있는 음성 **인식** 기술에도 한글은 가장 적합한 문자로 평가되고 있다. 음성 인식 기술은 키보드 없이 사람의 음성으로 단어나 문장을 입력하는 것을 말한다. 영어의 경우, 알파벳 'A'는 단어에 따라 '에, 아, 에이' 등 다양한 소리로 발음한다. 그래서 영어는 음성을 인식하여 문자로 **변환**하기가 쉽지 않다. 하지만 한글 'ㅏ'는 언제든지 '아'로만 발음한다. 즉, 소리와 글자가 일대일로 **대응**되기 때문에 음성 인식 기술에도 **최적**의 문자라고 할 수 있다.

④ 우리는 한글을 **모국어**로 자연스럽게 익혔기에 한글이 얼마나 과학적이고 위대한 문자인지 평소에는 잘 느끼지 못한다. 하지만 오늘날 우리나라가 세계적인 인터넷 **강국**이 될 수 있었던 여러 이유 중 하나는 바로 한글의 우수성 덕분이다.

5

10

15

20

- **천지인**(天 하늘 천, 地 땅 지, 人 사람 인) 우주를 이루는 하늘과 땅과 사람을 통틀어 이르는 말. 이 글에서는 하늘, 땅, 사람을 본떠 만든 글자인 'ㆍ', 'ㅡ', 'ㅣ'를 가리킴.

- **대폭**(大 큰 대, 幅 폭 폭) 큰 폭이나 범위. 썩 많이.

- **인식**(認 알 인, 識 알 식) 사물을 분별하고 판단하여 앎.

- **변환**(變 변할 변, 換 바꿀 환) 달라져서 바뀜. 또는 다르게 하여 바꿈.

- **대응**(對 대답할 대, 應 응할 응) 어떤 두 대상이 주어진 어떤 관계에 의하여 서로 짝이 되는 일.

- **최적**(最 가장 최, 適 맞을 적) 가장 알맞음.

- **모국어**(母 어머니 모, 國 나라 국, 語 말씀 어) 자기 나라의 말.

- **강국**(强 강할 강, 國 나라 국) 어떤 방면에서 능력이 뛰어나 세계적으로 인정받는 나라.

핵심어

1 이 글에서 가장 중심이 되는 말은 무엇인가요? (   )

① 한글   ② 한자   ③ 컴퓨터
④ 알파벳   ⑤ 발음 기관

전개 방식

2 이 글의 설명 방법으로 알맞은 것은 무엇인가요? (   )

① 대상을 이루고 있는 구성 요소를 분석하고 있다.
② 다른 대상과의 비교를 통해 장점을 강조하고 있다.
③ 대상의 발전 과정을 시간의 흐름에 따라 설명하고 있다.
④ 구체적인 예를 들어 대상이 만들어진 원리를 설명하고 있다.
⑤ 대상을 특정 기준에 따라 나누어 각각의 장단점을 설명하고 있다.

내용 이해

3 다음 중 이 글에서 알 수 있는 한글의 특징으로 알맞은 것은 무엇인가요?

(   )

① 소리와 글자가 일대일로 대응된다.
② 하나의 글자가 다양한 소리로 발음된다.
③ 자판의 개수가 많아서 입력 속도가 빠르다.
④ 알파벳으로 발음을 변환한 후 입력할 수 있다.
⑤ 모음자가 3개뿐이라 음성 인식 기술에 적합하다.

적용하기

4 이 글을 읽고 보기 에 대해 알맞게 설명한 것은 무엇인가요? (   )

> 보기
>
> '하늘'이라는 낱말을 컴퓨터 키보드 자판으로 입력해야 한다.

① '하늘'을 'sky'로 바꾼 후 입력이 가능하다.
② '하'의 모음자 'ㅏ'는 '아' 또는 '에'로 발음한다.
③ 자음자 3개, 모음자 2개로 총 5개의 자판을 누르게 된다.
④ 먼저 'ha'를 입력한 후 '하'라는 글자를 선택하여 입력한다.
⑤ '하늘'에는 천지인 입력 방식으로는 만들 수 없는 모음자가 있다.

지문 분석

1 문단 요약 **각 문단의 중심 내용으로 알맞은 것에 ○표, 틀린 것에 ✕표를 하세요.**

1 문단	한글은 글자만 보고도 발음을 알 수 있는 과학적인 문자이다.	( )
2 문단	한글은 입력 속도가 한자만큼 빠르다.	( )
3 문단	한글은 음성 인식 기술에 적합하다.	( )
4 문단	우리나라는 세계적인 인터넷 강국이다.	( )

2 글의 구조 **다음 빈칸을 채워 이 글의 내용을 정리해 보세요.**

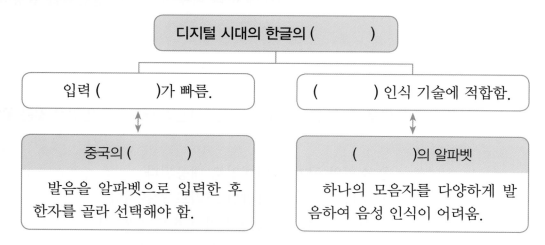

디지털 시대의 한글의 (   )

입력 (   )가 빠름.   (   ) 인식 기술에 적합함.

⇅   ⇅

중국의 (   )   (   )의 알파벳

발음을 알파벳으로 입력한 후 한자를 골라 선택해야 함.   하나의 모음자를 다양하게 발음하여 음성 인식이 어려움.

배경지식 발음 기관과 한글 자음

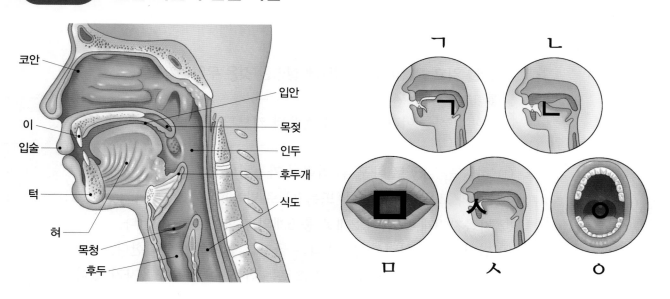

코안 / 이 / 입술 / 턱 / 혀 / 목청 / 후두 / 입안 / 목젖 / 인두 / 후두개 / 식도

ㄱ ㄴ ㅁ ㅅ ㅇ

다음 낱말의 알맞은 뜻을 찾아 선으로 이으세요.

대폭 •	• 가장 알맞음.
인식 •	• 큰 폭이나 범위. 썩 많이.
변환 •	• 사물을 분별하고 판단하여 앎.
대응 •	• 달라져서 바뀜. 또는 다르게 하여 바꿈.
최적 •	• 어떤 두 대상이 주어진 어떤 관계에 의하여 서로 짝이 되는 일.

1 다음 문장의 빈칸에 들어갈 알맞은 말을 오늘의 어휘 에서 찾아 쓰세요.

- 우리 역사에 대한 바른 [   ]이 필요하다.
- 이곳은 휴가를 보내기에 [   ]의 장소이다.
- 이번 정책은 처음 알려진 것보다 [   ] 수정되었다.
- 디지털이란 여러 자료를 수치나 기호로 [   ]한 것이다.
- 두 개의 수 사이의 [   ] 관계를 식으로 나타내어 보았다.

2 다음 글에서 밑줄 친 말과 뜻이 비슷한 말을 찾아 두 글자로 쓰세요.

사람은 누구나 죄를 지으면 그에 <u>상응</u>하는 벌을 받아야 한다. 권력이 있거나 돈이 많은 사람이라고 해서 처벌을 가볍게 하거나 쉽게 용서해 주면 그 사회의 질서는 무너지게 된다. 따라서 범죄와 그에 따른 책임의 대응이 원칙에 따라 지켜져야 한다.

(   )

지문분석

KEY WORD

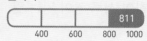

부정문

글자 수

			811
400	600	800	1000

부정문의 종류

1 부정문은 '안'이나 '못' 등의 **부정** 표현을 사용하여 그렇지 않음 또는 옳지 않음의 뜻을 나타내는 문장이다. 부정문은 의미와 길이에 따라 나눌 수 있다. 다음 예문을 살펴보자.

(1) 나는 밥을 안 먹었다.　　　(2) 나는 밥을 먹지 않았다.

(3) 나는 밥을 못 먹었다.　　　(4) 나는 밥을 먹지 못했다. 　　5

(5) 너는 밥을 먹지 말아라.　　(6) 우리 밥을 먹지 말자.

2 (1)과 (2)는 **주체**의 **의지**에 따른 부정의 의미를 나타낸다. 이런 경우 '안' 또는 '–지 않다'라는 표현을 사용하는데, 이를 '안' 부정문이라고 한다. 이와 달리 (3)과 (4)는 주체의 능력 부족이나 외부의 원인에 따른 부정을 나타낸다. 이런 경우는 '못' 또는 '–지 못하다'라는 표현을 사용하며, 　　10 이를 '못' 부정문이라 한다. (1)~(4)는 다시 길이에 따라 (1), (3)은 짧은 부정문, (2), (4)는 긴 부정문으로 나눌 수 있다.

3 (5)는 **화자**가 **청자**에게 어떤 행동을 할 것을 요구하는 문장인 명령문이고, (6)은 화자가 청자에게 어떤 행동을 함께 할 것을 부탁하는 문장인 청유문이다. 명령문이나 청유문은 '안'이나 '못' 부정문을 쓸 수 없다. 이　　15 두 문장 형태에서 부정 의미를 나타내려면 '–지 말다'라는 표현을 사용해야 한다.

4 부정 표현이 특정한 말과 어울리지 않는 경우도 있다. 예를 들어 '예쁘다'라는 말의 부정 표현으로 '안 예쁘다', '예쁘지 않다'는 쓰지만 '못 예쁘다', '예쁘지 못하다'는 쓰지 않는다. 그리고 '알다'라는 말의 부정 표현　　20 으로 '알지 못하다'는 쓰지만 '못 알다'는 쓰지 않는다. 이처럼 부정문은 전하고자 하는 의미나 사용하는 말에 따라 표현 방법이 달라지므로 **맥락**에 맞게 부정 표현을 사용해야 한다.

- **부정**(否 아닐 부, 定 정할 정) 그렇지 않다고 단정하거나 옳지 않다고 반대함.
- **주체**(主 주인 주, 體 몸 체) 사물의 작용이나 어떤 행동의 주가 되는 것. 일반적으로 문장 내에서는 주어를 가리킴.
- **의지**(意 뜻 의, 志 뜻 지) 어떠한 일을 이루고자 하는 마음.
- **화자**(話 말할 화, 者 놈 자) 이야기를 하는 사람.
- **청자**(聽 들을 청, 者 놈 자) 이야기를 듣는 사람.
- **맥락**(脈 맥 맥, 絡 이을 락) 말, 글 등이 일정하게 이어지면서 이루는 내용의 줄기나 흐름.

지문 독해

설명 대상

1 이 글은 무엇에 대해 설명하고 있는지 찾아 세 글자로 쓰세요.

(   )

전개 방식

2 이 글의 설명 방법으로 알맞은 것은 무엇인가요? (   )

① 전문가의 말을 빌려 설명하고 있다.

② 대상의 특징을 나열하여 설명하고 있다.

③ 대상의 구체적인 예를 들어 설명하고 있다.

④ 일이 일어난 시간적 순서에 따라 설명하고 있다.

⑤ 다른 대상과의 공통점과 차이점을 중심으로 설명하고 있다.

추론하기

3 이 글을 통해 답을 알 수 <u>없는</u> 질문은 무엇인가요? (   )

① 명령문과 청유문은 어떻게 다른가요?

② 부정문의 종류를 나누는 기준은 무엇인가요?

③ '못' 부정문이 사용되지 못하는 경우가 있나요?

④ 긴 부정문이 아닌 짧은 부정문만 써야 하는 말이 있나요?

⑤ 주체의 의지에 따른 부정문에는 어떤 부정 표현을 사용하나요?

어휘·어법

4 이 글을 읽고 보기 에 대해 알맞게 설명한 것은 무엇인가요? (   )

보기

㉮ 나는 숙제를 안 했다.   ㉯ 나는 숙제를 못 했다.

㉰ 나는 숙제를 하지 않았다.   ㉱ 나는 숙제를 하지 못했다.

㉲ 오늘은 숙제를 하지 말자.

① ㉮는 '나'의 능력 부족에 의한 부정의 의미가 있다.

② ㉯는 '나'의 의지에 의한 부정의 의미가 있다.

③ ㉰는 '안' 부정문이자 긴 부정문의 형식을 취하고 있다.

④ ㉱는 '못' 부정문이자 짧은 부정문의 형식을 취하고 있다.

⑤ ㉲는 명령문으로, '-지 말다' 부정문의 형식을 취하고 있다.

지문 분석

1 문단 요약 다음 질문의 답을 찾을 수 있는 문단을 찾아 선으로 이으세요.

부정문은 어떤 문장인가요?	**1** 문단
'-지 말다'는 어떤 경우에 사용하나요?	**2** 문단
'안' 부정문과 '못' 부정문은 어떻게 다른가요?	**3** 문단
맥락에 맞게 부정 표현을 사용해야 하는 이유는 무엇인가요?	**4** 문단

2 글의 구조 다음 빈칸을 채워 이 글의 내용을 정리해 보세요.

```
                   부정문의 종류
        ┌─────────────────┴─────────────────┐
     의미로 구분                        (      )로 구분
• '안' 부정문: 의지에 따른 부정      • 짧은 부정문: '안', '못' 사용
• '못' 부정문: (     ) 부족이       • 긴 부정문: '-지 않다', '-지
  나 외부 원인에 따른 부정             (     )' 사용
```

배경지식 문장의 종류

| 평서문 | 의문문 | 청유문 | 명령문 | 감탄문 |

오늘의 어휘

다음 낱말의 알맞은 뜻을 찾아 선으로 이으세요.

부정 • • 이야기를 듣는 사람.

의지 • • 이야기를 하는 사람.

화자 • • 어떠한 일을 이루고자 하는 마음.

청자 • • 그렇지 않다고 단정하거나 옳지 않다고 반대함.

맥락 • • 말, 글 등이 일정하게 이어지면서 이루는 내용의 줄기나 흐름.

1 다음 문장의 빈칸에 들어갈 알맞은 말을 오늘의 어휘 에서 찾아 쓰세요.

- 나는 _____가 강한 성격이다.
- 대화를 할 때는 _____를 배려해야 한다.
- 시나 동화에서 말하는 사람을 _____라고 한다.
- 그는 나의 질문에 긍정도 _____도 하지 않았다.
- _____에서 벗어나는 말을 하지 않도록 주의했다.

2 다음 글에서 밑줄 친 말과 뜻이 반대되는 말을 찾아 두 글자로 쓰세요.

두 사람이 대화를 나눌 때는 한 사람만 너무 일방적으로 이야기를 하지 않도록 주의해야 한다. 어느 한쪽이 <u>화자</u> 역할만 하고 다른 쪽은 청자 역할만 하게 되면 대화가 원활하게 진행되기 어렵다. 대화를 나눌 때는 화자와 청자의 역할이 수시로 바뀌면서 자연스럽게 이루어져야 한다.

( )

훈민정음 이전의 우리말 표기법

KEY WORD

차자 표기법

글자 수

782
400 600 800 1000

1 1443년에 세종이 훈민정음을 만들기 전에는 우리말을 기록할 우리의 문자가 없었다. 그래서 우리 조상은 중국의 문자인 한자를 사용하거나, 한자의 음과 뜻을 빌려서 우리말을 **표기**하였다. 이렇게 남의 나라 글자를 빌려서 자기 나라의 말을 표기하는 방법을 **차자** 표기법이라고 한다. 대표적인 차자 표기 방식에는 향찰, 이두, 구결이 있다.

2 향찰은 한자의 음과 뜻을 빌려 우리말의 **어순**에 맞게 표기하는 방식으로, 신라 시대의 노래인 향가의 노랫말을 기록하기 위한 **수단**이었다. 향찰은 **실질적**인 의미가 있는 말은 한자의 뜻을 빌리고, **형식적**인 말은 한자의 음을 빌려서 적었다. 문장 전체를 향찰로 적을 수 있었기 때문에 향찰은 우리말을 정확하게 표기할 수 있다는 장점이 있었다.

3 이두는 한자로 된 문장을 우리말 어순에 맞게 바꾸고, 형식적인 말은 한자의 음을 빌려서 붙인 것이다. 이두는 신라 초기부터 쓰이기 시작해서 고려 시대에는 **관공서**에서 공적인 문서를 작성할 때 주로 쓰였다. 향찰보다 쓰기 편리했던 이두는 조선 후기까지 널리 쓰였다.

4 구결은 한자로 된 글의 중간중간에 한자의 음을 빌려 토를 달아 놓은 것을 말한다. 구결은 한문 자료를 쉽게 읽도록 하기 위해서 쓰였다. 시간이 지나면서 토를 다는 데 쓰는 한자의 모양을 간단하게 줄여서 사용하기도 했다.

5 이러한 차자 표기법은 한자를 전혀 모르면 사용할 수 없었기 때문에 일반 백성들에게 널리 쓰이지 못했다는 한계를 지닌다. ⟨ ㉠ ⟩ 향찰, 이두, 구결에는 중국의 한자를 그대로 받아들이지 않고 우리말의 고유한 특징을 살려서 표기하고자 한 우리 조상의 의지가 담겨 있다.

5

10

15

20

- **표기**(表 겉 표, 記 기록할 기) 문자나 기호를 써서 말이나 생각을 적음.
- **차자**(借 빌릴 차, 字 글자 자) 자기 나라의 말을 적는 데 남의 나라 글자를 빌려 씀. 또는 그 글자.
- **어순**(語 말씀 어, 順 순할 순) 주어, 목적어, 서술어 등의 문장 성분의 배열에 나타나는 일정한 순서.
- **수단**(手 손 수, 段 구분 단) 어떤 목적을 이루기 위한 방법. 또는 그 도구.
- **실질적**(實 열매 실, 質 바탕 질, 的 과녁 적) 실제로 있는 본바탕과 같거나 그것에 근거하는 것.
- **형식적**(形 형상 형, 式 법 식, 的 과녁 적) 사물이 외부로 나타나 보이는 모양을 위주로 하는 것.
- **관공서**(官 벼슬 관, 公 공변될 공, 署 관청 서) 나라의 일이나 공공의 일을 처리하는 곳.

지문 독해

1 ^{목적}
글쓴이가 이 글을 쓴 목적은 무엇에 대해 알려 주기 위해서인지 **1**문단에서 찾아 다섯 글자로 쓰세요.

(   )

^{내용 이해}

2 이 글을 통해 알 수 있는 내용이 <u>아닌</u> 것은 무엇인가요? (   )

① 향찰의 표기 방식
② 이두의 사용 목적
③ 차자 표기법의 종류
④ 구결이 사라진 까닭
⑤ 차자 표기법의 한계

^{내용 이해}

3 이 글의 내용과 일치하는 것은 무엇인가요? (   )

① 우리 조상은 우리 문자를 중국에 빌려주었다.
② 훈민정음이 만들어지기 전에는 우리말이 없었다.
③ 향찰은 한문 자료를 쉽게 읽기 위해 사용한 표기 수단이다.
④ 향찰과 이두는 모두 우리말 어순에 맞게 표기하는 방식이다.
⑤ 구결은 우리말을 가장 정확하게 적을 수 있는 차자 표기법이다.

^{어휘·어법}

4 ㉠에 들어갈 이어 주는 말로 알맞은 것은 무엇인가요? (   )

① 또한   ② 그리고
③ 그래서   ④ 그러나
⑤ 그러므로

지문 분석

1 문단 요약 각 문단의 중심 내용을 알맞게 선으로 이으세요.

1 문단 •　　　• 차자 표기법의 의미와 종류

2 문단 •　　　• 차자 표기법의 한계와 의의

3 문단 •　　　• 구결의 표기 방식과 사용 목적

4 문단 •　　　• 향찰의 표기 방식과 사용 목적

5 문단 •　　　• 이두의 표기 방식과 사용 목적

2 글의 구조 다음 빈칸을 채워 이 글의 내용을 정리해 보세요.

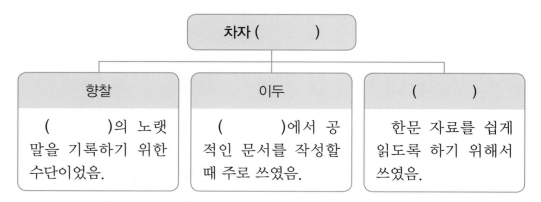

차자 (　　　　)

향찰	이두	(　　　　)
(　　　　)의 노랫말을 기록하기 위한 수단이었음.	(　　　　)에서 공적인 문서를 작성할 때 주로 쓰였음.	한문 자료를 쉽게 읽도록 하기 위해서 쓰였음.

배경지식 서동요

서동요는 현재까지 전해지는 향가 중 가장 먼저 지어진 것이다. 신라 진평왕 때 서동이 이 노래를 만들어서 아이들에게 부르게 하여 진평왕의 딸인 선화 공주와 결혼하게 되었다는 유래가 담겨 있다.

선화 공주님은 남몰래 시집가서 밤마다 몰래 서동을 만난대요.

오늘의 어휘

다음 낱말의 알맞은 뜻을 찾아 선으로 이으세요.

표기 •　　　　　　• 문자나 기호를 써서 말이나 생각을 적음.

어순 •　　　　　　• 나라의 일이나 공공의 일을 처리하는 곳.

수단 •　　　　　　• 어떤 목적을 이루기 위한 방법. 또는 그 도구.

실질적 •　　　　　　• 실제로 있는 본바탕과 같거나 그것에 근거하는 것.

관공서 •　　　　　　• 주어, 목적어, 서술어 등의 문장 성분의 배열에 나타나는 일정한 순서.

1 다음 문장의 빈칸에 들어갈 알맞은 말을 오늘의 어휘 에서 찾아 쓰세요.

- 어려운 이웃을 위해 [　　　　　]인 도움을 주고 싶다.
- 이 골목에는 세무서와 경찰서 등의 [　　　　　]가 있다.
- 그 일을 해내기 위한 [　　　　　]과 방법을 고민하고 있다.
- 우리말의 [　　　　　]은 영어와 달리 서술어가 맨 뒤에 온다.
- 한글이 창제된 후 우리말을 우리 문자로 [　　　　　]할 수 있게 되었다.

2 다음 글에서 밑줄 친 말들을 모두 포함하는 말을 찾아 세 글자로 쓰세요.

관공서는 크게 두 가지로 구분할 수 있다. 먼저 그 영향력이 온 나라에 미치는 관공서에는 국회, 대법원, 정부 등이 있다. 그리고 어느 한 지역의 행정을 맡아보는 관공서에는 도청, 시청, 경찰서, 소방서 등이 있다.

(　　　　　　)

역사 01

KEY WORD

비단길

글자 수

			843
400	600	800	1000

- **상업적(商 장사 상, 業 업 업, 的 과녁 적)** 상품을 사고파는 행위를 통하여 이익을 얻는 것

- **교역로(交 사귈 교, 易 바꿀 역, 路 길 로)** 주로 나라와 나라 사이에서 물건을 사고팔고 하여 서로 바꿀 때 물건을 실어 나르는 길.

- **개척(開 열 개, 拓 넓힐 척)** 새로운 길, 방법, 활동 분야 등을 처음으로 열어 나감.

- **서역(西 서녘 서, 域 지경 역)** 중국의 서쪽에 있던 여러 나라를 통틀어 이르는 말.

- **발굴(發 필 발, 掘 팔 굴)** 땅속에 묻혀 있는 것을 찾아서 파냄.

- **제지술(製 지을 제, 紙 종이 지, 術 재주 술)** 종이를 만드는 기술.

- **보급(普 널리 보, 及 미칠 급)** 널리 펴서 많은 사람들에게 골고루 미치게 하여 누리게 함.

- **원동력(原 근원 원, 動 움직일 동, 力 힘 력)** 어떤 움직임의 근본이 되는 힘.

동서양을 잇는 비단길

1 비단길은 대륙을 가로지르는 동서양의 **상업적**인 **교역로**이자 서로 다른 두 문화를 이어 주는 교통로였다. 비단길의 역사는 언제부터 시작된 것일까?

2 비단길을 **개척**한 인물은 장건이다. 한나라 무제는 장건에게 흉노족을 함께 공격할 '대월지'라는 나라를 찾아 떠날 것을 명한다. 그러나 길을 떠난 장건은 흉노족에게 붙잡히게 되고, 십 년 뒤에 가까스로 탈출한다. 이후 장건은 대월지를 찾기 위해 중앙아시아를 지나 인도와 이란까지 길을 개척하게 된다. 한나라로 다시 돌아온 장건을 통해 **서역** 이야기를 전해 들은 무제가 서역과 교역을 시작하게 되면서 비단길이 탄생할 수 있었다.

3 장건이 개척한 길은 처음에는 이름이 없었다. '비단길'이라는 뜻의 '실크 로드(Silk Road)'라는 이름을 처음 사용한 사람은 독일의 리히트호펜이다. 비단길이라고 이름을 지은 것은 한나라 이후 이 길을 통해 서양으로 전달된 동양의 물품 중 가장 인기 있었던 것이 바로 비단이었기 때문이다.

4 비단길은 당나라 때에 가장 활발하게 이용되었으며, 교역된 물건들은 로마에서부터 중국을 넘어 동아시아의 끝인 신라까지 전해졌다. 신라 흥덕왕이 사치가 심한 신라 귀족들에게 페르시아 양탄자와 같은 서역의 사치품을 쓰지 못하도록 했다는 기록은 이러한 사실을 잘 보여 준다. 또한 신라의 옛 무덤에서 로마의 유리 제품들이 **발굴**되기도 했다.

5 비단길을 통해 중국의 비단을 중심으로 차, 도자기 등이 로마까지 전달되었고, 서양의 보석 등이 중국에 전해졌다. 물품뿐만 아니라 중국의 **제지술**이 서양으로 전해져 인쇄술이 발달하게 되었고, 이는 지식이 **보급**되는 **원동력**이 되었다. 반대로 서양의 유리 공예 기술과 인도의 불교가 중국에 전해져 찬란한 문화의 꽃을 피울 수 있었다.

5

10

15

20

25

지문 독해

핵심어

1 이 글에서 가장 중심이 되는 낱말을 찾아 쓰세요.

(   )

내용 이해

2 이 글을 통해 알 수 있는 내용을 모두 찾아 ○표를 하세요.

(1) 비단길을 개척한 인물   (   )
(2) 비단길의 부정적인 영향   (   )
(3) 비단길이라는 이름의 유래   (   )
(4) 서역으로 전해진 신라의 물품   (   )

내용 이해

3 이 글에서 알 수 있는 비단길의 교역 물품에 대한 설명으로 알맞은 것은 무엇인가요? (   )

① 중국의 보석이 서양으로 전해졌다.
② 로마의 유리 제품이 신라까지 전해졌다.
③ 서양으로 전해진 중국의 물품은 비단뿐이었다.
④ 중국의 불교가 인도에 전해져 생활 전반에 영향을 주었다.
⑤ 서양의 제지술이 중국으로 전해져 인쇄술이 발달할 수 있었다.

적용하기

4 이 글의 내용을 <u>잘못</u> 이해한 친구는 누구인가요? (   )

① 채빈: 비단길이 동서양을 이어 주었구나.
② 대희: 신라는 서역과의 교역을 금지했구나.
③ 예은: 서로 다른 문화가 만나면 긍정적인 면이 있네.
④ 하윤: 서양 사람들은 중국의 비단을 정말 좋아했나 봐.
⑤ 현주: 동서양의 문화가 서로 영향을 주어 더 발전할 수 있었네.

지문 분석

1 문단 요약　각 문단의 중심 내용을 알맞게 선으로 이으세요.

1 문단 •

2 문단 •

3 문단 •

4 문단 •

5 문단 •

• 비단길의 역할

• 비단길이라는 이름의 유래

• 비단길이 동서양에 끼친 영향

• 신라에 남아 있는 비단길의 흔적

• 비단길을 개척한 인물과 비단길의 기원

2 중심 내용　다음 빈칸을 채워 이 글의 중심 내용을 완성하세요.

(　　　)은 동서양의 상업적인 (　　　)이 이루어진 곳이면서, 서로 다른 두 (　　　)를 이어 주는 역할도 하였다.

배경지식　**동양과 서양을 잇는 교역로**

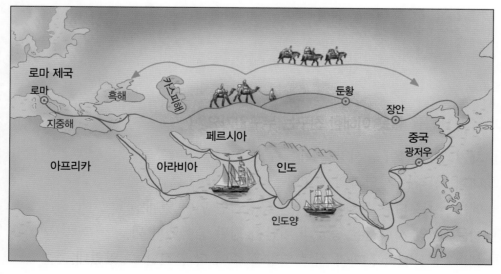

초원길 →
　내륙의 초원 지대를 연결하는 길로, 동서 교역로로 가장 먼저 이용됨.

비단길 →
　사막을 통과하는 길로, 큰 상인들의 교역로로 이용됨.

바닷길 →
　바다 위의 무역로로, '바다의 비단길'이라고도 불림.

다음 낱말의 알맞은 뜻을 찾아 선으로 이으세요.

교역로 •

• 어떤 움직임의 근본이 되는 힘.

개척 •

• 땅속에 묻혀 있는 것을 찾아서 파냄.

발굴 •

• 새로운 길, 방법, 활동 분야 등을 처음으로 열어 나감.

보급 •

• 널리 펴서 많은 사람들에게 골고루 미치게 하여 누리게 함.

원동력 •

• 주로 나라와 나라 사이에서 물건을 사고팔고 하여 서로 바꿀 때 물건을 실어 나르는 길.

1 다음 문장의 빈칸에 들어갈 알맞은 말을 오늘의 어휘 에서 찾아 쓰세요.

• 승리의 [   ]은 좋은 팀워크이다.

• 이 도시는 두 [   ]가 교차되는 곳에 있다.

• 이곳은 유물 [   ] 작업이 한창 진행 중이다.

• 새로운 농업 기술이 개발되어 전국에 [   ]될 예정이다.

• 옛날 유럽에는 새로운 항로를 [   ]하려는 사람들이 있었다.

2 다음 글에서 밑줄 친 말과 뜻이 비슷한 말을 찾아 두 글자로 쓰세요.

　　디지털 기술이 발달하면서 사람들은 다양한 모바일 기기를 사용해 언제 어디서든 서로 데이터를 주고받는다. 이렇게 전송되는 데이터의 양이 늘어나면서 악성 공격과 데이터 유출의 위험도 점차 커지고 있다. 이러한 사이버 보안 문제를 해결하기 위해 최근 인공 지능을 도입한 보안 자동화 시스템이 개발되었다. 이 시스템은 사이버 보안의 새로운 시대를 개척했다는 평가를 받고 있다.

(　　　　　)

지문분석

르네상스의 역사적 의의

1 14~16세기에 나타난 르네상스란 부활, 재생을 뜻하는 말이다. 중세의 유럽에서는 **봉건** 사회의 위기와 교회의 **타락**에 반대하는 방향으로 새로운 **가치관**이 만들어지기 시작했다. 이에 따라 고대 그리스와 로마의 문화를 **부흥**시키자는 문화 운동인 르네상스가 널리 퍼져 나갔다.

2 르네상스의 본바탕이 되는 정신은 인문주의이다. 인문주의를 영어로 휴머니즘(humanism)이라 하는데, 이는 '사람'을 뜻하는 라틴어 '휴머스(humus)'에서 나온 말이다. 르네상스 이전의 중세는 신 중심의 시대로, 인간의 **창의성**은 설 자리가 없었다. 이와 달리 인문주의는 인간이 지니는 가치와 인간에 의해 만들어지는 모든 것을 존중하며 인간의 **본성**을 적극적으로 탐구하려는 정신이다.

3 르네상스 예술가들은 자연의 모습이나 사람의 몸을 표현하는 데 관심을 두었다. 이 시기의 대표적인 예술가로는 레오나르도 다빈치와 미켈란젤로가 있다. 「최후의 만찬」과 「모나리자」로 잘 알려진 레오나르도 다빈치는 **원근법**을 활용하여 작품에 완벽한 질서를 표현했고, 인체를 사실적으로 정확하게 그렸다. 「다비드」 조각상으로 유명한 미켈란젤로 역시 인체의 아름다움을 섬세하게 표현했던 이탈리아의 대표적인 화가이자 조각가이다.

4 르네상스를 근대의 시작으로 볼 것인지 중세의 **연속선상**으로 볼 것인지는 학자들마다 의견이 다양하다. 하지만 르네상스가 중세 문화와는 다른 새로운 문화로의 전환이었다는 점은 부정할 수 없다.

5

10

15

20

KEY WORD

르네상스

글자 수

703
400 600 800 1000

- **봉건**(封 봉할 봉, 建 세울 건) 중세 유럽에서, 신분에 따라 지배하거나 지배받는 관계를 기본으로 한 통치 제도.

- **타락**(墮 떨어질 타, 落 떨어질 락) 올바른 길에서 벗어나 잘못된 길로 빠지는 일.

- **가치관**(價 값 가, 値 값 치, 觀 볼 관) 가치에 대한 관점.

- **부흥**(復 다시 부, 興 일어날 흥) 쇠퇴하였던 것이 다시 일어남. 또는 그렇게 되게 함.

- **창의성**(創 비롯할 창, 意 뜻 의, 性 성품 성) 새로운 것을 생각해 내는 특성.

- **본성**(本 근본 본, 性 성품 성) 사람이 본디부터 가진 성질.

- **원근법**(遠 멀 원, 近 가까울 근, 法 법도 법) 물체와 공간을 눈으로 보는 것과 같이 멀고 가까움을 느낄 수 있도록 평면 위에 표현하는 방법.

- **연속선상**(連 잇달을 연, 續 이을 속, 線 선 선, 上 윗 상) 어떤 일이나 현상, 행위 등이 끊이지 않고 죽 이어지는 측면.

지문 독해

1 이 글에서 가장 중심이 되는 말은 무엇인가요? (   )

① 중세   ② 유럽   ③ 그리스

④ 르네상스   ⑤ 봉건 사회

2 이 글의 설명 방법으로 알맞지 <u>않은</u> 것은 무엇인가요? (   )

① **3**문단에서 구체적인 예를 들어 설명하고 있다.

② **1**, **2**문단에서 주요 낱말의 뜻을 설명하고 있다.

③ **4**문단에서 대상을 기준에 따라 나누어 설명하고 있다.

④ **1**문단에서 어떤 현상이 나타나게 된 배경을 설명하고 있다.

⑤ **2**문단에서 다른 대상과의 차이점을 통해 특징을 강조하고 있다.

3 이 글의 내용과 일치하지 <u>않는</u> 것은 무엇인가요? (   )

① 르네상스는 부활, 재생을 뜻하는 말이다.

② 르네상스 이후부터를 근대 시대라고 한다.

③ 인문주의는 르네상스의 본바탕이 되는 정신이다.

④ 레오나르도 다빈치는 원근법을 활용하여 그림을 그렸다.

⑤ 레오나르도 다빈치와 미켈란젤로는 르네상스를 대표하는 예술가이다.

4 이 글에서 알 수 있는 르네상스 이전과 르네상스 시대의 다른 점으로 알맞은 것은 무엇인가요? (   )

	르네상스 이전	르네상스 시대
①	신 중심	인간 중심
②	그림 중심	조각 중심
③	인간 중심	자연 중심
④	창의성 중시	질서 중시
⑤	고대 그리스 지향	고대 로마 지향

지문 분석

1 문단 요약

각 문단의 중심 내용으로 알맞은 것에 ○표, 틀린 것에 ×표를 하세요.

1문단	르네상스는 고대 그리스, 로마 문화를 부흥시키자는 운동이다.	( )
2문단	르네상스의 본바탕이 되는 정신은 인문주의이다.	( )
3문단	「모나리자」는 레오나르도 다빈치의 대표작이다.	( )
4문단	르네상스는 중세의 연속선상으로 보아야 한다.	( )

2 글의 구조

다음 빈칸을 채워 이 글의 내용을 정리해 보세요.

```
            (        )
      ┌──────────┴──────────┐
  본바탕이 되는 정신        대표적인 예술가

신이 아닌 (      ) 중심의    레오나르도 다빈치,
가치를 추구하는 (      )         (        )
```

배경지식 원근법의 기법인 투시법의 종류

투시법은 한 점을 시작으로 하여 물체를 원근법에 따라 눈에 비친 그대로 그리는 기법을 뜻한다. 점의 개수에 따라 다음과 같이 1점 투시, 2점 투시, 3점 투시로 구분할 수 있다.

다음 낱말의 알맞은 뜻을 찾아 선으로 이으세요.

타락 •

• 새로운 것을 생각해 내는 특성.

부흥 •

• 올바른 길에서 벗어나 잘못된 길로 빠지는 일.

창의성 •

• 쇠퇴하였던 것이 다시 일어남. 또는 그렇게 되게 함.

원근법 •

• 어떤 일이나 현상, 행위 등이 끊이지 않고 죽 이어지는 측면.

연속선상 •

• 물체와 공간을 눈으로 보는 것과 같이 멀고 가까움을 느낄 수 있도록 평면 위에 표현하는 방법.

1 다음 문장의 빈칸에 들어갈 알맞은 말을 (오늘의 어휘)에서 찾아 쓰세요.

• 농촌 경제의 [   ]을 위한 노력이 필요하다.

• 도덕성의 [   ]으로 범죄율이 늘어나고 있다.

• 미래 사회에는 인간의 [   ]이 더 중요해질 것이다.

• 새로운 지식을 기존 지식의 [   ]에서 이해해 보았다.

• 가까운 것은 크게, 먼 것은 작게 그리는 것이 [   ]이다.

2 다음 글에서 밑줄 친 말과 뜻이 비슷한 말을 찾아 두 글자로 쓰세요.

'부패'는 원래 물질이 썩어 못 쓰게 되는 것을 가리킨다. 이런 의미를 확장해서 도덕적으로 옳지 않은 행동을 하는 경우에도 부패라는 말을 사용할 수 있다. 예를 들어 타락한 종교나 정치인을 가리킬 때도 <u>부패</u>한 종교, 부패한 정치인이라고 말할 수 있다.

( )

『삼국사기』와『삼국유사』의 특징

1『삼국사기』와『삼국유사』는 모두 고려 시대에 **편찬**된 역사책으로, 삼국의 건국부터 왕건이 후삼국을 통일할 때까지의 역사를 공통적으로 담고 있다. 또한 신라를 중심에 놓고 서술하고 있다는 점도 비슷하다. 하지만 두 책은 역사를 바라보는 **관점**이 서로 달랐다.

2『삼국사기』는 현재까지 전해 오는 우리나라 역사책 중 가장 오래된 것으로, 나라에서 **공식적**으로 만든 역사책이다.『삼국사기』는 김부식과 **문장가** 10명이 편찬에 참여하여 문장이 화려하고, 중국의 형식을 그대로 따라서 틀이 잘 짜여 있다. 김부식은 유교적 관점에서 역사를 바라보았기 때문에『삼국사기』를 쓸 때도 사실이 아니거나 전설처럼 백성들 사이에 떠도는 이야기는 담지 않았다.『삼국사기』라는 책 제목이 '역사 사(史)', '기록 기(記)'라는 점 역시『삼국사기』가 역사를 있는 그대로 기록한 책이라는 특징을 잘 드러낸다고 할 수 있다.

3『삼국유사』는『삼국사기』보다 약 130년 뒤에 지어진 것으로, 개인이 쓴 역사책이다. 그래서『삼국유사』는 중국 역사책의 틀에서 벗어나 좀 더 자유로운 방식으로 만들어졌다.『삼국유사』를 쓴 일연 스님은 불교적이고 **주체적**인 관점에서 우리의 **고유**한 역사를 바라보았다. 그래서 삼국의 이야기로 시작했던『삼국사기』와 달리『삼국유사』는 단군의 이야기부터 시작했고, 근거가 없고 **허황되다는** 이유로『삼국사기』에 실리지 못한 것들까지도 기록했다. '남길 유(遺)', '일 사(事)'라는『삼국유사』의 책 제목 역시 귀중한 우리 민족의 이야기를 남겨 **후세**에 전하고 싶었던 일연 스님의 뜻이 담긴 제목이라고 할 수 있다.

4 이처럼『삼국사기』와『삼국유사』는 비슷한 시기를 다루었지만 역사를 바라보는 관점이 달랐다. 그러나 후세 사람들에게는 역사를 보다 깊이 있게 이해할 수 있게 해 주었다는 점에서 두 책 모두 귀중한 자료로서 가치가 있다.

5

10

15

20

25

KEY WORD

『삼국사기』와『삼국유사』

글자 수

			908
400	600	800	1000

- **편찬**(編 엮을 편, 纂 모을 찬) 책을 만들기 위하여 여러 가지 자료들을 일정한 방식에 따라 엮음.
- **관점**(觀 볼 관, 點 점찍을 점) 사물이나 현상을 보거나 생각하는 개인의 입장이나 태도.
- **공식적**(公 공평할 공, 式 법식, 的 과녁 적) 국가적으로 규정되었거나 사회적으로 인정된 것.
- **문장가**(文 글월 문, 章 글 장, 家 집 가) 글을 뛰어나게 잘 짓는 사람.
- **주체적**(主 주인 주, 體 몸 체, 的 과녁 적) 남의 간섭 없이 어떤 일을 스스로 자유롭게 하는 것.
- **고유**(固 굳을 고, 有 있을 유) 본래부터 가지고 있는 특유한 것.
- **허황**(虛 빌 허, 荒 거칠 황)**되다는** 헛되고 황당하며 미덥지 못하다는.
- **후세**(後 뒤 후, 世 세대 세) 다음에 오는 세상. 또는 다음 세대의 사람들.

지문 독해

핵심어

1 이 글에서 중심이 되는 낱말 두 가지를 찾아 쓰세요.

(,   )

내용 이해

2 다음 중 『삼국사기』에 해당하는 내용일 경우 '사기', 『삼국유사』에 해당하는 내용일 경우 '유사'라고 쓰세요.

⑴ 단군의 이야기가 실린 역사책 (   )

⑵ 역사를 있는 그대로 기록한 책 (   )

⑶ 우리나라에서 가장 오래된 역사책 (   )

⑷ 우리의 고유한 역사를 자유롭게 기록한 책 (   )

추론하기

3 이 글에 따르면 『삼국사기』와 『삼국유사』가 서로 다른 특징을 지니게 된 주된 까닭은 무엇인가요? (   )

① 편찬된 시기가 달랐기 때문에

② 관심의 대상이 서로 달랐기 때문에

③ 책에서 다루는 시대가 달랐기 때문에

④ 역사를 바라보는 관점이 달랐기 때문에

⑤ 나라를 사랑하는 마음이 서로 달랐기 때문에

적용하기

4 이 글을 읽고 『삼국사기』와 『삼국유사』에 대해 적절하게 말하지 <u>못한</u> 친구는 누구인가요? (   )

① 리아: 『삼국사기』는 공식적으로 지어진 책이로구나.

② 현진: 신라를 중심으로 서술했다는 점에서 두 책은 비슷해.

③ 우주: 『삼국유사』에는 비현실적인 이야기도 있다니 재미있겠어.

④ 정훈: 『삼국사기』는 중국의 형식을 그대로 따랐으니 가치가 없어.

⑤ 대희: 일연 스님은 우리 고유의 역사를 자유로운 방식으로 쓰셨어.

지문 분석

1 문단 요약   각 문단의 중심 내용을 알맞게 선으로 이으세요.

1문단 •   • 『삼국유사』의 특징

2문단 •   • 『삼국사기』의 특징

3문단 •   • 『삼국사기』와 『삼국유사』의 가치

4문단 •   • 『삼국사기』와 『삼국유사』의 공통점과 차이점

2 글의 구조   다음 빈칸을 채워 『삼국사기』와 『삼국유사』의 특징을 정리해 보세요.

『삼국사기』		『삼국유사』
(　　　　　)에서 만든 역사책	↔	(　　　　　)이 쓴 역사책
(　　　　　)의 형식을 따름.	↔	자유로운 방식으로 씀.
(　　　　　)적인 관점	↔	불교적인 관점
(　　　　　)이 아니거나 떠도는 이야기는 담지 않음.	↔	(　　　　　)가 없고 허황된 이야기까지 기록함.

배경지식   『삼국유사』에 실린 신비한 이야기

　『삼국유사』에는 하늘에서 내려온 환웅의 아들 단군이나 알에서 태어난 주몽 등 나라를 세운 시조들의 이야기가 신비롭게 그려진다. 이는 우리 민족이 하늘의 뜻을 잇는 특별한 존재로부터 시작되었다는 자부심을 강조하기 위한 것이다.

일연
(1206~1289)

오늘의 어휘

다음 낱말의 알맞은 뜻을 찾아 선으로 이으세요.

편찬 •

관점 •

주체적 •

고유 •

후세 •

• 본래부터 가지고 있는 특유한 것.

• 다음에 오는 세상. 또는 다음 세대의 사람들.

• 남의 간섭 없이 어떤 일을 스스로 자유롭게 하는 것.

• 사물이나 현상을 보거나 생각하는 개인의 입장이나 태도.

• 책을 만들기 위하여 여러 가지 자료들을 일정한 방식에 따라 엮음.

1 다음 문장의 빈칸에 들어갈 알맞은 말을 오늘의 어휘 에서 찾아 쓰세요.

• □□□□□ 를 위해 환경을 보호해야 한다.

• 행복의 기준은 저마다의 □□□□□ 에 따라 다르다.

• 학문을 연구할 때는 □□□□□ 인 태도가 중요하다.

• 세상 사람들은 각자 □□□□□ 한 피부색을 갖고 있다.

• 한 권의 책을 □□□□□ 하는 데에는 많은 노력이 필요하다.

2 다음 글에서 밑줄 친 말과 뜻이 비슷한 말을 찾아 세 글자로 쓰세요.

남한과 북한은 비록 주체적이지 못한 과정을 겪으며 안타깝게 분단이 되었지만, <u>자주적</u>인 통일을 이루기 위한 노력을 멈추지 말아야 한다.

(   )

KEY WORD

독도

글자 수

904
400 600 800 1000

독도를 지킨 사람들

1 독도는 역사적으로나 국제법적으로나 우리나라 고유의 영토임이 분명하다. 그러나 오랜 시간 동안 일본이 독도를 **침탈**하려 해 왔고, 이에 맞서 독도를 지켜 온 사람들이 있다.

2 1696년, 울릉도와 독도 부근의 바다에서 고기잡이를 하던 안용복은 일본 어부들이 불법으로 조선의 바다에서 고기잡이하는 것을 보고 강력하게 항의했다. 이러한 보고를 받은 일본 정부는 공식 사과와 함께 울릉도와 독도가 조선의 영토라는 내용의 ㉠'돗토리현 답변서'를 보내 왔다.

3 1950년대에 우리나라가 6.25 전쟁으로 혼란한 틈을 타서 일본은 다시 독도에 들어와 나무 표지를 설치하는 등 불법 행위를 **자행**했다. 이에 홍순칠 수비대장을 비롯한 청년 30여 명이 독도 의용 수비대를 결성했다. 독도 의용 수비대는 정식 군대는 아니지만 울릉 경찰서의 무기 지원을 받아 일본 **순시선**을 총과 대포로 **격퇴**시키는 등 독도를 지켜 낸 최초의 독도 경비대였다.

4 1997년에는 독도가 한국 영토임을 증명하는 역사적인 자료들이 전시된 독도 박물관이 설립되었다. 이종학은 그곳의 **초대** 박물관장을 지낸 인물이다. 이종학은 독도와 관련된 자료를 수집하고 연구하는 데 평생을 바쳤다. 자료를 찾기 위해 일본을 드나들면서 독도가 자기네 땅이라는 일본의 ㉡'시마네현 고시 제40호'가 왜 잘못된 것인지 명확한 근거 자료를 제시하며 **반박**하여 독도가 한국 땅임을 인정하게 했다.

5 오늘날 독도 경비대는 약 30여 명의 경찰이 24시간 해안 **경계**를 서고 있다. 또한 독도 주변의 바다와 하늘은 해군과 공군, 해경들이 지키고 있다. 한편 2000년 3월에는 독도에 대한 이해를 돕고 독도가 한국 땅임을 알리기 위해 독도 수호대가 만들어졌다. 독도 수호대는 일본의 억지 주장을 사실로 믿는 전 세계 사람들을 위해 외국어로 된 독도 자료집을 만들어 독도에 대해 제대로 알리는 사업을 펼치고 있다.

- **침탈**(侵 침노할 침, 奪 빼앗을 탈) 침범하여 빼앗음.
- **자행**(恣 방자할 자, 行 다닐 행) 제멋대로 해 나감. 또는 건방지게 행동함.
- **순시선**(巡 돌 순, 視 볼 시, 船 배 선) 바다 위를 돌아다니며 살펴보는 배.
- **격퇴**(擊 부딪칠 격, 退 물러날 퇴) 적을 쳐서 물리침.
- **초대**(初 처음 초, 代 대신할 대) 차례로 이어 나가는 자리나 지위에서 그 첫 번째에 해당하는 차례.
- **반박**(反 돌이킬 반, 駁 논박할 박) 어떤 의견, 주장 등에 반대하여 말함.
- **경계**(警 경계할 경, 戒 경계할 계) 예상치 못한 침입을 막기 위하여 주변을 살피면서 지킴.

지문 독해

중심 내용

1 이 글의 중심 내용을 **1** 문단에서 찾아 아홉 글자로 쓰세요.

(   )

전개 방식

2 이 글의 설명 방법으로 알맞은 것은 무엇인가요? (   )

① 시간적 순서에 따라 설명하고 있다.

② 장소의 변화에 따라 설명하고 있다.

③ 그림을 그리듯 자세하게 묘사하고 있다.

④ 대상을 이루는 구성 요소를 설명하고 있다.

⑤ 일정한 기준에 따라 종류를 나누어 설명하고 있다.

내용 이해

3 이 글에서 소개하고 있는 사람들에 대한 설명으로 알맞지 <u>않은</u> 것은 무엇인가요?

(   )

① 이종학은 평생 독도와 관련된 자료를 수집하고 연구했다.

② 독도 수호대는 외국인들을 위한 외국어 독도 자료집을 만들었다.

③ 독도 의용 수비대는 독도를 지킨 우리나라 최초의 정식 군대였다.

④ 현재 독도 경비대는 24시간 내내 경계를 서며 독도를 지키고 있다.

⑤ 안용복은 일본 어부들이 조선 바다에서 고기잡이를 한 것에 강력하게 항의했다.

추론하기

4 ㉠과 ㉡의 관계를 빗대어 말한 것으로 가장 적절한 것은 무엇인가요? (   )

① 남한테 주기는 아깝고 자기가 갖기는 싫다는 거로군.

② 갖고 놀다가 버린 인형을 다른 친구가 가져가니 내놓으라는 격이군.

③ 처음에는 관심이 없다가 여기저기에서 관심을 보이니 덩달아 난리군.

④ 자기 것이 아니라더니 갑자기 자기 것이라고 손바닥을 뒤집듯 태도를 바꿨군.

⑤ 자기 집 나무의 그늘이니까 그늘이 드리운 땅도 자기 것이라고 우기는 격이군.

지문 분석

1 문단 요약   다음 빈칸을 채워 각 문단의 중심 내용을 정리해 보세요.

1 문단	우리나라 고유의 영토인 ( )를 지켜 온 사람들
2 문단	독도를 지킨 ( )
3 문단	독도를 지킨 독도 ( ) 수비대
4 문단	독도를 지킨 ( )
5 문단	오늘날 ( )를 지키는 사람들

2 글의 구조   다음 빈칸을 채워 이 글의 내용을 정리해 보세요.

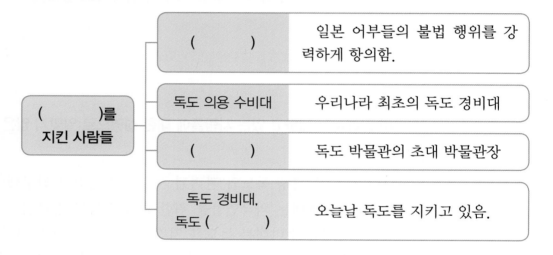

( )	일본 어부들의 불법 행위를 강력하게 항의함.
독도 의용 수비대	우리나라 최초의 독도 경비대
( )	독도 박물관의 초대 박물관장
독도 경비대, 독도 ( )	오늘날 독도를 지키고 있음.

( )를 지킨 사람들

배경지식   **독도의 모습과 구성**

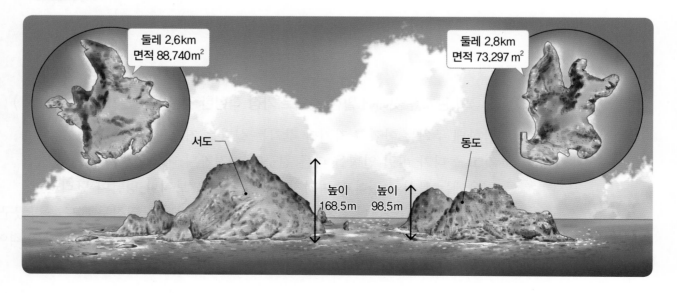

둘레 2.6km
면적 88,740m²

둘레 2.8km
면적 73,297 m²

서도

동도

높이 168.5m   높이 98.5m

오늘의 어휘

다음 낱말의 알맞은 뜻을 찾아 선으로 이으세요.

침탈 • • 침범하여 빼앗음.

자행 • • 어떤 의견, 주장 등에 반대하여 말함.

초대 • • 제멋대로 해 나감. 또는 건방지게 행동함.

반박 • • 예상치 못한 침입을 막기 위하여 주변을 살피면서 지킴.

경계 • • 차례로 이어 나가는 자리나 지위에서 그 첫 번째에 해당하는 차례.

1 다음 문장의 빈칸에 들어갈 알맞은 말을 오늘의 어휘 에서 찾아 쓰세요.

- 우리나라의 [   ] 대통령은 이승만이다.
- 군인들이 돌아가며 [   ] 근무를 서고 있다.
- 나쁜 짓을 서슴없이 [   ]하는 사람은 벌을 받아야 한다.
- 일제 강점기에 일본의 [   ]로 우리 민족은 힘겨운 삶을 살았다.
- 토론은 타당한 근거를 들어 상대방의 의견을 [   ]하는 말하기이다.

2 다음 글에서 밑줄 친 말과 뜻이 비슷한 말을 찾아 두 글자로 쓰세요.

임진왜란 때 위기에 처한 조선을 구한 영웅인 이순신 장군은 일본과의 전투에서 단 한 번도 패배한 적이 없는 것으로 유명하다. 당시 왜군들은 수시로 조선을 <u>침략</u>하여 조선 백성을 괴롭히는 일이 많았다. 이순신 장군은 불굴의 용기와 뛰어난 전술로 왜군의 침탈을 막아 냈다.

(   )

조선의 건국 과정

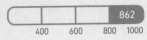
지문분석

KEY WORD

조선 건국

글자 수

			862
400	600	800	1000

● **권문세족**(權 권세 권, 門 문 문, 勢 기세 세, 族 겨레 족) 벼슬이 높고 권세가 있는 집 안.

● **개혁**(改 고칠 개, 革 가죽 혁) 제도나 기구 등을 새롭게 뜯 어고침.

● **무인**(武 굳셀 무, 人 사람 인) 무예를 닦은 사람. 무관의 직 에 있는 사람.

● **성리학**(性 성품 성, 理 다스릴 리, 學 배울 학) 조선 시대에 크게 번졌던 유학의 한 파.

● **온건**(穩 평온할 온, 健 굳셀 건) 생각이나 행동 등이 사리 에 맞고 건실함.

● **급진**(急 급할 급, 進 나아갈 진) 서둘러 급히 나아감. 또는 목적이나 이상 등을 급히 실 현하고자 함.

● **조정**(朝 아침 조, 廷 조정 정) 임금이 나라의 정치를 신하들 과 의논하거나 집행하는 기 구.

● **기틀** 어떤 일의 가장 중요한 계기나 조건.

1️⃣ 잦은 외적의 침입과 **권문세족**의 횡포로 고려의 안팎이 혼란스러울 때 이를 **개혁**하고자 나타난 두 세력이 바로 신진 사대부와 신흥 **무인** 세력 이었다. 정도전을 중심으로 한 신진 사대부는 불교를 멀리하고 중국의 **성리학**을 바탕으로 하여 고려를 개혁하려는 세력이었다. 한편 이성계를 중심으로 한 신흥 무인 세력은 외적을 물리치면서 힘을 키워 나갔다.

2️⃣ 이 두 세력은 개혁이 필요하다는 점에서는 뜻을 같이했지만, 신진 사 대부들은 개혁하는 방법을 두고 ㉠**온건** 개혁파와 **급진** 개혁파로 나뉘어 대립했다. 정몽주를 중심으로 한 온건 개혁파는 고려를 유지하면서 잘못 된 것을 점차 고쳐 나가야 한다고 주장했다. 그러나 정도전을 중심으로 한 급진 개혁파는 고려는 더 이상 가망이 없으니 새로운 나라를 세워야 한다고 주장했다. ㉡이성계는 정도전과 뜻을 함께하며 정몽주를 설득하 려 했다. 하지만 정몽주는 끝내 자신의 뜻을 굽히지 않아서 나중에 이성 계의 아들 이방원에 의해 죽임을 당한다.

3️⃣ 1388년, 명나라는 철령 이북 땅이 자신들의 것이니 내놓으라며 고려 의 국경을 넘어와서 공격한다. 이에 고려 **조정**에서는 이성계에게 요동 지역으로 군대를 이끌고 가서 무찌르게 한다. 그러나 이성계는 요동으로 가던 중 군대를 돌려 고려의 수도인 개경으로 와서 온건 개혁파를 모두 없앤 후 새 왕조를 세운다.

4️⃣ 이성계는 고조선을 이어 나간다는 뜻에서 나라의 이름을 조선이라고 했다. 그리고 성리학을 건국 이념으로 내세우고 수도를 한양으로 옮겼 다. 정도전은 왕이 항상 뛰어난 인물일 수 없기 때문에 백성을 위한 바른 정치를 하려면 능력 있는 신하가 왕을 도와야 한다고 생각했다. 이성계 는 이와 같은 정도전의 뜻을 받아들여, 정도전과 나랏일을 함께 의논하 며 짧은 기간 조선이라는 새 왕조의 **기틀**을 마련했다.

5

10

15

20

설명 대상

1 이 글은 어떤 나라의 건국 과정에 대해 설명하고 있는지 찾아 쓰세요.

(   )

내용 이해

2 이 글을 통해 알 수 있는 내용을 모두 찾아 ○표를 하세요.

(1) 조선이 건국된 배경   (   )

(2) 고려의 개혁을 이끈 세력   (   )

(3) 조선의 수도를 한양으로 정한 까닭   (   )

(4) 정도전이 생각한 왕과 신하의 바람직한 관계   (   )

내용 이해

3 ㉠을 구분하는 기준으로 가장 알맞은 것은 무엇인가요? (   )

① 성리학을 수용하는가   ② 누구를 왕으로 삼는가

③ 개혁을 누가 주도하는가   ④ 고려를 유지해야 하는가

⑤ 수도를 어디로 정해야 하는가

추론하기

4 보기 는 이방원과 정몽주가 주고받은 시조입니다. 이와 관련하여 ㉡에 대해 이해한 것으로 알맞지 <u>않은</u> 것은 무엇인가요? (   )

> **보기**
>
> 「하여가」   이런들 어떠하며 저런들 어떠하리
>   만수산 드렁칡이 얽혀진들 어떠하리
>   우리도 이같이 얽혀져 백 년까지 누리리라.   – 이방원
>
> 「단심가」   이 몸이 죽고 죽어 일백 번 고쳐 죽어
>   백골이 진토되어 넋이라도 있고 없고
>   임 향한 일편단심이야 가실 줄이 있으랴.   – 정몽주

① 「하여가」를 통해 이방원은 정몽주에게 적대감을 드러내고 있다.

② 「단심가」에는 고려를 유지해야 한다는 정몽주의 의지가 담겨 있다.

③ 「하여가」에는 정몽주를 자신의 편으로 이끌려는 의도가 담겨 있다.

④ 「단심가」를 들은 이방원은 정몽주를 설득하는 것을 포기하게 된다.

⑤ 「하여가」에는 정몽주와 뜻을 함께하고 싶었던 이성계의 바람이 담겨 있다.

지문 분석

1 문단 요약

각 문단의 중심 내용을 알맞게 선으로 이으세요.

1 문단 •　　　　　　• 고려 말 새로운 개혁 세력의 등장

2 문단 •　　　　　　• 고려의 멸망과 이성계의 조선 건국

3 문단 •　　　　　　• 온건 개혁파와 급진 개혁파의 대립

4 문단 •　　　　　　• 새 왕조인 조선의 기틀을 마련한 정도전

2 글의 구조

다음 빈칸을 채워 이 글의 내용을 정리해 보세요.

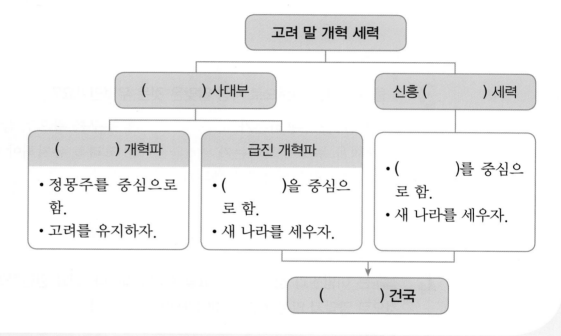

고려 말 개혁 세력

(　　　) 사대부　　　　신흥 (　　　) 세력

(　　　) 개혁파
- 정몽주를 중심으로 함.
- 고려를 유지하자.

급진 개혁파
- (　　　)을 중심으로 함.
- 새 나라를 세우자.

- (　　　)를 중심으로 함.
- 새 나라를 세우자.

(　　　) 건국

배경지식

정도전이 설계한 도시, 한양

정도전 · 태조 이성계

숙정문 · 경복궁 · 돈의문 · 사직 · 종묘 · 보신각 · 흥인지문 · 숭례문 · 한강

오늘의 어휘

다음 낱말의 알맞은 뜻을 찾아 선으로 이으세요.

개혁 •　　　• 제도나 기구 등을 새롭게 뜯어고침.

무인 •　　　• 어떤 일의 가장 중요한 계기나 조건.

온건 •　　　• 생각이나 행동 등이 사리에 맞고 건실함.

급진 •　　　• 무예를 닦은 사람. 무관의 직에 있는 사람.

기틀 •　　　• 서둘러 급히 나아감. 또는 목적이나 이상 등을 급히 실현하고자 함.

1 다음 문장의 빈칸에 들어갈 알맞은 말을 오늘의 어휘 에서 찾아 쓰세요.

- 이번 회담으로 평화의 [　　　　　]을 다지고자 한다.
- 산업 혁명 이후, 사회는 [　　　　　]적으로 변화했다.
- 이 문제는 시간을 두고 [　　　　　]하게 처리할 예정이다.
- 경제 정책을 새롭게 실시하여 경제 [　　　　　]이 이루어졌다.
- 이순신 장군은 우리 역사상 가장 위대한 [　　　　　] 중 한 명이다.

2 다음 글에서 밑줄 친 말과 뜻이 반대되는 말을 찾아 두 글자로 쓰세요.

　　조선 시대에는 학문을 닦는 사람을 <u>문인</u>이라고 했으며, 이들이 보는 과거 시험인 문과에 합격한 사람을 문관이라고 했다. 이와는 달리 무인은 활쏘기, 전술 등을 익히는 사람을 말하며, 이들이 보는 무과 시험에 합격한 사람을 무관이라고 했다. 조선 시대에는 학문과 유학을 숭상하여 무인보다는 문인을 우대하였다.

(　　　　　)

님비 현상과 핌피 현상

1 내가 살고 있는 아파트 단지 근처에 쓰레기 **소각장**이 들어선다면 어떨까? 혹은 월드컵 경기장이 들어선다면 주민들은 어떤 반응을 보일까? 이렇게 부정적인 영향을 끼칠 우려가 있는 시설이 자기 지역에 들어오는 것을 반대하거나, **수익성**이 있는 사업을 자기 지역에 **유치**하려 하는 것은 모두 **지역 이기주의**의 일종으로 볼 수 있다.

2 님비 현상은 내가 사는 지역에 위험 시설이나 **혐오 시설**이 들어서는 것을 반대하는 것이다. 즉, 핵 폐기장이나 장례식장, 쓰레기 처리장, 교도소 등과 같이 꼭 필요한 시설이지만 자신이 살고 있는 지역에는 들어오지 못하게 막으려 하는 지역 이기주의를 가리킨다. 그러나 위험 시설의 경우 인근 주민들이 각종 위험에 노출될 수 있기 때문에 자신들의 **생존권**을 위한 반대라는 점에서 님비 현상을 반드시 나쁜 것으로만 볼 수는 없다.

3 이와는 반대로 핌피 현상은 내가 사는 지역에 이익이 될 만한 시설을 서로 들여오려 하는 것이다. 고속 철도 노선이나 대기업 공장, 월드컵 축구 경기장 등을 유치하려고 각 지방 자치 단체가 경쟁하는 것 역시 지역 이기주의라는 점은 님비 현상과 같다. 그러나 자기 지역에 유리한 사업을 유치하여 지역 발전에 **이바지**할 수 있다는 점은 핌피 현상의 긍정적인 면이라고 할 수 있다.

4 님비 현상을 무조건 나쁘게만 바라볼 수는 없지만, 장애인 시설과 같은 사회적 약자를 위한 **복지** 시설 등을 세우는 것을 무조건 반대하는 것은 바람직하지 않다. 또한 핌피 현상이 긍정적인 면도 분명 있지만, 정도가 지나칠 경우 지역 간에 갈등이 깊어질 수 있다. 이러한 문제를 해결하기 위해서는 주민, 행정 담당자, 전문가가 모여 열린 자세로 대화하고 **타협**하는 합의 과정이 반드시 있어야 한다. 정부도 공공의 필요에 의해 어딘가에 반드시 만들어야 할 시설이라면, 시설 설립을 계획하는 첫 단계부터 지역 주민들에게 투명하게 정보를 공개해야 한다.

5

10

15

20

25

KEY WORD

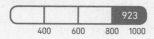

님비, 핌피 현상

글자 수

			923
400	600	800	1000

- **소각장**(燒 불태울 소, 却 물리칠 각, 場 마당 장) 쓰레기나 폐기물 등을 불에 태워 버리는 장소.

- **수익성**(收 거둘 수, 益 더할 익, 性 성품 성) 이익을 거둘 수 있는 정도.

- **유치**(誘 꾈 유, 致 이를 치) 행사나 사업 등을 이끌어 들임.

- **지역 이기주의** 다른 지역의 사정은 돌아보지 않고 자기 지역의 이익이나 행복만 추구하려는 태도나 입장.

- **혐오 시설**(嫌 싫어할 혐, 惡 미워할 오, 施 베풀 시, 設 베풀 설) 부정적인 외부 효과를 유발한다고 인식되는 시설.

- **생존권**(生 날 생, 存 있을 존, 權 권세 권) 살아 있을 권리.

- **이바지** 도움이 되게 함.

- **복지**(福 복 복, 祉 복 지) 건강하고 편안하고 행복한 삶.

- **타협**(妥 온당할 타, 協 도울 협) 어떤 일을 서로 양보하여 협의함.

지문 독해

핵심어

1 이 글에서 중심이 되는 말 두 가지를 찾아 각각 네 글자로 쓰세요.

(,   )

전개 방식

2 문단 **1**~**4**의 설명 방법으로 알맞은 것을 모두 찾아 ○표를 하세요.

(1) **1** : 구체적인 예를 들어 설명하고 있다. (   )

(2) **2** : 시간과 장소의 이동에 따라 설명하고 있다. (   )

(3) **3** : 주요 개념의 의미를 설명하고 있다. (   )

(4) **4** : 문제점과 그에 대한 해결 방안을 제시하고 있다. (   )

추론하기

3 이 글을 읽고 님비와 핌피 현상을 제대로 이해하지 <u>못한</u> 학생은 누구인가요?

(   )

① 현수: 님비 현상과 핌피 현상이 꼭 나쁘기만 한 것은 아니구나.

② 예진: 핌피 현상은 내가 살고 있는 지역에 유리한 시설이 들어오게 하려는 것이구나.

③ 윤산: 님비 현상은 내가 살고 있는 지역에 혐오 시설이 들어오는 것을 반대하는 거야.

④ 영은: 민주 사회에서 지역 주민들의 뜻에 맞지 않는 시설을 지으려 하는 계획부터 잘못된 거야.

⑤ 서인: 님비 현상과 핌피 현상 같은 지역 이기주의는 사회 발전에 좋지 않은 영향을 주기도 하겠구나.

어휘·어법

4 님비와 핌피 현상으로 생기는 문제를 해결하는 데 도움이 되는 자세와 가장 관련 있는 한자 성어는 무엇인가요? (   )

① 역지사지: 처지를 바꾸어서 생각하여 봄.

② 초지일관: 처음에 세운 뜻을 끝까지 밀고 나감.

③ 결자해지: 자기가 저지른 일은 자기가 해결하여야 함.

④ 마이동풍: 남의 말을 귀담아듣지 않고 지나쳐 흘려버림.

⑤ 호시탐탐: 남의 것을 빼앗기 위하여 형편을 살피며 가만히 기회를 엿봄.

지문 분석

1 문단 요약 다음 빈칸을 채워 각 문단의 중심 내용을 정리해 보세요.

1문단	( ) 이기주의의 두 종류
2문단	( ) 현상의 의미와 특징
3문단	핌피 현상의 의미와 특징
4문단	지역 이기주의의 올바른 ( ) 방안

2 글의 구조 다음 빈칸을 채워 이 글의 내용을 정리해 보세요.

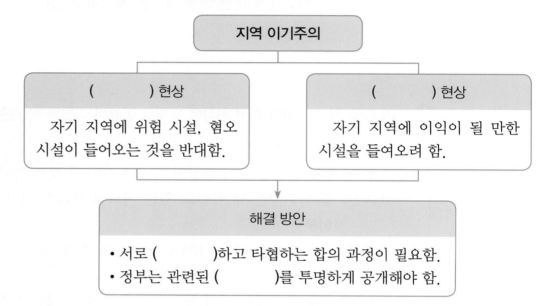

지역 이기주의

(   ) 현상
자기 지역에 위험 시설, 혐오 시설이 들어오는 것을 반대함.

(   ) 현상
자기 지역에 이익이 될 만한 시설을 들여오려 함.

해결 방안
• 서로 (   )하고 타협하는 합의 과정이 필요함.
• 정부는 관련된 (   )를 투명하게 공개해야 함.

배경지식 님비 시설과 핌피 시설의 예

방사선 폐기물 처리장

하수 처리장

교도소

님비

핌피

백화점

공항

학교

전철역

오늘의 어휘

다음 낱말의 알맞은 뜻을 찾아 선으로 이으세요.

소각장 •　　　　• 도움이 되게 함.

수익성 •　　　　• 이익을 거둘 수 있는 정도.

유치 •　　　　• 건강하고 편안하고 행복한 삶.

이바지 •　　　　• 행사나 사업 등을 이끌어 들임.

복지 •　　　　• 쓰레기나 폐기물 등을 불에 태워 버리는 장소.

1 다음 문장의 빈칸에 들어갈 알맞은 말을 오늘의 어휘 에서 찾아 쓰세요.

- 그 사업은 [   ]이 높은 편이다.
- 이 학생들은 모두 사회 발전에 [   ]할 인재들이다.
- 지역 주민의 [   ]를 위한 시설이 더 갖추어져야 한다.
- 올림픽을 [   ]하기 위해 세계 여러 나라들이 경쟁하고 있다.
- 최근 쓰레기 [   ]을 문화 공간으로 탈바꿈하는 사례가 늘고 있다.

2 다음 글에서 밑줄 친 말과 뜻이 비슷한 말을 찾아 세 글자로 쓰세요.

조선 시대에 암행어사는 지방 관리들의 횡포를 막고 왕의 권력을 강하게 하는 데 이바지했다. 암행어사가 된 관리는 자신의 신분을 가족에게조차 알릴 수 없었으며, 왕의 명령이 적힌 친서도 도성을 벗어나야 열어 볼 수 있었다. 암행어사는 왕 대신 백성의 삶을 살핌으로써 왕이 백성을 위한 정치를 할 수 있게 <u>기여한</u> 관리였다.

(　　　　　　　　　)

KEY WORD

빅 데이터

글자 수

946
400 600 800 1000

- **속성**(屬 무리 속, 性 성품 성) 사물의 특징이나 성질.

- **방대**(厖 두터울 방, 大 큰 대) 한 규모나 양이 매우 크거나 많은.

- **예측**(豫 미리 예, 測 잴 측) 미리 헤아려 짐작함.

- **자발적**(自 스스로 자, 發 필 발, 的 과녁 적) 남이 시키거나 요청하지 않아도 자기 스스로 하는 것.

- **수사**(搜 찾을 수, 査 조사할 사) 찾아서 조사함.

- **추출**(抽 뺄 추, 出 날 출) 전체 속에서 어떤 물건, 생각, 요소 등을 뽑아냄.

- **망각**(忘 잊을 망, 却 물리칠 각) 어떤 사실을 잊어버림.

- **오류**(誤 그릇할 오, 謬 그릇될 류) 그릇되어 이치에 맞지 않는 일.

- **실마리** 일이나 사건을 풀어 나갈 수 있는 첫머리.

빅 데이터의 특징과 활용 사례

1 데이터란 어떤 **속성**을 숫자와 문자, 기호 등으로 표현한 모든 것을 말한다. 오늘날 디지털 기기 이용이 생활화되면서 **방대한** 양의 데이터들이 만들어지고 있는데, 이를 가리켜 빅 데이터라고 한다. 빅 데이터는 큰 규모, 빠른 속도, 다양성이라는 세 가지 특징을 갖고 있다. 요즘 이와 같은 빅 데이터를 활용하는 사례가 ㉠늘어나고 있다.

2 교통사고로 매년 많은 사람들이 다치거나 목숨을 잃는데, 빅 데이터로 교통사고를 **예측**하여 예방할 수 있다. 먼저 기상청의 날씨 정보와 인구, 차량 등의 데이터를 수집한 후 분석하여 교통사고 위험 시간대와 위험 지역을 예측한다. 그다음 이러한 정보를 해당 지역 교통 방송에서 방송을 해 주어 운전자들이 조심할 수 있게 하는 것이다.

3 빅 데이터를 통해 기업이 고객의 행동을 예측한 후 실제 ㉡구매로 이어지게 하여 기업 경쟁력을 ㉢강화시키는 사례도 많아졌다. 인터넷 서점의 개인 맞춤형 도서 구매 추천 시스템이 바로 그 예에 해당한다. 우선 고객들이 자신이 읽은 책에 ㉣**자발적**으로 점수를 매기도록 한 다음 이 정보를 수집한다. 모인 데이터를 토대로 비슷한 책을 구매한 소비자를 한 그룹으로 묶어 그들이 좋아할 만한 책을 추천해 주는 방식이다.

4 범죄자를 잡기 위한 과학 **수사**에도 빅 데이터가 활용된다. 현대인은 생활 속에서 수많은 디지털 기록을 남긴다. 통화 내역, 누리 소통망(SNS) 메시지, 검색창에 입력한 검색어, 방범용 카메라 등 우리가 일상생활에 남기는 수많은 기록들이 네트워크를 통해 빠른 속도로 저장된다. 이러한 데이터를 수집하고 **추출**한 뒤, 이를 바탕으로 하여 범죄의 단서와 증거를 찾아내는 수사 기법이 발달하고 있다.

5 미래는 데이터를 먹고 산다는 말이 있다. 그만큼 빅 데이터는 미래 사회의 모든 영역과 밀접한 관계를 맺고 있다. 빅 데이터는 생각과 지식을 발전시킬 재료가 되어, 쉽게 ㉤**망각**하거나 **오류**를 범하곤 하는 인간들에게 답을 찾아 주는 **실마리**가 될 것이다.

5

10

15

20

25

지문 독해

핵심어

1 이 글에서 가장 중심이 되는 말을 찾아 네 글자로 쓰세요.

(   )

내용 이해

2 이 글을 통해 알 수 있는 내용을 모두 찾아 ○표를 하세요.

(1) 빅 데이터의 특징   (   )
(2) 빅 데이터의 문제점   (   )
(3) 빅 데이터 관련 직업   (   )
(4) 빅 데이터를 활용한 사례   (   )

적용하기

3 다음은 친구들이 자신의 빅 데이터 관련 경험을 이야기한 것입니다. 알맞지 <u>않은</u> 내용은 무엇일까요? (   )

① 연수: 인터넷 검색창에 내가 최근에 검색한 것들이 저장되어 있었어.
② 하영: 도서관의 책들 중 많은 사람들이 읽은 책일수록 겉표지가 낡아 있더라.
③ 지아: 인터넷 서점에서 책을 구매했더니 같은 책을 산 사람들이 구매한 다른 책들도 보여 주더군.
④ 주현: 동네 맛집을 검색해서 사람들이 '좋아요'를 가장 많이 선택한 곳으로 갔더니 정말 맛이 있었어.
⑤ 태웅: 우리 엄마는 일 년간 사용한 신용카드 기록을 통해 언제 카드를 많이 사용했는지 확인하셨어.

어휘·어법

4 ㉠~㉤과 뜻이 반대되는 말로 알맞지 <u>않은</u> 것은 무엇인가요? (   )

① ㉠: 늘어나고 ↔ 작아지고
② ㉡: 구매 ↔ 판매
③ ㉢: 강화시키는 ↔ 약화시키는
④ ㉣: 자발적으로 ↔ 강압적으로
⑤ ㉤: 망각하거나 ↔ 기억하거나

지문 분석

1 문단 요약 　다음은 각 문단의 중심 내용을 정리한 것입니다. 문단의 순서대로 기호를 쓰세요.

가	빅 데이터의 의미와 특징
나	빅 데이터를 활용한 과학 수사
다	미래 사회에서 빅 데이터의 전망
라	빅 데이터를 활용한 교통사고 예측
마	빅 데이터를 활용한 기업의 판매 전략

(　　　) → (　　　) → (　　　) → (　　　) → (　　　)

2 글의 구조 　다음 빈칸을 채워 이 글의 내용을 정리해 보세요.

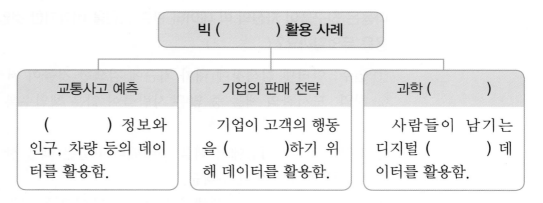

빅 (　　　) 활용 사례

교통사고 예측	기업의 판매 전략	과학 (　　　)
(　　　) 정보와 인구, 차량 등의 데이터를 활용함.	기업이 고객의 행동을 (　　　)하기 위해 데이터를 활용함.	사람들이 남기는 디지털 (　　　) 데이터를 활용함.

배경지식 　**올빼미 버스도 빅 데이터로!**

① 자정부터 새벽 5시까지 30억 건의 심야 시간 휴대폰 통화량 빅 데이터를 수집한다.

② 실제 심야 시간에 사람들의 이동이 집중되는 곳을 중심으로 이용자 수를 예측한다.

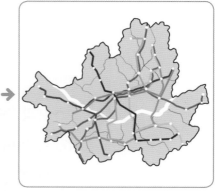

③ 심야 시간에 대중교통이 가장 필요한 곳만 운행하는 올빼미 버스 노선을 정한다.

다음 낱말의 알맞은 뜻을 찾아 선으로 이으세요.

방대한 •　　　　　　　• 어떤 사실을 잊어버림.

추출 •　　　　　　　• 규모나 양이 매우 크거나 많은.

망각 •　　　　　　　• 그릇되어 이치에 맞지 않는 일.

오류 •　　　　　　　• 일이나 사건을 풀어 나갈 수 있는 첫머리.

실마리 •　　　　　　　• 전체 속에서 어떤 물건, 생각, 요소 등을 뽑아냄.

1 다음 문장의 빈칸에 들어갈 알맞은 말을 (오늘의 어휘)에서 찾아 쓰세요.

- 인터넷에는 [　　　　] 양의 정보들이 있다.
- 식물에서 천연 오일을 [　　　　]할 수 있다.
- 이 사건은 아직 해결의 [　　　　]가 보이지 않는다.
- 가끔 계산 [　　　　]로 잔돈을 잘못 받는 경우가 있다.
- 중요하지 않은 정보일수록 [　　　　]이 쉽게 일어난다.

2 다음 글에서 밑줄 친 말과 뜻이 비슷한 말을 찾아 세 글자로 쓰세요.

　　콩코드는 영국과 프랑스 항공사가 함께 만든 세계 최초의 초음속 여객기로, 한때 유럽의 자존심이라는 평을 들으며 주목을 받았다. 하지만 콩코드 비행기는 밑줄친막대한 비용이 드는 것에 비해 효율이 낮아서 생산을 중단해야 한다는 의견도 많았다. 그렇지만 이미 개발 과정에서 방대한 양의 투자금이 들어갔기 때문에 이것이 아까워 생산을 포기할 수 없었다. 산업 심리학자들은 이러한 현상을 콩코드의 오류라고 부른다.

(　　　　　　　　　)

스마트폰 ⊙ 의 심각성

1 중독이란 술이나 약물 등의 지나친 복용으로 **장애**를 일으키거나 그것이 없이는 견디지 못하는 **병적**인 상태를 일컫는다. 스마트폰 중독은 스마트폰에 지나치게 빠져 일상생활에까지 지장을 받는 상태를 말한다. 잠시라도 스마트폰과 떨어지면 일종의 **금단 증상**과 같은 심리적 불안감을 느끼는 것이다. 이러한 스마트폰 중독 현상이 최근 심각한 사회 현상으로 **대두**되고 있다.

2 ⓒ2020년 과학 기술 정보 통신부의 스마트폰 과의존 위험군 조사 결과에 따르면 스마트폰 사용자 중 과의존 위험군은 2016년 17.8%, 2018년 19.1%, 2020년 23.3%로 계속 증가하고 있는 것으로 나타났다. 스마트폰 과의존 위험군이란 스마트폰에 의존하는 정도가 지나쳐서 위험할 정도인 사람들을 뜻한다. 특히 청소년의 경우 35.8%로 전 연령대 중 가장 높은 **수치**를 기록했으며, 유아동 역시 27.3%에 달했다.

3 스마트폰 중독의 원인에는 여러 가지가 있지만, 가장 큰 원인은 개인의 의지와 실천의 부족으로 볼 수 있다. 2020년 과학 기술 정보 통신부의 조사 결과에 따르면 스마트폰 과의존 위험군에 속하는 사람들 중 본인 스스로 문제점을 인식하는 경우가 71.5%로 나타났다. 본인이 스마트폰에 중독되었음을 알고는 있지만 여전히 눈은 스마트폰에서 떼지 않고 있는 것이다.

4 스마트폰이 주는 편리함을 포기할 수 없다면 우리는 스마트폰을 좀 더 슬기롭게 사용해야 한다. 특히 ⓒ자기 조절 능력을 키우는 것이 시급한데, 스마트폰을 사용하는 시간과 공간을 스스로 계획하여 **자율적**으로 통제하는 노력이 필요하다. 이때 시간 관리 프로그램의 도움을 받는 것도 좋은 방법이다. 그리고 아직 스스로 절제할 수 없는 유아동에게 스마트폰을 쥐어 주는 일은 삼가야 한다.

KEY WORD

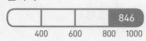

글자 수
846
400 600 800 1000

● **장애**(障 가로막을 장, 礙 막을 애) 신체 기관이 본래의 제 기능을 하지 못하거나 정신 능력이 원활하지 못한 상태.

● **병적**(病 병들 병, 的 과녁 적) 정상을 벗어나 불건전하고 지나친 것.

● **금단 증상**(禁 금할 금, 斷 끊을 단, 症 증세 증, 狀 형상 상) 술, 약물 등에 중독된 사람이 이런 것의 섭취를 끊었을 때 일어나는 정신·신체상의 증상.

● **대두**(擡 들 대, 頭 머리 두) 어떤 세력이나 현상이 새롭게 나타남.

● **수치**(數 셀 수, 値 값 치) 계산하여 얻은 값.

● **자율적**(自 스스로 자, 律 법율, 的 과녁 적) 자기 스스로의 원칙에 따라 어떤 일을 하거나 자기 스스로를 통제하여 절제하는 것.

지문 독해

제목

1 이 글의 제목으로 어울리도록 ㉠에 들어갈 알맞은 낱말을 두 글자로 쓰세요.

(   )

전개 방식

2 문단 1 ~ 4 의 설명 방법으로 알맞은 것을 모두 찾아 ○표를 하세요.

(1) 1 : 주요 낱말의 뜻을 설명하고 있다. (   )
(2) 2 : 구체적인 수치를 활용하여 객관적으로 설명하고 있다. (   )
(3) 3 : 신뢰할 만한 기관의 조사 결과를 빌려 설명하고 있다. (   )
(4) 4 : 대상의 구성 요소를 분석하고 있다. (   )

추론하기

3 ㉡에 대한 이해로 알맞은 것은 무엇인가요? (   )

① 과의존 위험군은 2016년이 2018년보다 높다.
② 전 연령대 중 유아동의 과의존 위험군이 가장 높은 수치를 보였다.
③ 우리나라 과의존 위험군은 다른 나라와 달리 해마다 증가하고 있다.
④ 과의존 위험군에 속한 사람들은 대부분 스스로 문제점을 인식하지 못한다.
⑤ 자기 조절 능력이 부족한 청소년과 유아동의 스마트폰 중독 문제가 심각하다.

적용하기

4 이 글을 읽고 ㉢을 바르게 실천하지 못한 친구는 누구인가요? (   )

① 태림: 특히 잠자는 방에는 스마트폰을 두지 말아야겠어.
② 재민: 공부나 숙제를 할 때는 스마트폰을 꺼 두어야겠어.
③ 승하: 난 자기 조절 능력이 부족하니까 아예 스마트폰을 사용하지 않겠어.
④ 윤성: 아무리 마음을 먹어도 자꾸 스마트폰에 손이 갈 때는 엄마께 잠시 맡겨야겠어.
⑤ 주연: 스마트폰에 시간 관리 프로그램을 깔아서 내가 정한 시간에만 스마트폰을 이용하도록 해야겠어.

지문 분석

1 문단 요약 　각 문단의 중심 내용을 알맞게 선으로 이으세요.

1 문단	•	•	스마트폰 중독의 원인
2 문단	•	•	스마트폰 중독의 실태
3 문단	•	•	스마트폰 중독의 해결 방안
4 문단	•	•	스마트폰 중독의 의미와 증상

2 글의 구조 　다음 빈칸을 채워 이 글의 내용을 정리해 보세요.

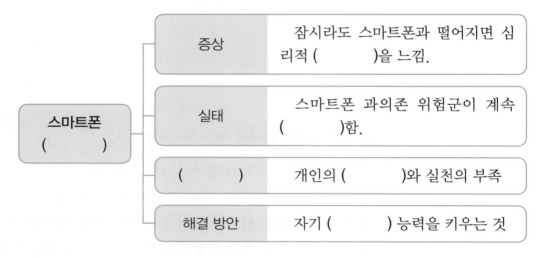

스마트폰 (　　　)

증상	잠시라도 스마트폰과 떨어지면 심리적 (　　　)을 느낌.
실태	스마트폰 과의존 위험군이 계속 (　　　)함.
(　　　)	개인의 (　　　)와 실천의 부족
해결 방안	자기 (　　　) 능력을 키우는 것

배경지식 　스마트폰 중독의 증상

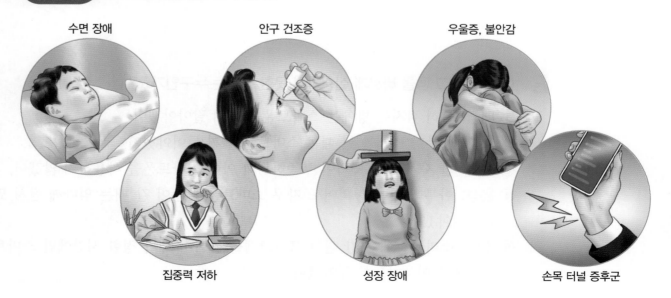

수면 장애　　안구 건조증　　우울증, 불안감

집중력 저하　　성장 장애　　손목 터널 증후군

오늘의 어휘

다음 낱말의 알맞은 뜻을 찾아 선으로 이으세요.

장애 •

병적 •

대두 •

수치 •

자율적 •

• 계산하여 얻은 값.

• 정상을 벗어나 불건전하고 지나친 것.

• 어떤 세력이나 현상이 새롭게 나타남.

• 신체 기관이 본래의 제 기능을 하지 못하거나 정신 능력이 원활하지 못한 상태.

• 자기 스스로의 원칙에 따라 어떤 일을 하거나 자기 스스로를 통제하여 절제하는 것.

1 다음 문장의 빈칸에 들어갈 알맞은 말을 오늘의 어휘 에서 찾아 쓰세요.

- 공부 계획표를 [   ]으로 작성했다.

- 예상치 못한 문제의 [   ]로 모두가 당황했다.

- 교통사고를 당해서 한쪽 다리에 [   ]가 생겼다.

- 체온은 정상 [   ]였지만, 몸은 여기저기 아팠다.

- 결벽증은 [   ]으로 깨끗한 것에 집착하는 증상이다.

2 다음 글에서 밑줄 친 말과 뜻이 반대되는 말을 찾아 세 글자로 쓰세요.

자유란 남에게 구속을 받거나 무엇에 얽매이지 않고 자율적으로 행동하는 것을 의미한다. 그러나 나의 자유로 인해 다른 사람의 자유가 침해될 수 있기 때문에 우리는 윤리와 도덕, 법과 같은 타율적인 규칙을 정해 놓고 그것을 지키려고 노력한다. 그런 의미에서 진정한 자유는 우리 스스로 의지를 갖고 노력하는 자세가 바탕이 되어야 한다.

(   )

KEY WORD

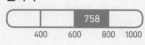

자동화

글자 수

758
400   600   800   1000

- **능률**(能 능할 능, 率 율 률)
  일정한 시간에 할 수 있는 일의 비율.

- **통제**(統 거느릴 통, 制 억제할 제) 일정한 계획이나 목적에 따라 행위를 제한함.

- **원격**(遠 멀 원, 隔 막을 격) 멀리 떨어져 있음.

- **제어**(制 억제할 제, 御 거느릴 어) 기계가 알맞게 움직이도록 조절함.

- **감지**(感 느낄 감, 知 알 지) 느끼어 앎.

- **응대**(應 응할 응, 待 기다릴 대) 손님을 맞아들여 접대함.

- **무인**(無 없을 무, 人 사람 인) 사람이 없음.

- **정보 단말기**(情 뜻 정, 報 갚을 보, 端 바를 단, 末 끝 말, 機 틀 기) 각종 정보를 처리하고 관리할 수 있도록 만든 기계 장치.

- **금융**(金 쇠 금, 融 녹을 융) 금전(돈)을 돌려쓰는 일.

자동화의 의미와 종류

1 기계화는 생산 과정에서 사람이 하기 어려운 일을 기계의 도움을 받아 작업의 **능률**을 높이는 것이다. 이와 달리 자동화는 제품을 생산하는 시작 단계부터 끝까지 사람의 손을 빌리지 않고 컴퓨터나 전자 기기에 의해 자동적으로 **통제**하거나 문제를 해결하는 것을 말한다. 자동화의 종류는 매우 다양하지만, 그중 공장 자동화, 가정 자동화, 상점 자동화에 대해 알아보자.

2 공장 자동화는 공장에서 제품을 생산하는 과정을 자동화한 것이다. 최근에는 컴퓨터와 다양한 장치들을 이용하여 제품을 만드는 과정뿐만 아니라 제품을 주문받아 내보내는 모든 과정까지 자동화로 바뀌고 있다.

3 가정 자동화는 집 밖에서도 집 안의 가전제품이나 다양한 전자 기기들을 휴대 전화를 통해 **원격 제어**를 할 수 있는 시스템이다. 예를 들어 원격으로 각 방의 창문 또는 현관문을 열고 닫거나, 주방에서 가스가 새는 일과 같은 위험한 상황을 자동으로 **감지**하여 알려 주는 기능 등이 있다.

4 ㉠상점 자동화는 고객을 **응대**하는 일을 **무인** 서비스로 하는 것을 말한다. 예를 들어 무인 **정보 단말기**를 통해 직원 없이 상품 안내 및 주문 등이 가능하다. 또한 은행에서는 직원을 통하지 않고도 자신의 지문으로 직접 본인 확인을 한 후 다양한 **금융** 거래를 할 수 있다.

5 자동화는 그것을 이용할 수 있는 사람들에게는 매우 편리하지만, 이용에 어려움을 느끼는 사람들에게는 차별적인 서비스가 될 수도 있다. 따라서 이용 방법을 되도록 쉽게 만들어 모든 사람들이 자동화의 편리함을 누릴 수 있도록 접근성에 대한 문턱을 낮출 필요가 있다.

5

10

15

20

지문 독해

1 이 글에서 가장 중심이 되는 낱말은 무엇인가요? (   )

① 공장   ② 가정   ③ 상점

④ 기계화   ⑤ 자동화

내용 이해

2 이 글의 내용과 일치하지 <u>않는</u> 것은 무엇인가요? (   )

① 자동화는 컴퓨터에 의해 제품 생산 과정을 통제하는 것이다.

② 자동화는 제품을 주문받아 내보내는 과정에까지 적용되고 있다.

③ 자동화된 상점에서는 직원 없이도 고객의 요구에 응대할 수 있다.

④ 자동화로 인해 집 밖에서 집 안의 기기를 원격으로 제어할 수 있다.

⑤ 자동화는 제품 생산 과정 중 어느 한 부분에서 사람을 대신해 준다.

적용하기

3 ㉠의 사례로 볼 수 있는 것은 무엇인가요? (   )

① 아이스크림의 생산을 자동화한 기업

② 무인 정보 단말기로 음식을 주문받는 식당

③ 집에 가스가 새고 있다고 알려 주는 애플리케이션

④ 주문받은 제품을 내보내는 일을 자동화로 진행하는 김치 공장

⑤ 열쇠를 잃어버렸을 때 원격으로 문을 열 수 있는 아파트 현관문

추론하기

4 **5** 문단에서 글쓴이가 걱정하고 있는 점에 대해 가장 알맞게 말한 친구는 누구인가요? (   )

① 수찬: 자동화에 익숙해지면 사람들 간의 만남이나 대화가 줄어들 거야.

② 희연: 자동화의 빠른 속도에 익숙해지면 사람들이 마음의 여유를 잃어버리게 될 거야.

③ 지형: 자동화 기기가 이렇게 빠른 속도로 늘어나면 사람들의 일자리가 점점 줄어들 거야.

④ 태영: 만약 자동화 기기가 고장이라도 난다면 오히려 많은 사람들이 큰 불편을 겪을 수 있어.

⑤ 솔아: 자동화 기기들이 영어 문구를 많이 사용하고 있어서 아이들이나 노인들은 사용하기 어려울 수 있어.

지문 분석

1 문단 요약 다음 질문의 답을 찾을 수 있는 문단을 찾아 선으로 이으세요.

기계화와 자동화는 어떻게 다른가요? •   • **1** 문단

자동화의 장점과 단점은 무엇인가요? •   • **2~4** 문단

공장 자동화, 가정 자동화, 상점 자동화는 무엇인가요? •   • **5** 문단

2 글의 구조 다음 빈칸을 채워 이 글의 내용을 정리해 보세요.

```
                        자동화
   ┌──────────────┼──────────────┐
(      ) 자동화    (      ) 자동화    (      ) 자동화
```

( ) 자동화	( ) 자동화	( ) 자동화
제품 ( )부터 제품을 주문받아 내보내는 과정까지 자동화함.	집 밖에서 집 안의 전자 기기를 휴대 전화를 통해 ( )으로 제어함.	( ) 응대를 ( ) 서비스로 함.

배경지식 ## 생활 속 무인 서비스

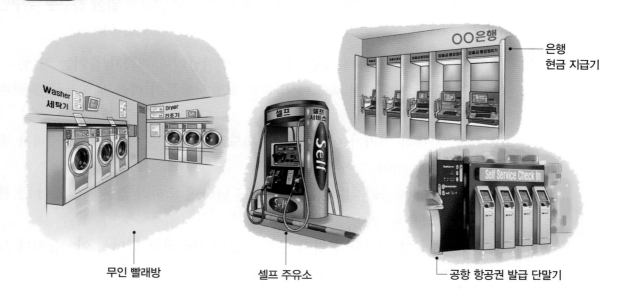

무인 빨래방   셀프 주유소   공항 항공권 발급 단말기

은행 현금 지급기

오늘의 어휘

다음 낱말의 알맞은 뜻을 찾아 선으로 이으세요.

능률 •　　　　　• 느끼어 앎.

원격 •　　　　　• 멀리 떨어져 있음.

제어 •　　　　　• 손님을 맞아들여 접대함.

감지 •　　　　　• 기계가 알맞게 움직이도록 조절함.

응대 •　　　　　• 일정한 시간에 할 수 있는 일의 비율.

1 다음 문장의 빈칸에 들어갈 알맞은 말을 오늘의 어휘 에서 찾아 쓰세요.

- 집중할수록 일의 [　　　　　]이 올라간다.
- 그 비행기는 [　　　　　]으로 조종할 수 있다.
- 자전거 핸들이 갑자기 [　　　　　]되지 않았다.
- 이웃집에 초대되어 따뜻한 [　　　　　]를 받았다.
- 그 기계는 아주 작은 소리도 [　　　　　]할 수 있다.

2 다음 글에서 밑줄 친 말과 뜻이 비슷한 말을 찾아 두 글자로 쓰세요.

로봇 기술의 발달이 반드시 인간에게 이로운 것일까? 영화에서도 종종 로봇이 인간의 통제로부터 벗어나 오히려 인간을 지배하는 이야기가 등장한다. 인간의 한계를 보완하기 위해 만들어진 로봇의 미래는 인간이 로봇을 제어할 수 있는지에 따라 달라질 수 있다.

(　　　　　)

청소년 　㉠　의 필요성

1️⃣ 민주주의의 꽃이라 불리는 선거는 국민이 **정책** 결정에 참여할 수 있는 가장 현실적인 수단이다. 그러나 선거에 참가하여 투표할 수 있는 권리는 모든 국민에게 주어지는 것은 아니다. 우리나라는 이전에는 만 19세부터 선거권이 있었지만, 2020년 1월 **공직 선거법**이 **개정**된 후 현재는 만 18세 이상에게 선거권을 보장하고 있다. 청소년의 나이 기준이 만 19세 미만이므로, 만 18세인 청소년에게 선거권을 주도록 바뀐 것이다.

2️⃣ 법이 개정되기 전, 경제 협력 개발 기구(OECD) 회원 국가 중 선거 **연령**을 만 19세 이상으로 제한한 나라는 우리나라밖에 없었다. 대부분의 나라에서 만 18세부터 선거권이 있으며, 오스트리아의 경우 만 16세부터 선거에 참여할 수 있다. 이렇게 나라마다 선거 연령이 다른 이유는 법을 만드는 정치인들의 생각이 다르기 때문이다. 그동안 우리나라 정치인들은 청소년에게 선거권을 주면 인기몰이 **공약**을 한 후보에게 휘말리거나 공부에 방해가 된다는 **명분**으로 선거 연령을 낮추는 것에 소극적이었다.

3️⃣ 하지만 이미 우리나라 청소년들은 다양한 방법으로 정치에 참여하고 있다. 따라서 만 18세 이상으로 선거 연령을 낮춘 법 개정은 이러한 시대적 변화에 발맞춘 것이며, 세계적인 **추세**에 따른 것으로 볼 수 있다. 무엇보다도 지구 온난화로 인한 기후 위기 시대에 청소년도 미래에 대한 결정권이 있는 **주체**이므로, 앞날에 영향을 줄 오늘날의 정책 결정에 참여할 권리가 있다.

4️⃣ 선거를 잘할 수 있는 연령이 따로 있는 것은 아니다. 한 나라의 민주주의 수준은 국민이 정치에 직접 참여하며 배움으로써 높일 수 있다. 따라서 청소년 선거권은 우리 사회의 민주주의 발전을 위해 보장되어야 한다.

5

10

15

20

KEY WORD

청소년 선거권

글자 수

			830
400	600	800	1000

- **정책**(政 정사 정, 策 꾀 책) 정치적 목적을 실현하기 위한 방책.
- **공직 선거법** 국가 기관이나 공공 단체의 일을 맡아보는 사람을 뽑는 일에 관한 법률.
- **개정**(改 고칠 개, 定 정할 정) 이미 정하였던 것을 고쳐 다시 정함.
- **연령**(年 해 연, 齡 나이 령) 세상에 나서 살아온 햇수.
- **공약**(公 공평할 공, 約 맺을 약) 선거에서 후보자가 사람들에게 실행하기로 한 약속.
- **명분**(名 이름 명, 分 나눌 분) 겉으로 내세우는 구실이나 이유.
- **추세**(趨 달릴 추, 勢 기세 세) 어떤 현상이 일정한 방향으로 나아가는 경향.
- **주체**(主 주인 주, 體 몸 체) 사물의 작용이나 어떤 행동의 주가 되는 것.

지문 독해

제목

1 이 글의 제목으로 어울리도록 ㉠에 들어갈 알맞은 낱말을 세 글자로 쓰세요.

(   )

내용 이해

2 이 글을 통해 알 수 있는 내용을 모두 찾아 ○표를 하세요.

(1) 우리나라의 선거 연령의 변화   (   )

(2) 나라마다 선거 연령이 다른 까닭   (   )

(3) 선거 연령을 높였을 때의 좋은 점   (   )

(4) 청소년이 정책 결정에 참여할 권리가 있는 까닭   (   )

적용하기

3 이 글을 읽고 '선거 연령을 낮춘 것은 옳다.'라는 주제로 토론을 하려고 합니다. 찬성과 반대의 근거로 적절하지 <u>않은</u> 것은 무엇인가요? (   )

① 찬성 측: 민주주의는 정치에 직접 참여하면서 배우는 것입니다.

② 반대 측: 우리나라 청소년들은 이미 자발적으로 정치에 참여하고 있습니다.

③ 반대 측: 판단력이 약한 청소년은 후보자의 인기몰이 공약에 휘말리기 쉽습니다.

④ 찬성 측: 다른 나라들의 경우를 봐도 선거 연령을 낮추는 것은 세계적인 추세입니다.

⑤ 찬성 측: 앞날에 영향을 줄 오늘날의 정책 결정에는 미래의 주인인 청소년의 참여가 필요합니다.

추론하기

4 이 글의 내용으로 보아, 선거권을 갖게 된 청소년이 지녀야 할 바람직한 태도로 가장 알맞은 것은 무엇인가요? (   )

① 선거 연령을 더 낮추어서 중학생들도 참여할 수 있도록 요구한다.

② 청소년들보다 성숙한 어른들의 판단을 믿고 따라서 투표해야 한다.

③ 공부에 방해가 되므로 선거에 관심을 갖지 말고 선거 참여를 미루어야 한다.

④ 후보들의 공약이 실현 가능하고 타당성이 있는지 잘 살펴보고 투표해야 한다.

⑤ 정치 참여 방법은 공부해서 익히는 것이므로 사회 수업 시간에 더 열심히 공부한다.

지문 분석

1 글의 특징

다음은 이 글에 대한 설명입니다. 빈칸을 채워 내용을 완성하세요.

> 이 글은 (　　　　) 선거권에 대한 자신의 주장을 알리고 읽는 사람을 설득하는 글이다. 글쓴이는 국민이 정치에 직접 참여하며 배움으로써 (　　　　)의 수준을 높일 수 있으므로, 청소년 선거권은 우리 사회의 민주주의 발전을 위해 (　　　　)되어야 한다고 주장하고 있다.

2 문단 요약

각 문단의 중심 내용을 알맞게 선으로 이으세요.

1 문단 •

2 문단 •

3 문단 •

4 문단 •

• 청소년 선거권의 필요성

• 선거 연령을 낮춘 것이 타당한 이유

• 선거법 개정에 따른 선거 연령의 변화

• 선거 연령을 낮추는 것에 소극적이었던 우리나라

배경지식 우리나라 법에서 정한 나이 제한

만 15세 이상

만 18세 이상

만 19세 이상

취업
(근로기준법)

결혼
(민법)

군 입대
(병역법)

운전면허 취득
(도로교통법)

성인
(민법)

오늘의 어휘

다음 낱말의 알맞은 뜻을 찾아 선으로 이으세요.

개정 • • 겉으로 내세우는 구실이나 이유.

공약 • • 이미 정하였던 것을 고쳐 다시 정함.

명분 • • 사물의 작용이나 어떤 행동의 주가 되는 것.

추세 • • 어떤 현상이 일정한 방향으로 나아가는 경향.

주체 • • 선거에서 후보자가 사람들에게 실행하기로 한 약속.

1 다음 문장의 빈칸에 들어갈 알맞은 말을 **오늘의 어휘** 에서 찾아 쓰세요.

- '아이가 웃는다.'에서 웃는 [   ]는 '아이'이다.
- 시대의 변화에 맞추어 낡은 법을 [   ]하였다.
- 후보자들의 [   ]을 잘 살펴보고 투표해야 한다.
- 요즘은 마스크가 필수품이 되고 있는 [   ]이다.
- 일본은 동아시아의 해방을 [   ]으로 삼아 우리나라를 침략했다.

2 다음 글에서 밑줄 친 말과 뜻이 반대되는 말을 찾아 두 글자로 쓰세요.

주객전도(主客顚倒)란 주인과 손님, 즉 주체와 객체가 서로 뒤바뀌었다는 뜻으로, 중심이 되는 것과 아닌 것의 위치나 순서 등이 바뀐 경우를 의미한다. 이때 주체는 사물의 작용이나 어떤 행동의 주가 되는 것이며, 객체는 주로 어떤 행위가 미치는 대상이다.

(   )

1인 방송의 특징

1 '먹방', '겜방', '톡방' 등은 모두 1인 방송의 시대에 생겨난 **신조어**이다. 1인 방송이란 개인이 직접 **주도**하여 만든 방송 **콘텐츠**를 말한다. 기존의 방송은 대형 방송국이 전파를 통해 콘텐츠를 내보내는 것을 의미했지만, 1인 방송은 각 개인이나 특정 집단이 주체가 되어 온라인을 통해 콘텐츠를 내보내는 것이라는 점에서 차이가 있다.

2 1인 방송의 가장 중요한 특징은 자유로운 쌍방향 소통이 가능하다는 것이다. 1인 방송은 기존의 방송과 달리 누구나 스타, 기자, 연출가가 될 수 있으며, 누구나 시청자로서 채팅창에 글을 쓰거나 '좋아요'를 누르는 방식으로 방송에 참여할 수 있기 때문이다. 개인이 단순 소비자가 아니라 생산자로서 방송에 참여하는 것이 가능한 시대가 된 것이다.

3 또한 1인 방송은 기존 방송보다 더 다양한 콘텐츠를 쉽게 제작할 수 있다는 장점이 있다. 일상의 친근한 소재들에 작은 아이디어를 더한 다양한 콘텐츠들이 시청자들에게 폭넓은 선택의 기회를 제공하고 있다. 게다가 1인 방송은 제작 **공정**이 **상대적**으로 단순한 편이기 때문에 기존 방송에 비해 훨씬 적은 비용으로 콘텐츠를 제작할 수 있다.

4 하지만 1인 방송으로 인한 사회적 부작용도 적지 않다. 구독자 수를 늘려 높은 수익을 얻기 위해 자극적으로 제작된 영상들이 아무런 **여과** 없이 노출될 수 있다. 사람들의 눈길을 끌기 위해 정보를 과장하거나 가짜 뉴스로 사실을 **왜곡**하는 경우도 있다.

5 1인 방송은 사람들에게 표현의 자유를 실현시켜 주는 현대의 문화적 표현 방식 중 하나이다. ㉠1인 방송의 장점을 잘 살릴 수 있는 건전한 방송 문화가 **정착**되기 위해서는 제도적 장치뿐만 아니라 방송 제작자와 시청자 모두의 노력이 필요하다.

- **신조어**(新 새로울 신, 造 지을 조, 語 말씀 어) 새로 생긴 말.
- **주도**(主 주인 주, 導 이끌 도) 앞장서서 어떤 일을 이끎.
- **콘텐츠**(contents) 인터넷이나 방송 등을 통하여 제공되는 각종 정보.
- **공정**(工 장인 공, 程 단위 정) 한 제품이 완성되기까지 거쳐야 하는 하나하나의 작업 단계.
- **상대적**(相 서로 상, 對 대답할 대, 的 과녁 적) 서로 맞서거나 비교되는 관계에 있는 것.
- **여과**(濾 거를 여, 過 지날 과) 주로 부정적인 요소를 걸러 내는 과정을 비유적으로 이르는 말.
- **왜곡**(歪 비뚤 왜, 曲 굽을 곡) 사실과 다르게 해석하거나 그릇되게 함.
- **정착**(定 정할 정, 着 붙을 착) 새로운 문화 현상 등이 당연한 것으로 사회에 받아들여짐.

지문 독해

1 이 글은 무엇에 대해 설명하고 있는지 찾아 네 글자로 쓰세요.

(   )

전개 방식

2 이 글에서 사용하고 있는 설명 방법으로 알맞은 것에 모두 ○표를 하세요.

(1) 전문가의 말을 빌려 설명하고 있다.   (   )
(2) 장소의 이동에 따라 설명하고 있다.   (   )
(3) 대상의 특징을 나열하여 설명하고 있다.   (   )
(4) 두 대상의 다른 점을 들어 설명하고 있다.   (   )

내용 이해

3 이 글을 읽고 알 수 있는 1인 방송의 특징으로 알맞지 <u>않은</u> 것은 무엇인가요?

(   )

① 시청자가 방송에 참여할 수 없다.
② 일상의 다양한 소재들로 방송을 제작할 수 있다.
③ 제작 공정이 단순하고 제작 비용이 적게 들어간다.
④ 개인의 표현의 자유를 실현시켜 주는 문화적 표현 방식이다.
⑤ 사람들의 눈길을 끌기 위해 자극적인 영상을 만들기도 한다.

어휘·어법

4 ㉠에 가장 어울리는 한자 성어는 무엇인가요? (   )

① 고진감래: 고생 끝에 즐거움이 옴.
② 설상가상: 난처한 일이나 불행한 일이 잇따라 일어남.
③ 고장난명: 혼자의 힘만으로 어떤 일을 이루기 어려움.
④ 감언이설: 귀가 솔깃하도록 남의 비위를 맞추거나 이로운 조건을 내세워 꾀는 말.
⑤ 타산지석: 본보기가 되지 않는 남의 말이나 행동도 자신의 지식과 인격을 갈고닦는 데에 도움이 될 수 있음.

지문 분석

1 문단 요약

다음은 각 문단의 중심 내용을 정리한 것입니다. 문단의 순서대로 기호를 쓰세요.

가	1인 방송의 사회적 부작용
나	쌍방향 소통이 가능한 1인 방송
다	1인 방송의 의미와 기존 방송과의 차이점
라	건전한 1인 방송 문화 정착을 위한 노력의 필요성
마	다양한 콘텐츠를 적은 비용으로 제작할 수 있는 1인 방송

( ) → ( ) → ( ) → ( ) → ( )

2 글의 구조

다음 빈칸을 채워 이 글의 내용을 정리해 보세요.

1인 방송의 특징

긍정적인 면	부정적인 면
• 자유로운 ( ) 소통이 가능함. • ( ) 콘텐츠를 적은 비용으로 제작할 수 있음.	• ( )인 영상들이 여과 없이 노출될 수 있음. • 정보를 ( )하거나 사실을 왜곡하는 경우도 있음.

배경지식

1인 창작자, 크리에이터(creator)

크리에이터는 사전적인 의미로 '창작자'라는 뜻으로, 유튜브와 같은 동영상 플랫폼에 자신이 제작한 동영상을 업로드하는 1인 창작자를 일컫는 말이다. 요즘 시대에는 인터넷을 통해 누구나 스타가 될 수 있고, 기자와 PD가 될 수 있으며, 방송국을 운영할 수 있다. 크리에이터는 다양하고 개성이 강한 주제의 동영상을 직접 만들어 올려서 큰 인기를 누리고 있다.

다음 낱말의 알맞은 뜻을 찾아 선으로 이으세요.

신조어 •　　　　　• 새로 생긴 말.

주도 •　　　　　• 앞장서서 어떤 일을 이끎.

공정 •　　　　　• 서로 맞서거나 비교되는 관계에 있는 것.

상대적 •　　　　　• 한 제품이 완성되기까지 거쳐야 하는 하나하나의 작업 단계.

여과 •　　　　　• 주로 부정적인 요소를 걸러 내는 과정을 비유적으로 이르는 말.

1 다음 문장의 빈칸에 들어갈 알맞은 말을 오늘의 어휘 에서 찾아 쓰세요.

- 학생들의 [　　　　]로 체육 대회가 잘 치러졌다.

- 나는 우리 반에서 키가 [　　　　]으로 큰 편이다.

- TV 방송 프로그램은 제작 [　　　　]이 복잡하다.

- 그 사건에 대한 거짓 소문이 [　　　　] 없이 퍼져 나가고 있다.

- '먹방'은 먹는 모습을 주로 보여 주는 방송을 뜻하는 [　　　　]이다.

2 다음 글에서 밑줄 친 말과 뜻이 반대되는 말을 찾아 세 글자로 쓰세요.

빈곤이란 경제적으로 가난한 상태를 뜻하는 말이다. 빈곤에는 두 종류가 있는데, <u>절대적</u> 빈곤은 최소한의 생계를 유지하기 위한 소득 수준에도 미치지 못하는 빈곤 상태를 말한다. 상대적 빈곤은 그 사회의 평균 소득 수준과 대비하여 상대적으로 소득이 낮은 상태를 의미한다.

(　　　　　　　　)

오디오 북의 유용성

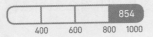
1 오디오 북은 휴대용 전자 기기나 인터넷을 활용하여 귀로 듣는 책을 의미한다. **고전적**인 독서 활동은 종이에 인쇄된 책을 독자가 눈으로 보는 것이었다. 그러나 오디오 북은 디지털 기술의 발달과 함께 책의 내용을 음성으로 듣는다는 점에서 독서의 방식 자체가 기존과 다르다.

2 현대의 디지털 시대는 오디오 북과 같은 새로운 형태의 출판물이 등장하면서 사람들의 독서 환경에 다양한 변화를 이끌고 있다. 기존에는 한자리에 앉아서 책에 시선을 고정한 채 **몰입**해서 읽는 것이 바람직한 독서 태도였다면, 오디오 북은 읽는 사람을 좀 더 자유롭게 해 준다. 시력이 좋지 않아 긴 시간 책 읽기를 할 수 없는 사람, 간단한 운동이나 운전과 같은 활동을 하며 독서를 **병행**하고 싶은 사람, 글을 잘 모르는 어린아이, 감성 표현이 가득한 방식으로 책을 읽고 싶은 사람 등에게 오디오 북은 **유용한** 책 읽기 방법이 될 수 있다.

3 또한 오디오 북은 현대인의 생활 양식에도 잘 맞는 독서법일 수 있다. 요즘 사람들 대부분은 책에만 집중해서 조용하게 독서할 수 있는 시간적 여유를 갖기가 어려워서 점점 책과 멀어지고 있다. 또한 TV나 스마트폰을 통해 감각을 자극하는 영상을 보는 것에 익숙한 현대인들은 글자로 된 책을 읽고 장면을 머릿속으로 상상하려는 의지가 약하다. 그러나 오디오 북은 바쁜 일상 속에서도 가벼운 마음으로 언제 어디서나 책을 읽을 수 있다. 그리고 목소리의 높낮이 등으로 감정을 전달받아 쉽게 장면을 상상할 수 있다. 게다가 무거운 책을 들고 다닐 필요도 없다.

4 이제 독자들은 개인의 상황과 목적에 따라 자신에게 맞는 독서 방식을 선택할 수 있게 되었다. 오디오 북은 책을 좀 더 쉽게 접하고 가까이할 수 있게 하여 기존 독서의 **대안**이 될 수 있다.

5

10

15

20

- **고전적**(古 옛 고, 典 법 전, 的 과녁 적) 옛날의 형식이나 양식을 따르는 것.
- **몰입**(沒 잠길 몰, 入 들 입) 깊이 파고들거나 빠짐.
- **병행**(竝 아우를 병, 行 다닐 행) 둘 이상의 일을 한꺼번에 행함.
- **유용**(有 있을 유, 用 쓸 용)**한** 쓸모가 있는.
- **대안**(代 대신할 대, 案 책상 안) 어떤 것을 대신하는 것.

핵심어

1 이 글에서 가장 중심이 되는 말을 찾아 쓰세요.

(   )

전개 방식

2 이 글의 설명 방법으로 알맞은 것은 무엇인가요? (   )

① 대상의 구조를 낱낱이 나누어 설명하고 있다.
② 대상의 장점과 단점을 균형 있게 설명하고 있다.
③ 대상을 사용하는 방법을 차례대로 설명하고 있다.
④ 대상을 다른 대상과 비교하며 특징을 설명하고 있다.
⑤ 대상의 발전 과정을 시간의 흐름에 따라 설명하고 있다.

내용 이해

3 이 글의 내용과 일치하지 <u>않는</u> 것은 무엇인가요? (   )

① 오디오 북은 디지털 기술의 발달과 함께 등장했다.
② 오디오 북은 눈이 잘 안 보이는 사람도 활용할 수 있다.
③ 오디오 북은 여러 권을 들고 다녀야 할 경우 무거울 수 있다.
④ 오디오 북은 바쁜 현대인의 생활 양식에 잘 맞는 독서법이다.
⑤ 오디오 북으로 인해 사람들은 독서 방식을 상황에 맞게 선택할 수 있다.

적용하기

4 다음 중 오디오 북이 가장 필요할 것 같은 사람은 누구일까요? (   )

① 약속 장소에 일찍 도착한 친구
② 하루 종일 차 안에서 운전해야 하는 아빠
③ 수행 평가를 위해 자료를 찾아야 하는 친구
④ 학생들에게 미술 작품에 대해 설명해야 하는 선생님
⑤ 글을 모르는 아이에게 글을 가르쳐 주어야 하는 선생님

지문 분석

1 문단 요약

각 문단의 중심 내용을 알맞게 선으로 이으세요.

1 문단 •　　　• 오디오 북의 의미와 특징

2 문단 •　　　• 기존 독서의 대안으로서의 오디오 북

3 문단 •　　　• 현대인의 생활 양식에 잘 맞는 오디오 북

4 문단 •　　　• 읽는 사람을 자유롭게 해 주는 오디오 북

2 중심 내용

다음 빈칸을 채워 이 글의 중심 내용을 완성하세요.

（　　　）로 듣는 책인 오디오 북은 읽는 사람을 좀 더 （　　　） 해 주고, 현대인의 （　　　） 양식에 잘 맞는 독서법이다. 오디오 북은 책을 좀 더 쉽게 접하고 가까이할 수 있게 하여 기존 독서의 （　　　）이 될 수 있다.

배경지식　책을 읽는 다양한 방법

전자책(e북)

책의 정보를 전자적으로 저장하여 단말기를 통해 책처럼 읽을 수 있도록 만든 시스템이다.

오디오 북

성우나 저자가 직접 책을 소리내어 낭독하여 눈으로 읽는 대신 귀로 들을 수 있게 제작한 디지털 콘텐츠이다.

챗북

채팅에 익숙한 세대를 겨냥하여 책의 내용을 대화 형식으로 새롭게 구성하여 제작한 콘텐츠이다.

오늘의 어휘

다음 낱말의 알맞은 뜻을 찾아 선으로 이으세요.

고전적 •　　　　　• 쓸모가 있는.

몰입 •　　　　　• 깊이 파고들거나 빠짐.

병행 •　　　　　• 어떤 것을 대신하는 것.

유용한 •　　　　　• 둘 이상의 일을 한꺼번에 행함.

대안 •　　　　　• 옛날의 형식이나 양식을 따르는 것.

1 다음 문장의 빈칸에 들어갈 알맞은 말을 오늘의 어휘 에서 찾아 쓰세요.

- 저축은 자산을 만드는 ⬚⬚⬚⬚⬚⬚⬚ 인 방법이다.
- 영화에 너무 ⬚⬚⬚⬚⬚⬚ 해서 전화 온 줄도 몰랐다.
- 공부와 음악 감상을 ⬚⬚⬚⬚⬚⬚ 하는 사람들이 있다.
- 너무 늦었으니 빨리 다른 ⬚⬚⬚⬚⬚⬚ 을 찾아야 한다.
- 이 책에는 어린이에게 ⬚⬚⬚⬚⬚⬚ 내용들이 들어 있다.

2 다음 글에서 밑줄 친 말과 뜻이 비슷한 말을 찾아 두 글자로 쓰세요.

　　연극은 배우가 대사를 통해 사건을 전달하는 무대 예술이다. 대부분의 경우 무대 위의 배우와 이를 지켜보는 관객은 분리되어 있다. 배우는 최대한 현실감 있는 연기를 보여 관객이 연극에 몰입할 수 있도록 한다. 그러나 배우가 갑자기 관객에게 말을 걸어 관객이 연극에 열중하는 것을 의도적으로 방해하는 경우도 있다.

(　　　　　　　)

문화 **03**

지문분석

KEY WORD

한류

글자 수

823
400 600 800 1000

한류의 의미와 효과

1 케이 팝(K-pop)은 세계적으로 인기 있는 한국의 **대중**가요를 이르는 말이다. 한국의 가요뿐만 아니라 영화나 드라마 등을 통해 한국 문화가 물결처럼 다른 나라로 퍼져 나가 인기를 끌고 있는 현상을 한류라고 한다. 주로 한류라고 하면 이러한 대중문화를 의미하지만, 넓게는 예술이나 음식 같은 생활 문화가 해외에서 인기를 얻는 현상까지도 포함한다.

2 드라마와 대중가요에서 시작된 ㉠한류 **열풍**은 어느새 한국 음식과 한복, 태권도와 같은 한국 문화 자체에 대한 관심으로 확대되고 있다. 단순히 한국 배우나 가수를 좋아하던 해외 팬들이 한국이라는 나라에까지 관심을 갖게 된 것이다. 이러한 한류 열풍으로 한국을 방문하는 해외 관광객 수가 늘어나고, 한국의 물품을 구입하는 외국인들이 많아져서 우리나라 경제에 긍정적인 효과를 주고 있다.

3 그러나 한류 열풍이 꼭 긍정적인 효과만 있는 것은 아니다. 한국 대중문화를 좋아하는 세계인들이 늘어날수록 이에 **반발**하여 한류를 부정적으로 바라보는 사람들의 수도 늘어날 수 있다. 몇몇 나라에서 한류가 지나치게 일방적으로 **부각**되면서 일부 현지인들이 **반감**을 가지는 경우가 있었다. 이를 가리켜 반한류라고 하는데, 이 반한류 감정이 커질 경우 심각한 문제가 될 우려가 있다.

4 과거보다 한국의 문화가 세계에 널리 알려진 것은 사실이지만, 아직 제대로 알려져 있다고 보기는 어렵다. 예를 들어 지도에 독도를 일본 땅으로, 동해를 일본해로 잘못 표기한 나라들이 여전히 많이 있고, 한복을 일본의 전통 의상인 기모노로 잘못 알고 있는 경우도 있다. 따라서 앞으로 한류는 우리 문화에 **자부심**을 가지고 한국 문화를 전 세계에 제대로 알리는 방향으로 나아갈 필요가 있다.

5

10

15

20

- **대중**(大 큰 대, 衆 무리 중) 사회를 구성하는 대다수의 사람.

- **열풍**(烈 세찰 열, 風 바람 풍) 매우 세차게 일어나는 기운이나 기세를 비유적으로 이르는 말.

- **반발**(反 돌이킬 반, 撥 다스릴 발) 무엇에 맞서서 거스르고 반항함.

- **부각**(浮 뜰 부, 刻 새길 각) 어떤 사물을 특징지어 두드러지게 함.

- **반감**(反 돌이킬 반, 感 느낄 감) 반대하거나 반항하는 감정.

- **자부심**(自 스스로 자, 負 짐질 부, 心 마음 심) 자기의 가치나 능력에 대해 스스로 당당히 여기는 마음.

핵심어

1 이 글에서 가장 중심이 되는 낱말은 무엇인가요? (   )

① 영화   ② 한류   ③ 드라마
④ 반한류   ⑤ 대중가요

내용 이해

2 이 글을 통해 알 수 있는 내용을 모두 찾아 ○표를 하세요.

(1) 한류의 다른 이름   (   )
(2) 한류 열풍의 부작용   (   )
(3) 한류 열풍이 정치에 미치는 영향   (   )
(4) 한류 열풍이 경제에 미치는 영향   (   )

적용하기

3 ㉠의 효과로 알맞지 않은 것은 무엇인가요? (   )

① 한국 문화를 널리 알릴 수 있다.
② 한류에 대한 부정적인 생각을 없앨 수 있다.
③ 한국을 방문하는 해외 관광객 수가 증가한다.
④ 한국 물품을 구입하려는 외국인들이 많아진다.
⑤ 세계 여러 나라의 사람들이 한국에 대해 관심을 갖게 된다.

추론하기

4 ❹문단을 읽고 글쓴이의 생각을 알맞게 말한 친구는 누구인가요? (   )

① 나윤: 한국을 해외에 널리 알리는 유명인들을 적극 지원해야 해.
② 채빈: 문화의 다양성을 존중하기 위해 우리도 외국 문화를 좋아해야 해.
③ 예은: 우리 문화를 다른 나라 사람들에게 제대로 알리기 위해 노력해야 해.
④ 대희: 우리 문화에 관심이 큰 나라들만 골라 집중적으로 한류를 알려야 해.
⑤ 지훈: 우리 문화에 대한 우월 의식을 가질 수 있으니 대중문화 외에 다른 것
은 되도록 알리지 말아야 해.

지문 분석

1 문단 요약 다음 질문의 답을 찾을 수 있는 문단을 찾아 선으로 이으세요.

한류는 무엇을 뜻하나요? •	• **1** 문단
한류가 나아가야 할 방향은 무엇인가요? •	• **2** 문단
한류 열풍으로 인해 생길 수 있는 문제가 있나요? •	• **3** 문단
한류 열풍이 우리나라 경제에 어떤 영향을 주나요? •	• **4** 문단

2 글의 구조 다음 빈칸을 채워 이 글의 내용을 정리해 보세요.

(   ) 열풍

긍정적 효과
- 한국에 대한 (   ) 확대
- 한국 방문 관광객 수 증가
- 한국의 (   )을 구입하는 외국인 증가

부정적 효과
- 한류를 (   )으로 바라보는 사람 수 증가
- (   ) 감정이 커질 경우 심각한 문제가 될 우려

배경지식 ## 새롭게 떠오르는 케이 푸드(K-food)

얼마 전만 해도 외국인들이 좋아하는 한국 음식은 비빔밥, 김치, 불고기 등이 대표적이었다. 그런데 최근 케이 푸드 열풍이 불며 그 종류가 매우 다양해졌다. 한국 영화나 드라마에서 자주 등장하는 먹는 장면을 통해 해외에서의 케이 푸드 소비가 늘어나고 있다.

오늘의 어휘

다음 낱말의 알맞은 뜻을 찾아 선으로 이으세요.

대중 •
　　　　　　　• 무엇에 맞서서 거스르고 반항함.

열풍 •
　　　　　　　• 사회를 구성하는 대다수의 사람.

반발 •
　　　　　　　• 어떤 사물을 특징지어 두드러지게 함.

부각 •
　　　　　　　• 자기의 가치나 능력에 대해 스스로 당당히 여기는 마음.

자부심 •
　　　　　　　• 매우 세차게 일어나는 기운이나 기세를 비유적으로 이르는 말.

1 다음 문장의 빈칸에 들어갈 알맞은 말을 오늘의 어휘 에서 찾아 쓰세요.

- 그 영화는 [　　　　　]에게 많은 인기를 끌었다.
- 사춘기가 되면 부모님께 [　　　　　]하기도 한다.
- 오디오 북의 등장으로 독서 [　　　　　]이 불고 있다.
- 친환경 소비의 긍정적인 효과가 [　　　　　]되고 있다.
- 할아버지께서는 우리 집안에 대한 [　　　　　]이 강하시다.

2 다음 글에서 밑줄 친 말과 뜻이 비슷한 말을 찾아 세 글자로 쓰세요.

　　올림픽이나 월드컵 경기에서 우리나라 선수들이 좋은 결과를 내는 것을 보고 국민들은 큰 자부심을 느낀다. 우리 선수가 다른 나라 선수와 경기를 하며 최선을 다하는 모습을 보면서 한마음으로 뜨겁게 응원한다. 이럴 때 국민 각자의 마음속에 한국인이라는 긍지가 생긴다.

(　　　　　　　)

플래시 몹의 다양한 사례

1 플래시 몹은 **불특정** ㉠다수의 사람들이 인터넷이나 누리 소통망(SNS) 등을 통해 날짜, 시간, 장소를 정한 뒤 모여서 서로 약속한 행동을 한 후 곧바로 **해산**하는 행위를 말한다.

2 플래시 몹의 대표적인 사례는 2003년 6월의 어느 날, 오후 7시 18분 미국 뉴욕 센트럴 파크의 모임이었다. 서로 본 적도 없는 사람들이 이메일과 휴대폰으로 날짜와 시간, 장소를 전해 듣고는 300여 명이 모인 것이다. 그들은 알아들을 수 없는 소리를 내다 "여기 와서 자연을 **만끽**하라."라고 외쳤다. 그리고 약 20초 동안 '자연'이라는 말을 **화음**을 넣어 부른 뒤 곧바로 ㉡흩어졌다. 이후 플래시 몹은 미국 내 다른 도시로 퍼졌고, 유럽 각 도시까지 **확산**되었다.

3 우리나라에서는 2003년 8월 31일 서울 강남역에 모인 수십 명의 ㉢젊은이들이 "건강하세요.", "행복하세요."라는 인사를 외친 뒤 곧바로 흩어졌다. 그리고 가장 유명한 것으로는 2012년 서울역 광장을 ㉣시작으로 주요 도시에서 **산발적**으로 진행된 독도 플래시 몹이다. 현 **실정**에 맞게 30년 만에 가사를 바꾼 '독도는 우리 땅'이라는 노래에 맞추어 춤을 추고 노래가 끝나면 흩어지는 모임이었다.

4 처음 플래시 몹은 모임 자체에 어떤 목적이나 의미를 부여하지 않고, 도심 ㉤한복판에 갑자기 모여서 **괴성**을 지르는 등 재미나 호기심으로 하는 경우가 많았다. 우스꽝스럽고 황당한 모임들이 대부분이었지만 그렇다고 사회적 문제를 일으키는 것은 아니었다. 요즘에는 플래시 몹이 환경 문제 등과 같이 전하고자 하는 메시지를 담은 형태로 변화하며 그 형식이 다양해지고 있다.

5

10

15

20

KEY WORD

플래시 몹

글자 수

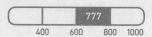

777

400 600 800 1000

- **불특정**(不 아닐 불, 特 특별할 특, 定 정할 정) 특별히 정하지 않음.
- **해산**(解 풀 해, 散 흩을 산) 모였던 사람이 흩어짐.
- **만끽**(滿 찰 만, 喫 마실 끽) 욕망을 마음껏 충족함.
- **화음**(和 화할 화, 音 소리 음) 높이가 다른 둘 이상의 음이 함께 울릴 때 어울리는 소리.
- **확산**(擴 넓힐 확, 散 흩을 산) 흩어져 널리 퍼짐.
- **산발적**(散 흩을 산, 發 필 발, 的 과녁 적) 때때로 여기저기 흩어져 발생하는 것.
- **실정**(實 열매 실, 情 뜻 정) 실제의 사정이나 형편.
- **괴성**(怪 기이할 괴, 聲 소리 성) 별나고 이상한 소리.

지문 독해

핵심어

1 이 글에서 가장 중심이 되는 말을 찾아 쓰세요.

(   )

내용 이해

2 이 글을 통해 알 수 있는 내용을 모두 찾아 ○표를 하세요.

(1) 플래시 몹의 부작용   (   )
(2) 플래시 몹의 대표 사례   (   )
(3) 플래시 몹이 나타난 이유   (   )
(4) 우리나라의 플래시 몹 사례   (   )

추론하기

3 이 글을 읽고 플래시 몹에 대해 이해한 내용으로 알맞지 <u>않은</u> 것은 무엇인가요?

(   )

① 특정한 행동을 한 후 곧바로 해산하는 것이 특징이다.
② 인터넷이나 누리 소통망을 통해 장소, 시간 등을 정한다.
③ 반드시 어떤 목적이나 의미를 전달하려는 의도에서 한다.
④ 모이는 사람들은 주로 서로 만난 적이 없는 불특정 다수이다.
⑤ 갑자기 여러 사람이 모이지만, 사회적 문제를 일으키지는 않는다.

어휘·어법

4 ㉠~㉤과 뜻이 반대되는 낱말이 알맞게 짝 지어진 것은 무엇인가요? (   )

① ㉠: 다수 ↔ 특수
② ㉡: 흩어졌다 ↔ 깨졌다
③ ㉢: 젊은이 ↔ 어린이
④ ㉣: 시작 ↔ 처음
⑤ ㉤: 한복판 ↔ 가장자리

지문 분석

1 문단 요약   다음은 각 문단의 중심 내용을 정리한 것입니다. 문단의 순서대로 기호를 쓰세요.

㉮	플래시 몹의 의미

㉯	외국의 플래시 몹 사례

㉰	플래시 몹의 변화 양상

㉱	우리나라의 플래시 몹 사례

(　　　) → (　　　) → (　　　) → (　　　)

2 중심 내용   다음 빈칸을 채워 이 글의 중심 내용을 완성하세요.

> 플래시 몹은 (　　　) 다수의 사람들이 모여서 서로 (　　　)한 행동을 한 후 (　　　)하는 행위를 말한다. 처음에는 목적이나 의미 없이 재미나 호기심으로 하는 경우가 많았으나, 요즘에는 (　　　)를 담은 형태로 변화하고 있다.

배경지식   플래시 몹의 유형

① **정지형 플래시 몹**: 일정한 시간 동안 행동을 멈추고 동일한 자세를 유지함.

② **댄스형 플래시 몹**: 음악에 맞춰 추거나 음악 없이 모인 사람들이 함께 춤을 춤.

③ **퍼포먼스형 플래시 몹**: 일정한 행위나 동작을 일정한 시간 동안 동시에 함.

④ **연주회형 플래시 몹**: 여러 가지 악기 연주자들이 모여서 음악을 연주함.

오늘의 어휘

다음 낱말의 알맞은 뜻을 찾아 선으로 이으세요.

불특정 •　　　　　• 특별히 정하지 않음.

해산 •　　　　　• 실제의 사정이나 형편.

화음 •　　　　　• 모였던 사람들이 흩어짐.

산발적 •　　　　　• 때때로 여기저기 흩어져 발생하는 것.

실정 •　　　　　• 높이가 다른 둘 이상의 음이 함께 울릴 때 어울리는 소리.

1 다음 문장의 빈칸에 들어갈 알맞은 말을 오늘의 어휘 에서 찾아 쓰세요.

- 토론이 끝나자 다들 ☐☐☐☐☐ 하였다.
- 오케스트라의 아름다운 ☐☐☐☐☐ 에 감동했다.
- 어제는 전국에 ☐☐☐☐☐ 으로 소나기가 내렸다.
- 인터넷의 정보는 ☐☐☐☐☐ 다수에게 개방된다.
- 외국인들은 우리나라의 ☐☐☐☐☐ 을 잘 모를 수 있다.

2 다음 글에서 밑줄 친 말과 뜻이 반대되는 말을 찾아 두 글자로 쓰세요.

　　패키지 여행이란 여행사가 <u>집합</u> 장소부터 해산 장소까지 모든 여행 일정을 관리하는 여행 상품을 말한다. 항공, 숙박, 열차, 식당 등을 사전에 대량으로 예약하여 여행객을 모집하는 형태로, 보통 10인 이상이 한 팀으로 짜여져 여행이 진행된다.

(　　　　　　)

KEY WORD

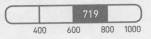
한식

글자 수

719
400 600 800 1000

한식의 ㉠

1 한식은 설날, 단오, 추석과 함께 우리나라 4대 명절의 하나이다. **동지**에서 105일째 되는 날이 한식인데 4월 5일이나 6일쯤이다. '한식(寒食)'은 '찬밥'이라는 뜻으로 이날은 불을 때지 않고 찬 음식을 먹는 풍습에서 이와 같은 이름이 지어졌다.

2 한식의 유래에는 두 가지 이야기가 전해진다. 하나는 중국 춘추 시대의 ㉡'개자추 **설화**'이다. 개자추의 도움으로 **즉위**한 문공이 개자추를 멀리하자, 이에 **분개**한 개자추는 산속으로 들어가 버렸다. 뒤늦게 이를 깨달은 문공이 개자추를 불렀지만 그는 오지 않았다. 문공은 개자추를 산속에서 나오게 하려고 불을 질렀으나 개자추는 끝내 나오지 않아 타 죽고 말았다. 크게 슬퍼한 문공이 개자추를 **기리기** 위해 개자추가 죽은 날에 불을 금했다는 데서 한식이 시작되었다고 보는 것이다. 이러한 개자추 설화를 바탕으로 하여 한식날 비가 오면 그해 풍년이 든다는 이야기도 생겼다.

3 한식의 다른 유래는 고대 **원시** 사회에서 오래된 불이 생명력이 없다고 여겨서 해마다 새 불을 만들었던 '개화 **의례**'에서 **비롯되었다는** 설이다. 백성들이 일 년 동안 쓰던 불을 끄고 나라에서 나누어 주는 새 불을 기다리는 동안에는 불을 쓰지 못하니, 미리 지어 둔 찬밥을 먹었던 것에서 한식이 시작되었다고 보는 것이다.

4 한식날에는 찬 음식을 먹는 것 외에 조상의 산소에 찾아가 묘를 손보고 제사를 지냈다. 우리 조상은 한 해 농사를 시작하는 한식과 농사를 마무리하는 추석에 제사를 꼭 지냈다.

5

10

15

20

● **동지**(冬 겨울 동, 至 이를 지) 이십사절기의 하나로 12월 22일이나 23일경임. 일 년 중 낮이 가장 짧고 밤이 가장 긴 날임.

● **설화**(說 말씀 설, 話 말할 화) 각 민족 사이에 오래전부터 전해 오는 이야기.

● **즉위**(卽 곧 즉, 位 자리 위) 임금의 자리에 오름.

● **분개**(憤 성낼 분, 慨 분개할 개) 몹시 분하게 여김.

● **기리기** 칭찬하고 기억하기.

● **원시**(原 근원 원, 始 비로소 시) 처음 시작된 그대로 있어 발달하지 않은 상태.

● **의례**(儀 거동 의, 禮 예도 례) 행사를 치르는 일정한 방식. 또는 정해진 방식에 따라 치르는 행사.

● **비롯되었다는** 처음으로 시작되었다는.

지문 독해

1 이 글의 제목으로 어울리도록 ㉠에 들어갈 알맞은 낱말을 두 글자로 쓰세요.

(   )

내용 이해

2 이 글을 통해 알 수 있는 내용을 모두 찾아 ○표를 하세요.

(1) 한식의 유래   (   )

(2) 한식의 풍습   (   )

(3) 제사상 차리는 법   (   )

(4) 우리나라 4대 명절의 종류   (   )

추론하기

3 이 글을 읽고 답을 알 수 <u>없는</u> 질문은 무엇인가요? (   )

① 한식은 언제인가요?

② 한식날 찬 음식을 먹게 된 이유는 무엇인가요?

③ 한식이라는 이름이 지어진 이유는 무엇인가요?

④ 오래된 불을 생명력이 없다고 여기는 까닭은 무엇인가요?

⑤ 한식날 비가 오면 풍년이 든다는 말이 생긴 까닭은 무엇인가요?

어휘·어법

4 ㉡의 '문공'에게 가장 어울리는 속담은 무엇인가요? (   )

① 우물에 가 숭늉 찾는다

② 소 잃고 외양간 고친다

③ 아니 땐 굴뚝에 연기 날까

④ 돌다리도 두들겨 보고 건너라

⑤ 구슬이 서 말이라도 꿰어야 보배

지문 분석

1 정보 확인 보기 에서 이 글의 핵심어를 찾아 ○표를 하세요.

보기

| 명절 | 설날 | 단오 | 추석 | 한식 |

2 글의 구조 다음 빈칸을 채워 이 글의 내용을 정리해 보세요.

한식의 유래

( ) 설화

문공이 불에 타 죽은 개자추를 기리기 위해 개자추가 죽은 날에 ( )을 금했던 것에서 유래됨.

( ) 의례

오래된 불이 ( )이 없다고 여겨서 쓰던 불을 끄고 새 불을 기다리는 동안 ( )을 먹었던 것에서 유래됨.

배경지식 제사상 차리는 법

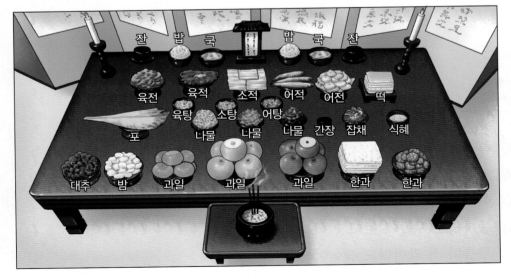

제사상에 올리는 음식 중에서 '적'은 생선이나 고기, 채소 등의 재료를 양념하여 대꼬챙이에 꿰어 불에 굽거나 지진 음식을 뜻하고, '전'은 재료를 얇게 썰거나 다져 양념을 한 뒤, 밀가루를 묻혀 기름에 지진 음식을 뜻한다.

오늘의 어휘

다음 낱말의 알맞은 뜻을 찾아 선으로 이으세요.

설화 •　　　　　　• 몹시 분하게 여김.

즉위 •　　　　　　• 임금의 자리에 오름.

분개 •　　　　　　• 각 민족 사이에 오래전부터 전해 오는 이야기.

원시 •　　　　　　• 처음 시작된 그대로 있어 발달하지 않은 상태.

의례 •　　　　　　• 행사를 치르는 일정한 방식. 또는 정해진 방식에 따라 치르는 행사.

1 다음 문장의 빈칸에 들어갈 알맞은 말을 오늘의 어휘 에서 찾아 쓰세요.

- 　　　　　시대에 사람들은 굴속에서 살았다.
- 그는 억울한 오해를 받자 몹시 　　　　　했다.
- 옛날부터 전해 내려오는 이야기를 　　　　　라고 한다.
- 이성계는 조선의 첫 번째 임금으로 　　　　　한 인물이다.
- 형식적인 　　　　　는 생략하고 바로 본론을 이야기하였다.

2 다음 글에서 밑줄 친 말들을 모두 포함하는 말을 찾아 두 글자로 쓰세요.

　　설화란 옛날부터 사람들의 입에서 입으로 전해 오는 이야기를 말한다. 설화에는 신화, 전설, 민담이 있다. 신화는 한 민족 내에 전해 오는 신령스러운 존재에 관한 이야기이다. 전설은 특정 지역에서 바위나 나무 등 구체적인 장소나 인물에 얽혀 전해 내려오는 이야기이며, 민담은 재미 위주의 이야기이다.

(　　　　　)

경제 **01**

지문분석

KEY WORD

물가 지수

글자 수

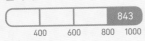

843

400 600 800 1000

물가 지수의 활용과 한계

1 시장에서 팔리는 상품들의 값을 종합해서 **평균**을 낸 것을 '물가'라고 한다. 상품 하나하나가 팔리는 값은 가격이지만, 여러 상품들의 가격을 모아 평균을 낸 것은 물가이다.

2 '물가 **변동**'은 물가가 오르는 것과 떨어지는 것 모두를 뜻하지만, 대개는 물가가 오르는 것을 가리킨다. 만약 물가가 많이 오르면 일정한 월급을 받는 사람들의 입장에서는 살 수 있는 물건이 적어진다. 이는 같은 돈으로 이전보다 물건을 덜 살 수 있는 것이므로 돈의 가치가 그만큼 떨어진 것이다. 이처럼 물가는 돈의 가치를 알려 주는 기준이 된다.

3 물가의 변동을 쉽게 알 수 있도록 숫자와 그래프로 표현한 것을 '물가 지수'라고 한다. 물가 지수는 여러 종류가 있는데 대표적인 것이 소비자 물가 지수이다. 소비자 물가 지수는 **가계**에서 직접적으로 소비되는 상품과 서비스를 대상으로 측정하는 물가 지수이다. 물가 지수는 국민의 생활 경제 수준을 짐작해 볼 수 있는 중요한 **지표**이자, 정부가 경제 정책을 세울 때 참고할 중요한 자료가 된다.

4 하지만 물가 지수에도 몇 가지 **한계**가 있다. 소비자 물가 지수의 경우 일반적인 소비 생활의 비용을 알아볼 수는 있지만, 사람마다 자주 구입하는 **품목**이 다르기 때문에 이를 모두 반영할 수는 없다. 또한 물가 지수는 단순히 상품의 가격 변동을 알려 줄 뿐 상품의 품질 변화는 고려하지 못한다. 상품의 성능이 더 좋아져서 가격이 오르는 경우가 있는데, 이런 것은 물가 지수를 통해 알기가 어렵다. 그리고 정부에서 발표하는 물가 지수와 소비자들이 느끼는 **체감** 물가가 서로 다른 경우가 있다. 그래서 이를 **보완**하기 위해 많은 사람들이 구입하는 대표 품목들을 대상으로 측정하는 물가 지수인 생활 물가 지수도 활용되고 있다.

5

10

15

20

- **평균**(平 평평할 평, 均 고를 균) 여러 개의 수치의 합을 그 여럿으로 나눈 결과.
- **변동**(變 변할 변, 動 움직일 동) 바뀌어 달라짐.
- **가계**(家 집 가, 計 꾀할 계) 소비의 주체로 '가정'을 이르는 말.
- **지표**(指 가리킬 지, 標 표 표) 무엇의 가치를 매기거나 판단할 때의 기준.
- **한계**(限 한계 한, 界 경계 계) 사물이나 능력, 책임 등이 실제 작용할 수 있는 범위.
- **품목**(品 물건 품, 目 눈 목) 물품 종류의 이름.
- **체감**(體 몸 체, 感 느낄 감) 몸으로 어떤 감각을 느낌.
- **보완**(補 기울 보, 完 완전할 완) 모자라거나 부족한 것을 보충하여 완전하게 함.

핵심어

1 이 글에서 가장 중심이 되는 낱말을 찾아 두 글자로 쓰세요.

( )

전개 방식

2 문단 **1**~**4**에 사용된 설명 방법으로 알맞은 것을 모두 찾아 ○표를 하세요.

(1) **1**: 낱말의 의미를 설명하고 있다. ( )
(2) **2**: 구체적인 예를 들어 설명하고 있다. ( )
(3) **3**: 비슷한 상황에 빗대어 설명하고 있다. ( )
(4) **4**: 다른 대상과의 차이점을 설명하고 있다. ( )

내용 이해

3 다음 중 물가 지수에 대한 설명으로 적절하지 <u>않은</u> 것은 무엇인가요? ( )

① 물가 지수로 돈의 가치를 짐작할 수 있다.
② 대표적인 물가 지수 중 하나는 소비자 물가 지수이다.
③ 물가 지수는 사람들이 체감하는 물가와 항상 일치한다.
④ 물가 지수는 정부가 정책을 세울 때 활용하는 자료이다.
⑤ 물가 지수로 국민의 생활 경제의 수준을 파악할 수 있다.

적용하기

4 다음 중 물가 지수의 한계와 가장 관련 있는 경험을 말한 친구는 누구인가요?

( )

① 지은: 두부 심부름을 갔는데 지난달보다 가격이 올랐더라고.
② 현준: 최근에 용돈이 올라서 요새 간식을 많이 사 먹고 있어.
③ 은지: 물가가 오를 것을 대비해서 용돈을 조금씩 모아 두고 있어.
④ 승온: 물가가 많이 올랐다는데 내가 좋아하는 과자 가격은 그대로던걸?
⑤ 민재: 시장에 갔는데 엄마께서 물가가 너무 올랐다고 하시며 한숨을 쉬셨어.

지문 분석

1 문단 요약 각 문단의 중심 내용을 알맞게 선으로 이으세요.

1 문단 •   • 물가의 의미

2 문단 •   • 물가 변동의 의미

3 문단 •   • 물가 지수의 한계

4 문단 •   • 물가 지수의 의미와 활용

2 중심 내용 다음 빈칸을 채워 이 글의 중심 내용을 정리해 보세요.

（   ） 지수는 국민의 생활 경제 수준을 짐작해 볼 수 있는 중요한 （   ）이자, 정부가 경제 （   ）을 세울 때 참고할 중요한 자료가 된다. 그러나 사람마다 자주 구입하는 품목이 달라서 이를 모두 반영할 수는 없다는 점과 상품의 （   ） 변화는 고려하지 못한다는 점, 그리고 정부가 발표하는 물가 지수와 소비자들이 느끼는 체감 물가가 다를 수 있다는 점에서 물가 지수는 （   ）를 지닌다.

배경지식 50년간 물가가 얼마나 올랐을까?

물품	짜장면	시내버스 요금	쌀(40kg)	쇠고기(500g)
1970년	100원	10원	2880원	375원
2020년	5000원	1200원	96200원	50000원
상승률	50배	120배	33배	133배

오늘의 어휘

다음 낱말의 알맞은 뜻을 찾아 선으로 이으세요.

평균 •	• 바뀌어 달라짐.
변동 •	• 몸으로 어떤 감각을 느낌.
지표 •	• 무엇의 가치를 매기거나 판단할 때의 기준.
한계 •	• 여러 개의 수치의 합을 그 여럿으로 나눈 결과.
체감 •	• 사물이나 능력, 책임 등이 실제 작용할 수 있는 범위.

1 다음 문장의 빈칸에 들어갈 알맞은 말을 오늘의 어휘 에서 찾아 쓰세요.

- 우리 반 학생들은 [   ] 키가 크다.
- 계획에 [   ]이 생겨서 혼란이 있었다.
- 자신의 능력에 [   ]를 두지 말고 노력해야 한다.
- 부모님에 대한 존경심은 내 삶의 [   ]가 되었다.
- 오늘은 강한 바람 때문에 [   ] 온도가 낮을 것이다.

2 다음 글에서 밑줄 친 말과 뜻이 비슷한 말을 찾아 두 글자로 쓰세요.

우리나라는 지난 수십 년 동안 기온이 크게 상승하고 강수량이 증가했으며, 앞으로도 기온과 강수량에 이와 같은 변동이 계속될 것으로 예측된다. 이러한 기후 변화는 우리 생활에 직접적으로 크고 작은 영향을 미칠 뿐 아니라, 생태계에도 여러 가지 피해를 줄 수 있다.

(   )

우리나라 세금의 종류

① 우리나라의 모든 국민은 세금을 낼 의무가 있다. 정부는 국민에게 거둔 세금으로 나라를 지키고, **공공시설**을 건설하며, 국민의 건강을 보호하는 등의 일을 한다. 세금은 걷는 곳에 따라 크게 국세와 지방세로 나뉜다. 국세는 중앙 정부에서, 지방세는 지방 자치 단체에서 걷는 세금이다.

② 국세는 **국경**을 기준으로 내국세와 관세로 나뉜다. 내국세는 나라 안에 있는 사람이나 물건에 **부과**하는 세금으로 국세청에서 담당하며, 관세는 외국에서 들어오는 수입품에 부과하는 세금으로 관세청에서 담당한다. 이 중 내국세는 일반 **경비**로 쓰기 위한 보통세와 특별한 목적으로 쓰기 위한 목적세로 구분된다.

③ 보통세는 세금을 누가 내느냐에 따라 직접세와 간접세로 나눌 수 있다. 직접세는 개인이 직접 내는 세금으로, 소득세, 법인세, 상속세, 증여세, 종합 부동산세가 이에 포함된다. 이와 달리 간접세는 실제 내는 것은 **사업자**가 하지만 물건 가격에 포함되어 있어서 부담은 소비자가 하는 세금으로, 부가 가치세, 개별 소비세, 주세, 인지세, 증권 거래세가 있다.

④ 직접세에서 가장 중심이 되는 세금은 소득세이다. 소득세는 가게를 운영해서 버는 돈이나 회사를 다니며 받는 월급에 붙는 세금으로, **소득**이 많을수록 많이 내게 되며 소득이 적은 경우는 내지 않기도 한다. 이렇게 하는 이유는 만약 소득의 많고 적음을 고려하지 않고 세금을 똑같이 거둔다면, 부자는 더욱 부자가 되고 가난한 사람은 가난에서 벗어날 수 없게 되기 때문이다. 이처럼 나라에서 세금을 걷는 이유는 나라 살림을 꾸려 나가기 위해서이기도 하지만, 사람들의 소득 **격차**를 줄이려는 목적도 있다.

5

10

15

20

- **공공시설**(公 공평할 공, 共 함께 공, 施 베풀 시, 設 베풀 설) 국가나 공공 단체가 공공의 편의나 복지를 위하여 설치한 시설.
- **국경**(國 나라 국, 境 지경 경) 둘 또는 그 이상의 나라들의 국토가 서로 맞닿는 곳.
- **부과**(賦 구실 부, 課 시험할 과) 세금이나 부담금 등을 매기어 부담하게 함.
- **경비**(經 다스릴 경, 費 쓸 비) 국가나 공공 단체가 사업을 하고 정책을 실현하는 데 지출하는 비용.
- **사업자**(事 일 사, 業 업 업, 者 놈 자) 사업을 경영하는 사람.
- **소득**(所 바 소, 得 얻을 득) 일정 기간 동안 일하여 얻은 수입.
- **격차**(隔 막을 격, 差 어그러질 차) 서로 벌어져 다른 정도.

지문 독해

설명 대상

1 이 글은 무엇에 대해 쓴 글인가요? (   )

① 국민　　　　　　② 세금　　　　　　③ 정부

④ 국세청　　　　　⑤ 공공시설

내용 이해

2 다음에서 설명하는 세금이 무엇인지 이 글에서 찾아 쓰세요.

(1) 지방 자치 단체에서 걷는 세금이다.　　　　　　(　　　　　　　)

(2) 물건 가격에 포함되어 있는 세금이다.　　　　　　(　　　　　　　)

(3) 외국에서 들어오는 수입품에 부과하는 세금이다.　(　　　　　　　)

(4) 나라 안에 있는 사람이나 물건에 부과하는 세금이다. (　　　　　　　)

추론하기

3 이 글을 통해 답을 알 수 있는 질문이 <u>아닌</u> 것은 무엇인가요? (   )

① 세금은 어디에 사용되나요?

② 목적세에는 어떤 것이 있나요?

③ 세금을 걷는 이유는 무엇인가요?

④ 내국세를 담당하는 곳은 어디인가요?

⑤ 왜 더 많이 번 사람이 소득세를 더 내야 하나요?

적용하기

4 이 글을 읽고 세금에 대해 가장 잘 이해한 친구는 누구인가요? (   )

① 준서: 모든 회사원들은 같은 금액의 소득세를 내겠구나.

② 기명: 우리 같은 어린이들은 세금을 전혀 부담하지 않는구나.

③ 준희: 부모님의 월급에 대한 소득세는 간접세에 해당하겠구나.

④ 진수: 내가 과자를 사면 그 과자에도 소득세가 포함되어 있겠구나.

⑤ 태연: 과일 가게에서 파는 수입 과일들은 국내로 들여올 때 관세를 내겠구나.

지문 분석

1 문단 요약 다음은 각 문단의 중심 내용을 정리한 것입니다. 문단의 순서대로 기호를 쓰세요.

㉮ 국세의 종류	㉯ 보통세의 종류
㉰ 소득세의 의미와 특징	㉱ 세금으로 하는 일과 종류

(   ) → (   ) → (   ) → (   )

2 글의 구조 다음 빈칸을 채워 이 글의 내용을 정리해 보세요.

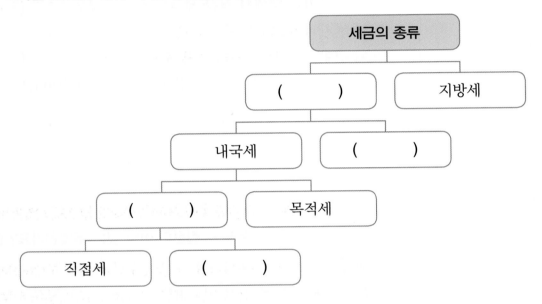

세금의 종류
- (   )
  - 내국세
    - (   )
      - 직접세
      - (   )
    - 목적세
  - (   )
- 지방세

배경지식 공공시설의 종류

사람들의 편의나 복지를 위하여 설치한 공공시설은 국민이 낸 세금으로 만들고 관리하는데, 이런 시설이 훼손되면 또 세금이 들어가게 된다. 세금이 낭비되지 않도록 우리 주변의 공공시설을 아껴 써야 한다.

학교   보건소   다리   도로

가로등   공중화장실   공원   도서관

오늘의 어휘

다음 낱말의 알맞은 뜻을 찾아 선으로 이으세요.

국경 •

• 사업을 경영하는 사람.

경비 •

• 서로 벌어져 다른 정도.

사업자 •

• 일정 기간 동안 일하여 얻은 수입.

소득 •

• 둘 또는 그 이상의 나라들의 국토가 서로 맞닿는 곳.

격차 •

• 국가나 공공 단체가 사업을 하고 정책을 실현하는 데 지출하는 비용.

1 다음 문장의 빈칸에 들어갈 알맞은 말을 오늘의 어휘 에서 찾아 쓰세요.

• 두 나라는 서로 [   ]이 접해 있다.

• [   ]는 소비자의 심리를 파악해야 한다.

• 농업 기술의 발달로 농촌의 [   ]이 늘어났다.

• 정부는 철도 사업에 [   ]의 일부를 사용했다.

• 통신의 발달은 지역 간의 [   ]를 줄이는 효과가 있다.

2 다음 글에서 밑줄 친 말과 뜻이 비슷한 말을 찾아 두 글자로 쓰세요.

학생들은 저마다 능력이나 관심, 적성 등에 <u>차이</u>가 있다. 이러한 학생들 간의 격차를 해소할 수 있도록 하는 것이 바로 교육 평등이다. 교육 평등을 위해서는 개별 학생마다 맞춤식 교육이 이루어져야 한다.

(   )

KEY WORD

주식

글자 수

			830
400	600	800	1000

주식이 경제에 미치는 영향

1 한 회사를 세우고 꾸려 가는 데에는 많은 돈이 필요하다. 그래서 회사들은 필요한 돈을 은행에서 빌리거나 주식을 팔아서 마련한다. 주식이란 회사가 사람들에게 돈을 받는 대신 그 **증표**로 **발행**하는 것이다. 이렇게 사람들에게 주식을 판 돈으로 운영하는 회사를 주식회사라고 한다.

2 주식회사가 발행한 주식을 사서 가지고 있는 사람들을 주주라고 한다. 주주는 주식의 주인이라는 뜻이다. 주주는 자신이 주식을 갖고 있는 만큼 그 회사의 주인이 된다. 즉 주식을 많이 가지고 있을수록 회사에 대해 더 큰 권리를 갖게 되는 것이다. 주주는 주식을 자기가 산 가격보다 올랐을 때 팔아서 이익을 남길 수도 있다.

3 주식의 가격을 주가라고 하는데, 주가는 회사의 **실적**에 따라 값이 달라진다. 예를 들어 회사가 개발한 새로운 제품이 인기가 많아지면 그 회사의 주가는 오르지만, 반대로 회사가 어려움에 처하면 그 회사의 주가는 떨어질 수 있다. 이 외에도 주가를 변하게 하는 것에는 **금리**, 정부의 정책 등 여러 가지가 있다. 예를 들어 금리가 높을 경우 사람들은 주식을 사기보다는 저축을 하기 때문에 주가가 떨어질 수 있다. 또한 정부가 친환경 에너지를 적극 지원하는 정책을 발표한다면 이와 관련된 회사의 주가가 오를 수 있다.

4 주식 시장이 활발해지면 그만큼 회사 운영에 필요한 돈을 마련하기 쉬워지기 때문에 회사가 새로운 **투자**를 하게 된다. 다시 말하면 공장을 새로 짓거나, 새 기계를 사는 등 생산에 필요한 시설이 늘어나는 것이다. 그러면 회사에서는 일할 사람들이 더 많이 필요해지기 때문에 일자리가 늘어나고, 사람들이 벌어들이는 소득도 증가한다. 결과적으로 주식 시장이 **활성화**되면 나라의 경제가 좋아지게 된다.

5

10

15

20

● **증표**(證 증거 증, 票 표 표)
증명이나 증거가 될 만한 표.

● **발행**(發 필 발, 行 다닐 행)
화폐, 주식 등을 만들어 세상에 내놓아 널리 쓰도록 함.

● **실적**(實 열매 실, 績 공적 적)
어떤 일이나 분야에서 실제로 이룬 업적.

● **금리**(金 쇠 금, 利 이로울 리)
빌려준 돈이나 은행에 맡긴 돈에 붙는 이자. 또는 그 비율.

● **투자**(投 던질 투, 資 재물 자)
이익을 얻기 위하여 어떤 일이나 사업에 돈을 대거나 시간이나 정성을 쏟음.

● **활성화**(活 살 활, 性 성품 성, 化 될 화) 사회나 조직 등의 기능이 활발함. 또는 그러한 기능을 활발하게 함.

지문 독해

핵심어

1 이 글에서 가장 중심이 되는 낱말을 찾아 두 글자로 쓰세요.

( )

내용 이해

2 이 글의 내용과 일치하는 것은 무엇인가요? ( )

① 주가는 회사의 실적과는 관련이 없다.
② 주가는 정부의 정책에 따라 변할 수 있다.
③ 금리가 높으면 주식을 하는 사람들이 증가한다.
④ 주주는 주식을 사거나 팔아서 이익을 남길 수 없다.
⑤ 주식을 갖고 있는 사람들은 모두 똑같은 권리를 갖는다.

전개 방식

3 **4**문단의 설명 방법으로 알맞은 것을 모두 찾아 ○표를 하세요.

⑴ 구체적인 예를 들어 설명하였다. ( )
⑵ 공간의 이동에 따라 설명하였다. ( )
⑶ 원인과 결과에 따라 설명하였다. ( )
⑷ 일정한 기준에 따라 나누어 설명하였다. ( )

적용하기

4 이 글을 읽고 주식 시장의 활성화에 대해 알맞게 이야기한 친구는 누구인가요?

( )

① 도영: 주식 시장이 활성화되면 일자리가 줄어드는구나.
② 경지: 주식 시장이 활성화되면 새로운 투자를 하게 되는구나.
③ 세운: 주식 시장이 활성화되면 사람들의 소득이 감소하는구나.
④ 유호: 주식 시장이 활성화되면 나라의 경제가 어려워지게 되는구나.
⑤ 수연: 주식 시장이 활성화되면 회사 운영에 필요한 돈을 마련하기가 어려워
　　　 지는구나.

지문 분석

1 문단 요약   **다음 빈칸을 채워 각 문단의 중심 내용을 정리해 보세요.**

1문단	( )과 주식회사의 의미	
2문단	( )의 의미와 역할	
3문단	( )에 영향을 주는 요인	
4문단	주식이 ( )에 미치는 영향	

2 글의 구조   **다음 빈칸을 채워 이 글의 내용을 정리해 보세요.**

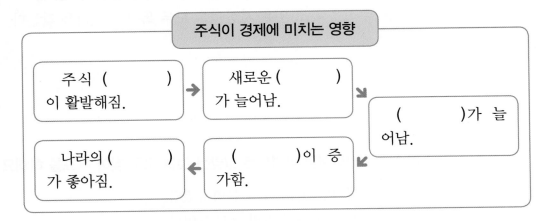

주식이 경제에 미치는 영향

주식 (   ) 이 활발해짐. → 새로운 (   ) 가 늘어남. → (   )가 늘 어남.

나라의 (   ) 가 좋아짐. ← (   )이 증 가함. ←

배경지식   **투자의 방법**

나중에 자신에게 돌아오는 이익을 기대하며 어떤 일이나 사업에 돈을 제공하거나 시간이나 정성을 쏟는 것을 투자라고 한다. 투자를 할 수 있는 상품은 다음과 같이 다양하다.

예적금   부동산   주식   금   외화

다음 낱말의 알맞은 뜻을 찾아 선으로 이으세요.

증표 •

• 증명이나 증거가 될 만한 표.

발행 •

• 어떤 일이나 분야에서 실제로 이룬 업적.

실적 •

• 화폐, 주식 등을 만들어 세상에 내놓아 널리 쓰도록 함.

금리 •

• 빌려준 돈이나 은행에 맡긴 돈에 붙는 이자. 또는 그 비율.

활성화 •

• 사회나 조직 등의 기능이 활발함. 또는 그러한 기능을 활발하게 함.

1 다음 문장의 빈칸에 들어갈 알맞은 말을 오늘의 어휘 에서 찾아 쓰세요.

- 친구와 우정의 [   ]로 팔찌를 맞추었다.
- 회사의 [   ]이 나빠서 주가가 떨어졌다.
- 우리나라의 돈은 한국은행에서 [   ]한다.
- [   ]가 높으면 돈을 빌리기가 어려워진다.
- 지역 경제를 [   ]할 방안을 고민해 보았다.

2 다음 글에서 밑줄 친 말과 뜻이 비슷한 말을 찾아 두 글자로 쓰세요.

설날에 세뱃돈을 받거나 부모님께 용돈을 받으면 바로 다 써 버리지 말고 은행에 통장을 만들어 저축을 하는 것이 좋다. 은행마다 이율이 다를 수 있으니 여러 상품을 잘 비교하여 선택하도록 한다. 금리가 높은 곳에 저축을 하는 것이 장기적으로 보았을 때 더 이익이 된다.

(   )

모세관 현상의 원리

1 붓 끝에 먹물이 닿자마자 먹물은 붓 위로 스며들며 올라간다. 또한 종이나 천의 한쪽 끝을 물에 담그면 위쪽까지 물이 올라와 전체가 젖는다. 이런 현상은 모두 모세관 현상 때문에 생긴다.

2 '모세관(毛細管)'은 '털과 같이 가느다란 **관**'이라는 뜻으로, 모세관 현상이란 액체 속에 머리카락처럼 폭이 좁고 긴 관을 넣으면 액체가 관을 따라 올라가거나 내려가는 것을 말한다. 이때 관을 따라 올라가는 경우는 액체의 표면이 볼록해지고, 내려가는 경우는 오목해진다.

3 모세관 현상이 생기는 원인은 **표면 장력** 때문이다. 표면 장력이란 액체의 표면을 이루는 **분자**들이 서로 잡아당기는 힘을 말한다. 풀잎 끝에 이슬이 방울로 맺혀 있는 이유도 물 표면의 분자들이 서로 당기는 힘에 의해 동그랗게 뭉치기 때문이다. 모세관에서 액체가 올라가거나 내려가는 것은 이러한 액체 내부의 ㉠표면 장력과 액체와 관 사이의 ㉡**부착력**의 **상호** 작용 때문에 발생한다. 즉 액체 분자끼리 붙어 있으려는 표면 장력이 액체가 관에 붙으려는 부착력보다 강하면 액체는 관 아래로 밀려나지만, 반대로 표면 장력보다 부착력이 더 강하면 액체는 관 속으로 빨려 들어가 올라가는 것이다. 이런 성질은 관이 가늘수록, 액체의 **밀도**가 낮을수록 더욱 강해진다.

4 일상생활 속에서 모세관 현상을 볼 수 있는 사례는 많다. 식물이 잘 자랄 수 있는 것도 뿌리에서 물과 영양분을 빨아들여 줄기를 거쳐 잎사귀의 구석구석까지 **운반**해 주는 모세관 현상 덕분이다. 또한 알코올램프의 심지가 알코올을 **머금는** 것도 모세관 현상 때문이다.

5

10

15

20

지문분석

KEY WORD

모세관 현상

글자 수

| 400 | 600 | 757 | 800 | 1000 |

- **관**(管 피리 관) 몸 둘레가 둥글고 속이 비어 있는 물건을 통틀어 이르는 말.
- **표면**(表 겉 표, 面 낯 면) 사물의 가장 바깥쪽. 또는 가장 윗부분.
- **장력**(張 베풀 장, 力 힘 력) 당기거나 당겨지는 힘.
- **분자**(分 나눌 분, 子 아들 자) 물질에서 고유한 성질을 지니고 있는 가장 작은 알갱이.
- **부착력**(附 붙을 부, 着 붙을 착, 力 힘 력) 서로 다른 물질의 분자끼리 끌어당기는 힘.
- **상호**(相 서로 상, 互 서로 호) 상대가 되는 이쪽과 저쪽 모두.
- **밀도**(密 빽빽할 밀, 度 법 도) 일정한 장소나 공간 안에 들어 있는 어떤 사물의 빽빽한 정도.
- **운반**(運 운전할 운, 搬 옮길 반) 물건 등을 옮겨 나름.
- **머금는** 사물의 어떤 기운을 안에 품는.

지문 독해

1 이 글은 무엇에 대해 설명하고 있는지 찾아 다섯 글자로 쓰세요.

( )

전개 방식

2 문단 **1**~**4**의 설명 방법으로 알맞은 것을 모두 찾아 ○표를 하세요.

(1) **1** : 구체적인 예를 들어 설명하고 있다. ( )
(2) **2** : 다른 사람의 말을 인용하고 있다. ( )
(3) **3** : 원인과 결과에 따라 설명하고 있다. ( )
(4) **4** : 대상을 다른 대상과 비교하고 있다. ( )

적용하기

3 이 글을 읽고 보기 의 실험 결과를 알맞게 예측한 것은 무엇인가요? ( )

보기

실험 순서

1. 액체 ㉮와 ㉯를 준비한다. ㉮는 ㉯보다 밀도가 높다.
2. ㉮와 ㉯를 같은 크기의 빈 병 2개에 각각 담는다. 동일한 양을 담도록 한다.
3. 30cm 길이의 굵기가 같은 실을 각각의 병에 담근다.

① ㉮가 ㉯보다 더 빨리 실을 적실 것이다.
② ㉯가 ㉮보다 더 빨리 실을 적실 것이다.
③ ㉮와 ㉯는 같은 속도로 실을 적실 것이다.
④ ㉮와 ㉯는 모두 실을 적시지 못할 것이다.
⑤ ㉮는 실을 적시지 못하고, ㉯만 실을 적실 것이다.

추론하기

4 ㉠과 ㉡에 대한 설명으로 알맞은 것은 무엇인가요? ( )

① ㉠은 액체의 외부에서 일어나는 힘이다.
② ㉡은 액체의 내부에서 일어나는 힘이다.
③ 풀잎 끝에 방울로 맺힌 이슬은 ㉡ 때문이다.
④ ㉠보다 ㉡이 강하면 관 속의 액체 표면은 오목해진다.
⑤ ㉠과 ㉡의 상호 작용은 관 속의 액체를 올라가거나 내려가게 한다.

지문 분석

1 문단 요약   다음 빈칸을 채워 각 문단의 중심 내용을 정리해 보세요.

1문단	(　　　　　) 현상의 예
2문단	모세관 현상의 (　　　　)
3문단	모세관 현상이 생기는 (　　　　)과 그 원리
4문단	(　　　　) 속에서 볼 수 있는 모세관 현상의 예

2 글의 구조   다음 빈칸을 채워 이 글의 내용을 정리해 보세요.

```
모세관 현상의 원리
```

표면 장력 > 부착력	표면 장력 < 부착력
• 액체가 관 (　　　　)로 밀려남. • 액체의 표면이 (　　　　)해짐.	• 액체가 관 (　　　　)으로 빨려 들어가 올라감. • 액체의 표면이 (　　　　)해짐.

배경지식   # 식물이 물을 끌어올리는 원리

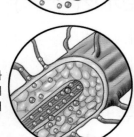

증산 작용
잎에서는 식물의 수분이 공기 중으로 증발하면서 아래쪽의 물을 끌어당김.

삼투 현상
뿌리에서는 내부와 외부의 농도 차이에 의해 물이 흡수되어 위쪽으로 올라감.

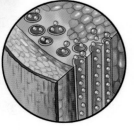

모세관 현상
줄기에서는 뿌리에서 잎까지 연결된 가느다란 관을 따라 물이 올라감.

오늘의 어휘

다음 낱말의 알맞은 뜻을 찾아 선으로 이으세요.

장력 •

분자 •

부착력 •

밀도 •

운반 •

• 물건 등을 옮겨 나름.

• 당기거나 당겨지는 힘.

• 서로 다른 물질의 분자끼리 끌어당기는 힘.

• 물질에서 고유한 성질을 지니고 있는 가장 작은 알갱이.

• 일정한 장소나 공간 안에 들어 있는 어떤 사물의 **빽빽한** 정도.

1 다음 문장의 빈칸에 들어갈 알맞은 말을 오늘의 어휘 에서 찾아 쓰세요.

• 도시는 농촌보다 인구 ㅤㅤㅤㅤ 가 높다.

• 이삿짐을 ㅤㅤㅤㅤ 하는 일이 무척 힘들었다.

• 그 접착제는 다른 제품에 비해 ㅤㅤㅤㅤ 이 좋다.

• 액체의 ㅤㅤㅤㅤ 들은 서로 끌어당기는 힘이 있다.

• 비눗방울을 만들 때 꿀을 조금 넣으면 표면 ㅤㅤㅤㅤ 이 강해져서 잘 터지지 않는다.

2 다음 글에서 밑줄 친 말과 뜻이 비슷한 말을 찾아 두 글자로 쓰세요.

택배는 사람이나 업체가 포장된 물품을 원하는 장소까지 직접 운반해 주는 것을 말한다. 대개 나라 안으로 한정되지만, 국제 물류 회사는 국제 택배를 취급하는 경우도 있다. 택배 요금은 물건을 보낼 때 요금을 내는 선불과 물건을 받는 사람이 요금을 내는 착불로 나눌 수 있다. 또한 택배 요금은 물건의 무게와 <u>운송</u> 거리에 따라서 달라지기도 한다.

(ㅤㅤㅤㅤ)

KEY WORD

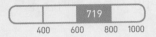

판의 이동

글자 수

| 400 | 600 | 719 | 800 | 1000 |

ㄱ

1 1912년에 독일의 베게너는 떨어져 있는 두 대륙에서 비슷한 동식물의 화석이 나타나고, 두 대륙의 **해안선**의 모양이 일치하는 등의 여러 가지 증거를 바탕으로 대륙 이동설을 발표했다. 그러나 이 이론은 대륙을 이동시키는 힘을 설명하지 못해서 당시에는 인정을 받지 못했다.

2 1928년, 영국의 홈스가 **맨틀 대류**설을 발표하며 대륙이 이동하는 원인이 설명되었다. 지구의 표면인 지각은 맨틀 위에 떠 있고, 맨틀이 움직이기 때문에 그 위의 지각도 함께 움직인다는 것이다. 맨틀은 지구의 중심부로 갈수록 온도가 올라가는데, 물을 끓이면 뜨거운 물이 위로 올라가고 위에 있던 낮은 온도의 물이 아래로 내려가는 것처럼 맨틀도 같은 원리로 움직이게 되며, 이를 맨틀의 대류라고 한다.

3 맨틀과 함께 움직이는 지각을 판이라고 하는데, 현재 지구는 유라시아판, 태평양판, 북아메리카판, 남아메리카판, 아프리카판, 호주-인도판, 남극판의 7개 판과 수십 개의 작은 판들로 이루어져 있다. 이 판들은 모두 맨틀의 대류 방향에 따라 움직이는데, 이로 인해 지진이나 화산 활동과 같은 여러 가지 지각 **변동**이 발생한다.

4 판의 이동 방향에 따라 서로 다른 **지형**이 만들어진다. 판과 판이 서로 가까워지는 ㉮**수렴형 경계**에서는 판들이 충돌하면서 커다란 산맥이 만들어지거나, 바다 밑바닥에 해구라는 좁고 깊은 골짜기가 만들어진다. 반대로 판과 판이 서로 멀어지는 ㉯**발산형 경계**에서는 바다 밑에 산맥 모양으로 솟은 지형인 해령이 생긴다.

5

10

15

20

• **해안선**(海 바다 해, 岸 언덕 안, 線 선 선) 바다와 육지가 맞닿은 선.

• **맨틀**(mantle) 지구 내부의 핵과 지구의 표면인 지각 사이에 있는 부분.

• **대류**(對 대답할 대, 流 흐를 류) 더운 기체나 액체가 위로 올라가고, 찬 기체나 액체가 아래로 내려가는 것이 되풀이되는 현상.

• **변동**(變 변할 변, 動 움직일 동) 바뀌어 달라짐.

• **지형**(地 땅 지, 形 형상 형) 땅의 생긴 모양이나 형세.

• **수렴**(收 거둘 수, 斂 거둘 렴) 흩어져 있던 것들을 한데 모음.

• **발산**(發 필 발, 散 흩을 산) 사방으로 퍼져 나감.

지문 독해

제목

1 ㉠에 들어갈 이 글의 제목으로 가장 알맞은 것은 무엇인가요? (   )

① 베게너와 홈스

② 판의 이동 원인

③ 대류 현상의 원인

④ 산맥이 만들어지는 과정

⑤ 지각 변동으로 인한 피해

내용 이해

2 이 글을 통해 알 수 있는 내용을 모두 찾아 ○표를 하세요.

(1) 지구의 대표적인 7개의 판 (   )

(2) 베게너가 밝힌 대륙의 이동 원인 (   )

(3) 판의 이동이 멈춘 오늘날의 지구 (   )

(4) 판의 이동 방향에 따라 생기는 지형 (   )

적용하기

3 이 글을 읽고 맨틀 대류설에 대해 잘못 이해한 학생은 누구인가요? (   )

① 하은: 1928년에 영국의 홈스가 발표했어.

② 대희: 대륙을 이동시키는 힘을 설명한 이론이야.

③ 나윤: 대류 현상 때문에 맨틀이 움직인다고 했어.

④ 예은: 맨틀은 지구의 중심부로 갈수록 온도가 내려간다고 해.

⑤ 채빈: 맨틀 위에 지각이 떠 있어서 맨틀과 함께 지각이 움직인대.

적용하기

4 ㉮와 ㉯에서 생겨난 지형을 바르게 연결하지 못한 것은 무엇인가요? (   )

① ㉮: 칠레 해구

② ㉮: 안데스 산맥

③ ㉮: 히말라야 산맥

④ ㉯: 일본 해구

⑤ ㉯: 대서양 중앙 해령

지문 분석

1 문단 요약 다음은 각 문단의 중심 내용을 정리한 것입니다. 문단의 순서대로 기호를 쓰세요.

가	홈스의 맨틀 대류설
나	베게너의 대륙 이동설
다	맨틀의 대류에 의한 판의 이동
라	판의 이동 방향에 따른 지형의 생성

(   ) → (   ) → (   ) → (   )

2 글의 구조 다음 빈칸을 채워 이 글의 내용을 정리해 보세요.

(   )의 이동과 지형

( )형 경계	( )형 경계
판과 판이 서로 가까워지는 곳	판과 판이 서로 멀어지는 곳
( )과 해구	( )

배경지식 지구의 구조와 판의 이동

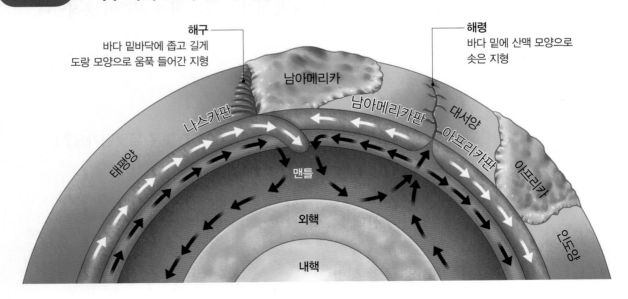

해구
바다 밑바닥에 좁고 길게
도랑 모양으로 움푹 들어간 지형

해령
바다 밑에 산맥 모양으로
솟은 지형

남아메리카

나스카판   남아메리카판   대서양   아프리카판   아프리카

태평양   맨틀   인도양

외핵

내핵

오늘의 어휘

다음 낱말의 알맞은 뜻을 찾아 선으로 이으세요.

맨틀 •　　　　　　• 사방으로 퍼져 나감.

대류 •　　　　　　• 땅의 생긴 모양이나 형세.

지형 •　　　　　　• 흩어져 있던 것들을 한데 모음.

수렴 •　　　　　　• 지구 내부의 핵과 지구의 표면인 지각 사이에 있는 부분.

발산 •　　　　　　• 더운 기체나 액체가 위로 올라가고, 찬 기체나 액체가 아래로 내려가는 것이 되풀이되는 현상.

1 다음 문장의 빈칸에 들어갈 알맞은 말을 오늘의 어휘 에서 찾아 쓰세요.

• 우리 동네는 [　　　　　　]이 험한 편이다.

• 의견 [　　　　　]을 거쳐서 결정을 내렸다.

• 지구 내부의 대부분은 [　　　　　]이 차지하고 있다.

• 빛의 [　　　　　] 속도는 굉장히 빨라서 눈으로 확인하기 어렵다.

• 더운 공기가 올라가고 찬 공기가 내려오는 것을 [　　　　　] 현상이라고 한다.

2 다음 글에서 밑줄 친 말과 뜻이 반대되는 말을 찾아 두 글자로 쓰세요.

　　수렴적 사고란 문제를 해결하기 위해 기존의 여러 대안을 분석하고 평가하여 가장 적절한 방법을 찾는 것이다. 이와 달리 발산적 사고는 창의적인 아이디어를 바탕으로 새로운 해결책을 계속 만들며 해결 방법을 찾는 것이다.

(　　　　　　)

KEY WORD

드라이아이스

글자 수

| 400 | 600 | 730 | 800 | 1000 |

드라이아이스의 다양한 활용

1 드라이아이스는 기체인 이산화 탄소를 **압축**하고 **냉각**시켜 고체로 만든 것으로, 이산화 탄소를 강하게 압축할수록 밀도가 높아져 더 오래 사용할 수 있다. 드라이아이스는 우리의 일상생활 속에서 다양하게 활용되고 있다.

2 첫째, 드라이아이스는 식품을 보관하거나 **운송**할 때 사용한다. 아이스크림뿐만 아니라 육류나 생선 등 따뜻한 온도에서 상하기 쉬운 식품들을 신선하게 보관하고 운송할 때 드라이아이스가 많이 이용된다. 드라이아이스는 얼음과 달리 녹을 때 물기가 생기지 않아서 식품을 차가운 상태로 보관하고 운반하기 편리하다.

3 둘째, 공연을 위한 무대에서 안개 효과를 낼 때 드라이아이스를 사용한다. 드라이아이스는 고체에서 기체 상태로 변화하는 성질을 갖고 있어서 안개가 낀 것처럼 뿌연 기체가 발생한다. 드라이아이스를 뜨거운 물에 넣으면 이런 안개 효과가 **극대화**된다. 드라이아이스로 안개를 만들면 **농도**가 짙을 뿐만 아니라 불을 이용한 연기와 달리 자연스럽게 사라지므로 안전하다.

4 셋째, 드라이아이스를 모기나 진드기를 잡는 용도로 사용할 수도 있다. 모기와 진드기는 사람이 호흡할 때 내쉬는 이산화 탄소를 알아채고 모여든다. 그런데 드라이아이스는 무려 1000명의 사람이 내쉬는 정도의 이산화 탄소가 발생하므로 모기나 진드기를 쉽게 **유인**하여 잡을 수 있다.

5 이렇게 드라이아이스는 여러 방면에서 매우 유용하게 이용되지만, 드라이아이스를 맨손으로 직접 만지면 **화상**과 비슷한 수준의 **동상**을 입을 수 있으므로 주의해서 다루어야 한다.

5

10

15

20

- **압축**(壓 누를 압, 縮 오그라들 축) 물질에 압력을 가하여 그 부피를 줄임.
- **냉각**(冷 찰 냉, 却 물리칠 각) 식어서 차게 됨. 또는 식혀서 차게 함.
- **운송**(運 운전할 운, 送 보낼 송) 사람을 태워 보내거나 물건 등을 실어 보냄.
- **극대화**(極 지극할 극, 大 큰 대, 化 될 화) 아주 커짐. 또는 아주 크게 함.
- **농도**(濃 짙을 농, 度 법 도) 기체나 액체에 들어 있는 어떤 성분의 비율.
- **유인**(誘 꾈 유, 리 끌 인) 주의나 흥미를 일으켜 꾀어냄.
- **화상**(火 불 화, 傷 상처 상) 뜨거운 것에 데었을 때에 일어나는 피부의 손상.
- **동상**(凍 얼 동, 傷 상처 상) 심한 추위로 살이 얼어서 상하는 것. 또는 그 상처.

핵심어

1 이 글에서 가장 중심이 되는 낱말을 찾아 쓰세요.

(   )

내용 이해

2 이 글을 통해 알 수 있는 내용을 모두 찾아 ○표를 하세요.

(1) 드라이아이스의 의미   (   )
(2) 드라이아이스의 가격   (   )
(3) 드라이아이스의 다양한 활용   (   )
(4) 드라이아이스를 오래 보관하는 방법   (   )

내용 이해

3 이 글에서 알 수 있는 드라이아이스의 특징으로 알맞은 것은 무엇인가요?

(   )

① 적은 양의 이산화 탄소를 방출한다.
② 밀도가 낮을수록 오래 사용할 수 있다.
③ 맨손으로 직접 만지면 화상을 입을 수 있다.
④ 기체에서 고체 상태로 변화하는 성질을 갖고 있다.
⑤ 차갑지만 물기가 생기지 않아 식품 운반에 편리하다.

적용하기

4 이 글을 읽고 드라이아이스를 활용한 사례로 알맞지 <u>않은</u> 것은 무엇인가요?

(   )

① 미주: 드라이아이스를 들고 다니면 모기가 나한테 모여들지 않겠지.
② 우영: 귀신이 나오는 연극 장면에 드라이아이스로 안개를 만들어 보자.
③ 정서: 아이스크림 케이크 상자 안에 드라이아이스를 넣어서 가져가야지.
④ 다혜: 캠핑을 갈 때 상하기 쉬운 음식 재료는 드라이아이스와 함께 가져가면
　　　　좋겠어.
⑤ 윤호: 종이컵에 따뜻한 물과 드라이아이스를 넣어서 동생에게 안개 마술을
　　　　보여 줘야지.

지문 분석

1 문단 요약 　각 문단의 중심 내용을 알맞게 선으로 이으세요.

1 문단 •	• 드라이아이스의 의미와 특징
2 문단 •	• 드라이아이스를 사용할 때 주의할 점
3 문단 •	• 안개 효과를 낼 때 활용되는 드라이아이스
4 문단 •	• 식품 보관과 운송에 활용되는 드라이아이스
5 문단 •	• 모기나 진드기를 유인할 때 활용되는 드라이아이스

2 글의 구조 　다음 빈칸을 채워 이 글의 내용을 정리해 보세요.

드라이아이스의 활용

(　　　) 보관과 운송	무대의 (　　　) 효과	(　　　)나 진드기 유인
녹을 때 (　　　)가 생기지 않아 식품 보관과 운반이 편리함.	불을 이용한 연기와 달리 자연스럽게 사라지므로 (　　　)함.	많은 양의 이산화탄소로 모기나 진드기를 유인하여 잡음.

배경지식 　**드라이아이스의 안전한 처리 방법**

통풍이 잘 되는 곳에 두고, 기체를 마시지 않도록 주의한다.

유리가 아닌 플라스틱 용기나 종이 상자 안에 둔다.

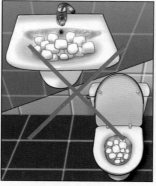

깨지거나 금이 갈 수 있으므로 세면대나 변기에 넣지 않는다.

뜨거운 물에 넣으면 폭발할 수 있으므로 차가운 물에 넣어 둔다.

오늘의 어휘

다음 낱말의 알맞은 뜻을 찾아 선으로 이으세요.

압축 • • 주의나 흥미를 일으켜 꾀어냄.

극대화 • • 아주 커짐. 또는 아주 크게 함.

농도 • • 물질에 압력을 가하여 그 부피를 줄임.

유인 • • 기체나 액체에 들어 있는 어떤 성분의 비율.

동상 • • 심한 추위로 살이 얼어서 상하는 것. 또는 그 상처.

1 다음 문장의 빈칸에 들어갈 알맞은 말을 오늘의 어휘 에서 찾아 쓰세요.

- 사업가들은 이익을 [　　　　　]하려고 한다.

- 경찰은 범인을 [　　　　　]해서 체포에 성공했다.

- 고압가스는 높은 압력을 가하여 [　　　　　]한 가스를 말한다.

- 겨울에 추운 곳에 오래 있다 보면 [　　　　　]에 걸릴 수 있다.

- 물에 설탕을 많이 녹여서 [　　　　　]가 진해질수록 더 단맛이 난다.

2 다음 글에서 밑줄 친 말과 뜻이 비슷한 말을 찾아 두 글자로 쓰세요.

　　백화점이나 마트에서는 종종 할인 행사를 한다. 상품을 원래의 가격보다 더 싸게 판매함으로써 사람들의 구매를 <u>유도</u>하는 것이다. 저렴한 가격으로 소비자를 유인해서 평상시라면 사지 않았을 상품을 사게 만든다. 지혜로운 소비 생활을 위해서는 꼭 필요한 물건만 사는 습관을 길러야 한다.

(　　　　　　)

약의 올바른 복용 방법

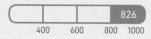
1 우리가 아플 때 먹는 약은 통증을 줄여 주거나 몸을 다시 건강하게 만들어 주는 고마운 존재이다. 하지만 지나치게 약을 **맹신**하거나 약에 의존할 경우 오히려 약을 해로운 독으로 만들 수 있다. 약의 **남용**과 **오용**은 대부분 약에 대한 잘못된 인식에서 생겨난다.

2 우리나라에서도 약에 대한 남용과 오용이 사회적 문제가 되고 있다. 각 가정의 구급 의약품 상자를 열어 보면 많게는 수십 가지의 약품이 들어 있다. 유통 기한이 한참 지났거나 **복용** 방법을 알 수 없는 약들이 들어차 있고, 심지어 어떤 질병에 먹어야 하는지도 모르는 채 섞여 있는 경우도 있다.

3 약은 두 얼굴의 화학 물질이다. 모든 약은 기대하는 **효능**이 있는 반면 **부작용**도 갖고 있다. 약을 먹었을 때 나른하거나 졸음이 오는 등의 약한 부작용부터, **쇼크**나 호흡 곤란 등의 심각한 부작용이 발생하는 경우도 있다. 또한 약을 오래 복용했을 경우 **내성**이 생길 수 있다.

4 제약 회사의 과장 광고나 의사나 약사의 실수로 환자가 약을 잘못 복용하기도 한다. 따라서 약을 개발하고 생산하는 회사, 환자를 진료하는 의사와 약사 모두 국민 건강에 대한 책임 의식을 갖도록 해야 한다. 또한 정부는 약 복용에 관한 홍보와 교육을 실시하여 사람들이 약을 올바르게 복용할 수 있도록 도움을 주어야 한다.

5 환자 역시 의사와 약사에게 약에 대한 설명을 충분히 들은 후에 약을 복용해야 한다. 약은 나이보다 몸무게를 고려해서 적당한 양을 먹어야 하며, 정해진 시간과 **용량**을 지켜야 한다. 특히 아이의 경우, 증상이 어른과 비슷하다고 해서 어른이 먹는 약을 쪼개어 먹이지 않도록 해야 하며, 가루약과 물약을 따로 받은 경우 미리 섞지 말고 먹기 직전에 섞어서 먹이도록 한다.

5

10

15

20

- **맹신**(盲 소경 맹, 信 믿을 신) 옳고 그름을 가리지 않고 덮어놓고 믿는 일.
- **남용**(濫 넘칠 남, 用 쓸 용) 일정한 기준이나 한도를 넘어서 함부로 씀.
- **오용**(誤 잘못할 오, 用 쓸 용) 잘못 사용함.
- **복용**(服 입을 복, 用 쓸 용) 약을 먹음.
- **효능**(效 본받을 효, 能 능할 능) 어떤 작용의 결과를 나타내는 능력.
- **부작용**(副 버금 부, 作 지을 작, 用 쓸 용) 약이 지닌 본래의 작용 외에 일어나는 작용. 대개 좋지 않은 경우를 말함.
- **쇼크**(shock) 갑작스러운 자극으로 일어나는 정신 또는 신체의 특이한 반응.
- **내성**(耐 견딜 내, 性 성질 성) 약물의 반복 복용에 의해 약효가 떨어지는 현상.
- **용량**(用 쓸 용, 量 헤아릴 량) 약을 한 번 또는 하루에 사용하거나 복용하는 분량.

지문 독해

1 이 글은 무엇에 대해 쓴 글인가요? (   )

① 약의 종류

② 약의 복용

③ 과장 광고

④ 약 보관 방법

⑤ 건강의 중요성

2 이 글을 통해 알 수 있는 내용을 모두 찾아 ○표를 하세요.

(1) 약의 부작용의 예   (   )

(2) 외국의 약의 남용과 오용 사례   (   )

(3) 의사와 약사가 되기 위한 조건   (   )

(4) 약의 긍정적 기능과 부정적 기능   (   )

3 이 글을 읽고 약을 가장 적절하게 복용한 친구는 누구인가요? (   )

① 열이 많이 나서 내일 먹을 해열제까지 미리 먹은 서준

② 가루약과 물약을 미리 섞어 놓고 정해진 시간에 먹은 영현

③ 밥을 많이 먹고 체해서 엄마께서 드시는 소화제를 쪼개어 먹은 지안

④ 아침 약을 먹었는데도 콧물이 계속 나서 점심 약까지 미리 먹은 민기

⑤ 기침이 심했지만 약사 선생님께서 말씀해 주신 양만큼만 약을 먹은 수하

4 1 문단의 내용에 가장 어울리는 한자 성어는 무엇인가요? (   )

① 과유불급: 정도를 지나침은 미치지 못함과 같음.

② 내유외강: 겉으로 보기에는 강하게 보이나 속은 부드러움.

③ 동병상련: 어려운 처지에 있는 사람끼리 서로 가엾게 여김.

④ 배은망덕: 남에게 입은 은혜를 저버리고 배신하는 태도가 있음.

⑤ 사면초가: 아무에게도 도움을 받지 못하는, 외롭고 곤란한 지경에 빠짐.

지문 분석

1 문단 요약

다음은 각 문단의 중심 내용을 정리한 것입니다. 문단의 순서대로 기호를 쓰세요.

가	약이 갖고 있는 부작용
나	약의 긍정적 기능과 부정적 기능
다	올바른 약 복용을 위한 환자의 책임
라	약의 남용과 오용이 심각한 우리나라
마	올바른 약 복용을 위한 제약 회사, 의사, 약사, 정부의 책임

(   ) → (   ) → (   ) → (   ) → (   )

2 글의 구조

다음 빈칸을 채워 이 글의 내용을 정리해 보세요.

올바른 약 복용을 위한 책임

( ) 회사	의사, ( )	( )	( )
과장 광고를 하지 않아야 함.	약을 정확하게 처방하고, 환자에게 충분히 설명해야 함.	약 복용에 관한 홍보와 교육을 실시하도록 함.	정해진 시간과 용량을 지켜 약을 복용하도록 함.

배경지식

약의 종류별 유통 기한

알약	가루약	물약	연고	안약
개봉 후 1년 이내 (낱개 포장된 경우 별도 표시된 기간)	제조일로부터 6개월 이내	개봉 후 6개월 이내	개봉 후 6개월 이내	개봉 후 28일 이내 (일회용 안약은 한 번 사용 후 폐기)

오늘의 어휘

다음 낱말의 알맞은 뜻을 찾아 선으로 이으세요.

맹신 •   • 약을 먹음.

남용 •   • 잘못 사용함.

오용 •   • 일정한 기준이나 한도를 넘어서 함부로 씀.

복용 •   • 옳고 그름을 가리지 않고 덮어놓고 믿는 일.

내성 •   • 약물의 반복 복용에 의해 약효가 떨어지는 현상.

1 다음 문장의 빈칸에 들어갈 알맞은 말을 오늘의 어휘 에서 찾아 쓰세요.

• 요즘 사람들은 외국어를 [   ]하는 편이다.

• 낱말을 [   ]하면 문장의 뜻을 알기 어렵다.

• 진통제를 오래 사용하면 [   ]이 생길 수 있다.

• 종교에 대한 믿음이 [   ]이 되는 것은 위험하다.

• 약을 [   ]할 때는 정해진 용량에 맞게 먹어야 한다.

2 다음 글에서 밑줄 친 말과 뜻이 비슷한 말을 찾아 두 글자로 쓰세요.

요즘 우리말로 대화를 나누면서 외국어를 <u>남발</u>하는 사람이 많다. 한 예능 프로그램에서는 게임을 진행하면서 외국어를 말할 경우 벌칙을 주어, 참가자들이 외국어를 내뱉지 않으려고 더듬더듬 말하며 웃음을 줄 정도이다. 이는 평소에 우리의 일상에서 외국어 남용이 얼마나 심각한지 반성하게 한다.

(   )

기압을 이용한 뚫어뻥의 원리

1 화장실 변기를 사용한 뒤 물을 내렸을 때 물이 잘 내려가지 않고 막혀서 **난감했던** 적이 있을 것이다. 이때 뚫어뻥이 있다면 문제를 쉽게 해결할 수 있다. 뚫어뻥은 막힌 변기나 **하수구**를 뚫는 도구로, 막대에 고무 주둥이가 연결된 형태로 만들어져 있다. 뚫어뻥은 어떤 원리로 막힌 것을 '뻥' 뚫어 주는 것일까?

2 뚫어뻥은 공기의 압력, 즉 기압을 이용하여 관을 막고 있는 **이물질**을 밀어낸다. 일정한 공간에 공기의 양이 많으면 고기압이고, 반대로 공기의 양이 적으면 저기압이다. 고기압과 저기압은 주변의 기압과 비교하여 **상대적**으로 정해지며, 공기는 고기압에서 저기압으로 이동하는 성질을 갖고 있다. 뚫어뻥은 이런 공기의 압력 차이를 이용하는 것이다.

3 뚫어뻥이 **작동**하는 과정은 누를 때와 당길 때의 두 단계로 나눌 수 있다. 먼저 막혀 있는 관의 입구에 뚫어뻥의 고무 부분을 대고 누르면 고무 부분 안쪽에 있던 공기가 밖으로 빠져나간다. 그런 후에 뚫어뻥을 당기면 고무 부분 안쪽의 공간이 늘어나는데 그 안에 있던 공기는 이미 빠져나간 뒤이므로 기압이 낮은 상태가 된다. 이때 관 아래쪽의 기압이 상대적으로 높기 때문에 공기가 관 아래쪽에서 위쪽으로 이동하면서 동시에 관을 막았던 이물질도 함께 위로 올라온다.

4 뚫어뻥을 사용할 때는 기압의 차이가 클수록 작용하는 힘이 세어지기 때문에 되도록 관 입구에 고무 부분을 빈틈없이 붙여서 세게 눌러 공기를 빼 주고, 당길 때도 확실하게 당겨 주는 것이 좋다. 한 번에 뚫리지 않으면 누르고 당기는 것을 몇 번 반복한다. 그러면 관을 막고 있던 이물질이 위쪽이나 아래쪽으로 움직이다가 마침내 뚫리게 된다.

5 뚫어뻥은 구조가 매우 간단한 도구이지만 **의외**로 사용하는 방법을 잘 모르는 경우가 많다. 뚫어뻥이 막힌 것을 뚫어 주는 원리를 제대로 이해한다면 뚫어뻥을 보다 쉽게 사용할 수 있을 것이다.

KEY WORD

뚫어뻥

글자 수

906

400 600 800 1000

- **난감**(難 어려울 난, 堪 견딜 감)**했던** 맞부딪쳐 견디어 내거나 해결하기가 어려웠던.
- **하수구**(下 아래 하, 水 물 수, 溝 도랑 구) 쓰고 버리는 더러운 물이 흘러내려 가도록 만든 도랑.
- **이물질**(異 다를 이, 物 만물 물, 質 바탕 질) 정상적이 아닌 다른 물질.
- **상대적**(相 서로 상, 對 대답할 대, 的 과녁 적) 다른 것과 서로 비교되는 관계에 있는 것.
- **작동**(作 지을 작, 動 움직일 동) 기계 등이 작용을 받아 움직임. 또는 기계 등을 움직이게 함.
- **의외**(意 뜻 의, 外 바깥 외) 전혀 생각이나 예상을 하지 못함.

지문 독해

핵심어

1 이 글에서 가장 중심이 되는 낱말을 찾아 쓰세요.

( )

전개 방식

2 문단 **1**~**5**의 설명 방법으로 알맞은 것을 모두 찾아 ○표를 하세요.

(1) **1** : 뚫어뻥의 쓰임을 설명하고 있다. ( )
(2) **2** : 뚫어뻥을 다른 대상과 비교하고 있다. ( )
(3) **3** : 뚫어뻥의 작동 과정을 단계를 구분하여 설명하고 있다. ( )
(4) **4** : 뚫어뻥의 사용 방법을 원인과 결과로 설명하고 있다. ( )
(5) **5** : 뚫어뻥의 구조를 낱낱이 쪼개어 설명하고 있다. ( )

추론하기

3 이 글의 내용을 통해 알 수 있는 내용으로 알맞은 것은 무엇인가요? ( )

① 고기압과 저기압은 고정된 것이다.
② 바람은 저기압에서 고기압으로 분다.
③ 어떤 지역이 주변보다 공기의 양이 많으면 저기압이다.
④ 뚫어뻥의 고무 부분에 구멍이 나도 사용하는 것에는 문제가 없다.
⑤ 기압의 차이로 생기는 힘은 막혀 있는 이물질을 밀어낼 만큼 세다.

적용하기

4 다음 보기 는 이 글을 읽은 학생이 뚫어뻥을 사용하는 방법을 정리해서 쓴 것입니다. 알맞지 <u>않은</u> 것은 무엇일까요? ( )

보기

　변기가 막혔을 때 뚫어뻥으로 뚫는 방법은 다음과 같다. ①먼저 뚫어뻥의 고무 부분을 물이 내려가는 구멍에 빈틈없이 붙인다. ②그다음 뚫어뻥을 살짝 눌러 공기를 조금 빼 준다. ③다음은 뚫어뻥을 당기는데, 확실하게 당겨 주도록 한다. ④뚫어뻥을 당기면 고무 안쪽 공간이 늘어나서 관 아래쪽보다 기압이 낮아지기 때문에 이물질이 위로 올라온다. ⑤한 번에 뚫리지 않으면 누르고 당기는 과정을 몇 번 반복한다.

지문 분석

1 문단 요약　각 문단의 중심 내용을 알맞게 선으로 이으세요.

1 문단	•		•	뚫어뻥의 원리
2 문단	•		•	뚫어뻥의 사용 방법
3 문단	•		•	뚫어뻥의 작동 과정
4 문단	•		•	뚫어뻥의 쓰임과 구조
5 문단	•		•	뚫어뻥의 원리를 이해하면 좋은 점

2 글의 구조　다음 빈칸을 채워 이 글의 내용을 정리해 보세요.

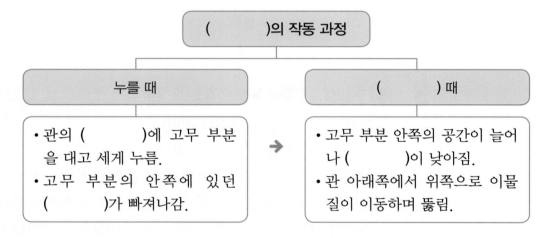

(　　　　)의 작동 과정

누를 때	(　　　) 때
• 관의 (　　　)에 고무 부분을 대고 세게 누름. • 고무 부분의 안쪽에 있던 (　　　)가 빠져나감.	• 고무 부분 안쪽의 공간이 늘어나 (　　　)이 낮아짐. • 관 아래쪽에서 위쪽으로 이물질이 이동하며 뚫림.

배경지식　뚫어뻥을 누를 때와 당길 때의 모습

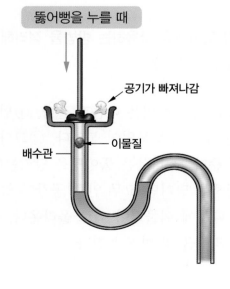

뚫어뻥을 누를 때

공기가 빠져나감

이물질

배수관

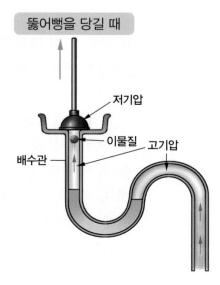

뚫어뻥을 당길 때

저기압

이물질　고기압

배수관

**오늘의
어휘**

다음 낱말의 알맞은 뜻을 찾아 선으로 이으세요.

난감했던 •　　　　　　• 정상적이 아닌 다른 물질.

하수구 •　　　　　　• 전혀 생각이나 예상을 하지 못함.

이물질 •　　　　　　• 맞부딪쳐 견디어 내거나 해결하기가 어려웠던.

작동 •　　　　　　• 쓰고 버리는 더러운 물이 흘러내려 가도록 만든 도랑.

의외 •　　　　　　• 기계 등이 작용을 받아 움직임. 또는 기계 등을 움직이게 함.

1 다음 문장의 빈칸에 들어갈 알맞은 말을 오늘의 어휘 에서 찾아 쓰세요.

• 기계가 고장이 나서 [   ]이 안 된다.

• 설거지를 한 물은 [   ]를 통해 버려진다.

• 무척 [   ] 차에 일이 빨리 끝나서 다행이다.

• 질문을 했는데 [   ]의 대답이 돌아와서 당황스러웠다.

• 과자 봉지를 뜯었는데 [   ]이 있어서 먹을 수가 없었다.

2 다음 글에서 밑줄 친 말과 뜻이 비슷한 말을 찾아 두 글자로 쓰세요.

음식에 신맛을 더해 주는 식초는 의외로 건강에 도움이 많이 된다. 식초는 음식물의 소화와 흡수를 돕고 피로를 풀어 주며 노화를 예방할 뿐 아니라 스트레스를 해소해 주는 뜻밖의 효과들이 있다. 이처럼 식초는 양념으로서 입맛을 돋우어 주기도 하지만 건강에도 좋은 식품이다.

(　　　　　　)

지퍼의 구조와 원리

1 지퍼는 옷이나 가방 등을 열고 닫을 수 있도록 하는 **장치**이다. 오늘날 다양한 물건에 활용되는 지퍼는 어떤 원리로 열리고 닫히는 것일까?

2 지퍼는 톱니, 띠, 슬라이더, 막음쇠로 구성된다. 톱니는 슬라이더에 의해 맞물리거나 풀리는 작은 조각들로, 두 개의 띠에 각각 붙어 있다. 띠는 톱니가 붙어 있는 부분으로 주로 천으로 되어 있으며, 지퍼를 물건에 달 때 바느질을 하는 부분이기도 하다. 슬라이더는 지퍼의 톱니를 맞물리게 하거나 풀리게 하는 역할을 하는 **부속품**으로, 몸통과 손잡이로 이루어져 있다. 그리고 지퍼의 양 끝에는 막음쇠가 있어서 슬라이더가 빠지지 않게 해 준다.

3 지퍼를 열고 닫을 때 가장 중요한 것은 각도이다. 두 띠의 톱니가 맞물려 있는 상태에서는 지퍼를 **수평** 방향으로 아무리 세게 잡아당겨도 지퍼가 잘 열리지 않는다. 그런데 맞물려 있는 지퍼의 한쪽 끝의 두 띠를 V자 형태와 같이 일정한 각도로 벌려 주면, 톱니와 톱니 사이가 하나씩 벌어지면서 작은 힘으로도 쉽게 지퍼를 열 수 있다. 지퍼를 잠글 때도 두 띠의 톱니가 쉽게 맞물릴 수 있는 각도로 닿게 하면 톱니가 하나씩 번갈아 가며 맞물리게 된다. 이 각도와 관련하여 중요한 역할을 하는 것이 바로 [㉠]이다.

4 슬라이더는 두 띠의 톱니가 일정한 각도로 닿거나 멀어지게 해 준다. 슬라이더의 몸통 안에는 Y자 형태의 공간이 있고 가운데에는 **역삼각형** 모양을 하고 있는 **돌출**된 부분이 있다. 이 역삼각형 모양의 돌출된 부분이 두 띠의 톱니가 일정한 각도로 닿거나 멀어지도록 해 주어 지퍼를 쉽게 여닫을 수 있게 하는 것이다.

5 옷을 **여미거나** 가방의 입구를 닫아 주는 장치에는 단추도 있지만, 단추는 지퍼만큼 튼튼한 여밈이 되지 않는다. 지퍼는 옷이나 가방을 더욱 단단하게 여밀 수 있을 뿐만 아니라, 열고 닫기도 편리하다는 장점을 갖고 있다.

5
10
15
20
25

KEY WORD
지퍼

글자 수
897
400 600 800 1000

● **장치**(裝 꾸밀 장, 置 둘 치) 어떤 목적에 따라 일정한 일을 하도록 만든 기계나 도구.

● **부속품**(附 붙을 부, 屬 무리 속, 品 물건 품) 어떠한 기구나 기계 등에 딸려 붙어 있는 물건.

● **수평**(水 물 수, 平 평평할 평) 기울지 않고 평평한 상태.

● **역삼각형**(逆 거스를 역, 三 석 삼, 角 뿔 각, 形 형상 형) 밑변을 위로, 꼭짓점을 아래로 한 삼각형.

● **돌출**(突 부딪칠 돌, 出 날 출) 쑥 내밀거나 튀어나와 있음.

● **여미거나** 벌어진 옷깃이나 장막 등을 바로 합쳐 단정하게 하거나.

설명 대상

1 이 글은 무엇에 대해 쓴 글인지 찾아 쓰세요.

(   )

전개 방식

2 문단 **1**~**5**의 설명 방법으로 알맞지 <u>않은</u> 것은 무엇인가요? (   )

① **1** : 대상의 역할을 설명하고 있다.

② **2** : 대상을 구성하는 요소를 설명하고 있다.

③ **3** : 대상의 종류를 설명하고 있다.

④ **4** : 대상의 내부 구조를 설명하고 있다.

⑤ **5** : 두 대상을 비교하여 설명하고 있다.

내용 이해

3 이 글의 내용과 일치하지 <u>않는</u> 것은 무엇인가요? (   )

① 지퍼의 톱니는 맞물리거나 풀리는 작은 조각들이다.

② 두 띠의 톱니를 V자 형태로 벌리면 지퍼가 쉽게 열린다.

③ 막음쇠는 지퍼의 양 끝에서 슬라이더가 빠지지 않게 한다.

④ 지퍼의 톱니가 맞물려 있을 때, 양쪽으로 잡아당겨도 잘 열리지 않는다.

⑤ 슬라이더 안의 역삼각형 모양의 돌출된 부분은 두 띠의 톱니가 닿지 않도록
해 준다.

추론하기

4 다음 중 ㉠에 들어갈 낱말로 알맞은 것은 무엇인가요? (   )

① 띠   ② 지퍼   ③ 톱니

④ 막음쇠   ⑤ 슬라이더

지문 분석

1 문단 요약 **각 문단의 중심 내용으로 알맞은 것에 ○표, 틀린 것에 ×표를 하세요.**

1문단	지퍼는 옷이나 가방을 열고 닫는 장치이다.	(	)
2문단	지퍼는 톱니, 띠, 슬라이더, 막음쇠로 구성된다.	(	)
3문단	지퍼의 원리는 톱니를 일정한 각도로 여닫는 것이다.	(	)
4문단	슬라이더는 몸통과 손잡이로 이루어져 있다.	(	)
5문단	단추는 지퍼만큼 단단한 여밈 장치이다.	(	)

2 글의 구조 **다음 빈칸을 채워 이 글의 내용을 정리해 보세요.**

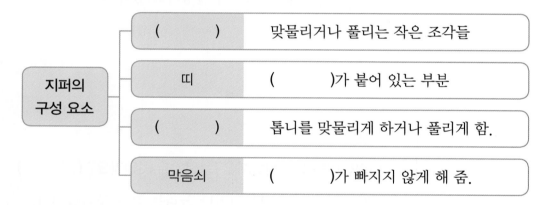

지퍼의 구성 요소
- ( ) 맞물리거나 풀리는 작은 조각들
- 띠 ( )가 붙어 있는 부분
- ( ) 톱니를 맞물리게 하거나 풀리게 함.
- 막음쇠 ( )가 빠지지 않게 해 줌.

배경지식 **지퍼의 구조와 원리**

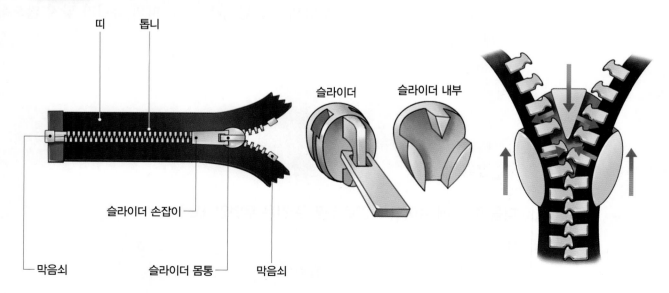

띠   톱니

슬라이더   슬라이더 내부

슬라이더 손잡이

막음쇠   슬라이더 몸통   막음쇠

오늘의 어휘

다음 낱말의 알맞은 뜻을 찾아 선으로 이으세요.

장치 •

• 기울지 않고 평평한 상태.

부속품 •

• 쑥 내밀거나 튀어나와 있음.

수평 •

• 밑변을 위로, 꼭짓점을 아래로 한 삼각형.

역삼각형 •

• 어떠한 기구나 기계 등에 딸려 붙어 있는 물건.

돌출 •

• 어떤 목적에 따라 일정한 일을 하도록 만든 기계나 도구.

1 다음 문장의 빈칸에 들어갈 알맞은 말을 오늘의 어휘 에서 찾아 쓰세요.

• 양팔을 바닥과 [   ] 이 되도록 뻗었다.

• '곶'은 바다 쪽으로 [   ] 된 육지를 말한다.

• 복도에 화재를 알리는 경보 [   ] 를 설치했다.

• 컴퓨터가 고장이 나서 [   ] 을 새것으로 바꾸었다.

• 이마가 넓고 턱이 뾰족한 얼굴형을 [   ] 얼굴이라고 한다.

2 다음 글에서 밑줄 친 말과 뜻이 반대되는 말을 찾아 두 글자로 쓰세요.

'二' 자 모양은 두 개의 선이 수평을 이룬 형태이다. 두 선은 나란히 있어서 아무리 연장하여도 서로 만나지 않는데, 이런 상태를 '평행'이라고 한다. 이와는 달리 '十' 자 모양은 두 개의 선이 수직으로 교차하여 만난 형태이다. 이때 두 개의 선이 이루는 각도는 90도로, 이를 '직각'이라고 한다.

(   )

지문분석

KEY WORD

풍물놀이

글자 수

923
400 600 800 1000

풍물놀이의 특징과 구성

1 풍물놀이는 농촌에서 농부들이 힘든 농사일을 즐겁게 하기 위해 연주했던 음악으로, 농악이라고도 한다. 사물놀이는 북, 꽹과리, 장구, 징의 네 가지 악기만 사용하지만, 풍물놀이는 네 가지 악기 외에 소고, 태평소, 나발 등의 악기가 더해진다. ⟨ ㉠ ⟩ 사물놀이는 네 명이 무대에 앉아서 연주하지만, 풍물놀이는 여러 명이 넓은 마당에서 어울려 춤을 추며 연주한다.

2 풍물놀이는 발림, 가락, 진으로 구성된다. 이 중 발림은 몸동작으로, 아랫노름과 윗노름으로 구분된다. 아랫노름은 주로 발동작을 뜻하는데, 까치걸음, 절름발이 걸음 등 매우 다양한 형태를 띠고 있다. 윗노름은 **상모**를 돌려 여러 가지 모양의 형태를 만드는 동작을 말한다. 상모를 한쪽 방향으로 한 번씩 돌리는 외사, 두 번씩 돌리는 양사, 나비 모양이 되도록 돌리는 나비사 등이 대표적인 윗노름이다.

3 가락은 소리의 흐름으로, 지역에 따라 조금씩 특징이 다르다. 북쪽 지방은 꽹과리나 징과 같은 쇠로 만든 악기의 가락이 발달했고, 남쪽 지방은 장구나 북과 같은 가죽을 사용한 악기의 가락이 발달했다. 남쪽에서도 **평야**가 많이 발달한 전라도 지역에서는 장구의 가락이 발달했고, **산맥**이 많이 발달한 경상도 지역에서는 북의 가락이 발달했다.

4 진은 원래 전쟁에서 군대의 **대열**이나 배치를 가리키는 말이다. 풍물놀이에서의 진은 대열을 이루며 몸동작을 하여 집단적인 움직임을 보여 주는 것을 가리킨다. 진의 종류에는 방울진, 원진, 오방진 등 전국적으로 공통된 방식이 있으며, 이 외에도 지방에 따라 **특색** 있는 진들이 있다.

5 풍물놀이가 시작되면 **풍물패**는 악기와 깃발, 의상 등을 갖추고 골목골목을 돌면서 마을이 아무 탈 없이 편안하기를 빌었다. 풍물놀이는 다양한 형태와 목적으로 행해졌고, 참여하는 사람들 간에 공동체 의식을 높여 주었으며, 문화의 다양성에 도움을 주었다는 점을 인정받아 국가무형 문화재로 **지정**되었다.

5

10

15

20

25

- **상모**(象 형상 상, 毛 털 모) 풍물놀이에서 쓰는 모자의 꼭지에 달려서, 머리를 흔들면 빙글빙글 돌아가는 흰 새털이나 긴 종잇조각.

- **평야**(平 평평할 평, 野 들 야) 평평하고 넓은 들.

- **산맥**(山 뫼 산, 脈 맥 맥) 여러 산들이 길게 이어져 줄기를 이루고 있는 것.

- **대열**(隊 떼 대, 列 벌일 열) 여럿이 줄을 지어 늘어선 무리.

- **특색**(特 특별할 특, 色 빛 색) 보통의 것과 다른 점.

- **풍물패**(風 바람 풍, 物 만물 물, 牌 패 패) 풍물놀이를 하는 무리.

- **지정**(指 가리킬 지, 定 정할 정) 어떤 것에 특정한 자격을 줌.

지문 독해

1 이 글에서 가장 중심이 되는 낱말을 찾아 쓰세요.

(   )

내용 이해

2 이 글을 읽고 풍물놀이를 이해한 것으로 알맞은 것은 무엇인가요? (   )

① 풍물놀이는 국가 유형 문화재로 지정되었다.

② 풍물놀이에 사용되는 악기의 수는 사물놀이와 같다.

③ 대표적인 상모 동작은 외사, 양사, 나비사 등이 있다.

④ 윗노름은 까치걸음, 절름발이 걸음과 같은 발동작이다.

⑤ 가락은 몸동작으로, 윗노름과 아랫노름으로 나눌 수 있다.

어휘·어법

3 ㉠에 들어갈 이어 주는 말로 알맞은 것은 무엇인가요? (   )

① 또한   ② 그러나

③ 그래서   ④ 하지만

⑤ 왜냐하면

적용하기

4 다음은 민속촌에서 풍물놀이를 보며 학생들이 나눈 대화입니다. 알맞지 <u>않은</u> 내용은 무엇인가요? (   )

① 하연: 풍물놀이의 가락은 어느 지역에서나 거의 비슷하다는 것을 알겠어.

② 지수: 머리에 쓴 상모를 한쪽 방향으로 두 번씩 돌리는 것을 보니 저 동작은 양사겠구나.

③ 준현: 꽹과리, 북, 징, 소고 등의 악기를 가지고 야외에서 공연하는 것을 보니 풍물놀이가 맞네.

④ 대희: 장구 가락이 유난히 듣기 좋은 것을 보니 이 풍물놀이는 전라도 지역에서 발달한 것이겠군.

⑤ 기안: 옛날에는 마을의 안녕을 빌기 위해 행해졌던 풍물놀이가 현재에는 민속촌 같은 곳에서 사람들에게 보여 주기 위한 공연의 형태로 발전했어.

지문 분석

1 문단 요약 각 문단의 중심 내용을 알맞게 선으로 이으세요.

1 문단 •

2 문단 •

3 문단 •

4 문단 •

5 문단 •

• 풍물놀이의 진

• 풍물놀이의 가락

• 풍물놀이의 발림

• 풍물놀이의 의의

• 풍물놀이의 의미와 특징

2 글의 구조 다음 빈칸을 채워 이 글의 내용을 정리해 보세요.

풍물놀이의 구성

( )	( )	( )
• 몸동작을 뜻함. • ( )과 윗노름으로 구분됨.	• 소리의 흐름을 뜻함. • ( )에 따라 조금씩 특징이 다름.	대열을 이루며 몸동작을 하여 집단적인 움직임을 보여 주는 것.

배경지식 **풍물놀이와 사물놀이의 모습**

풍물놀이

사물놀이

오늘의 어휘

다음 낱말의 알맞은 뜻을 찾아 선으로 이으세요.

평야 •　　　　• 평평하고 넓은 들.

산맥 •　　　　• 보통의 것과 다른 점.

대열 •　　　　• 어떤 것에 특정한 자격을 줌.

특색 •　　　　• 여럿이 줄을 지어 늘어선 무리.

지정 •　　　　• 여러 산들이 길게 이어져 줄기를 이루고 있는 것.

1 다음 문장의 빈칸에 들어갈 알맞은 말을 오늘의 어휘 에서 찾아 쓰세요.

• 군인들이 [　　　　]을 이루어 이동했다.

• 우리나라에서 가장 긴 [　　　　]은 태백산맥이다.

• 지역의 [　　　　]을 살린 관광 자원이 개발되어야 한다.

• 강 하류에는 기름진 [　　　　]가 발달하는 경우가 많다.

• 보물로 [　　　　]된 서울 흥인지문은 동대문이라고도 불린다.

2 다음 글에서 밑줄 친 말과 뜻이 비슷한 말을 찾아 두 글자로 쓰세요.

가두 행렬은 춤을 추거나 악기를 연주하는 등 다양한 형태로 도시의 길거리를 줄지어 가는 무리를 뜻하는 말이다. 특히, 축제나 축하를 목적으로 많은 사람이 화려하게 대열을 이루어 앞으로 나아가는 행렬을 가리켜 퍼레이드라고 한다.

(　　　　　　)

지문 독해

목적

1 글쓴이가 이 글을 쓴 목적은 무엇인가요? (   )

① 컬링의 역사를 설명하기 위해

② 세계적인 컬링 선수를 소개하기 위해

③ 세계 컬링 선수권 대회를 홍보하기 위해

④ 컬링 경기를 하는 방법을 알려 주기 위해

⑤ 컬링이 동계 올림픽 정식 종목이 된 까닭을 밝히기 위해

내용 이해

2 컬링 경기에 필요한 준비물 두 가지를 이 글에서 찾아 쓰세요.

(,   )

내용 이해

3 컬링 경기에 참가하는 선수들에 대한 설명으로 알맞지 <u>않은</u> 것은 무엇인가요?

(   )

① 리드: 가장 먼저 스톤을 던지는 선수이다.

② 세컨드: 스킵이 스톤을 던질 때 주장의 역할을 대신한다.

③ 세컨드: 스톤을 가장 정확하고 세게 던질 수 있는 사람이 맡는다.

④ 서드: 리드, 세컨드가 스톤을 던질 때 빙판을 문지르는 역할을 맡는다.

⑤ 스킵: 얼음 상태를 파악하고 스톤의 위치를 정해 주는 주장의 역할을 맡는다.

적용하기

4 다음은 컬링 경기를 보고 있는 학생들이 나눈 대화입니다. 알맞게 말한 친구는 누구인가요? (   )

① 지윤: 양 팀이 총 8개의 스톤을 던졌으니까 이제 한 엔드가 끝났네.

② 준우: 빙판의 상태에 따라 선수들이 스톤을 던지는 순서가 달라지는구나.

③ 혜민: 주장을 맡은 선수는 스톤을 던지거나 빙판을 문지르는 일은 안 해도 되는군.

④ 현서: 빙판을 저렇게 열심히 문지르는 것은 스톤이 나아가는 것에 아무 영향도 주지 않을 텐데.

⑤ 은하: 양 팀이 던진 스톤들 중에서 가장 중심에 놓인 스톤을 던진 팀이 이번 엔드에서 이기는 거야.

지문 분석

1 문단 요약   각 문단의 중심 내용을 알맞게 선으로 이으세요.

1문단 •   • 컬링의 뜻

2문단 •   • 컬링을 할 때 필요한 것

3문단 •   • 컬링 팀의 선수 구성과 역할

4문단 •   • 컬링의 경기 진행 방법과 득점 방법

2 글의 구조   다음 빈칸을 채워 이 글의 내용을 정리해 보세요.

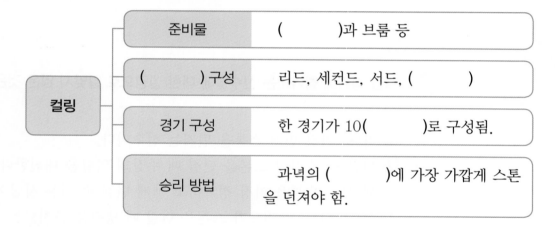

컬링	준비물	( )과 브룸 등
	( ) 구성	리드, 세컨드, 서드, ( )
	경기 구성	한 경기가 10( )로 구성됨.
	승리 방법	과녁의 ( )에 가장 가깝게 스톤을 던져야 함.

배경지식   컬링 경기장의 모습과 선수 구성

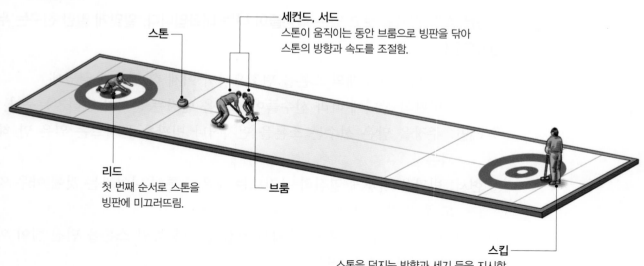

세컨드, 서드
스톤이 움직이는 동안 브룸으로 빙판을 닦아 스톤의 방향과 속도를 조절함.

스톤

리드
첫 번째 순서로 스톤을 빙판에 미끄러뜨림.

브룸

스킵
스톤을 던지는 방향과 세기 등을 지시함.

오늘의 어휘

다음 낱말의 알맞은 뜻을 찾아 선으로 이으세요.

빙판 •　　　　• 앞으로 나아갈 길.

종목 •　　　　• 몇 가지 중에서 골라 뽑음.

채택 •　　　　• 여러 가지 종류에 따라 나눈 항목.

전방 •　　　　• 물이나 눈이 얼어서 미끄럽게 된 바닥.

진로 •　　　　• 향하고 있는 방향과 일치하는 쪽. 앞쪽.

1 다음 문장의 빈칸에 들어갈 알맞은 말을 **오늘의 어휘** 에서 찾아 쓰세요.

- 선수들이 [　　　　]을 향해 함성을 질렀다.
- 이번 태풍은 [　　　　]를 예상하기가 어렵다.
- 한겨울에 [　　　　]을 걷다가 넘어질 수 있다.
- 구기 [　　　　]에는 농구, 배구, 축구 등이 있다.
- '예쁘다'와 '이쁘다'는 복수 표준어로 [　　　　]되었다.

2 다음 글에서 밑줄 친 말과 뜻이 반대되는 말을 찾아 두 글자로 쓰세요.

신라 시대에는 청소년으로 조직되었던 수양 단체인 화랑도가 있었다. 화랑이 지켜야 할 다섯 가지 규칙을 세속오계라고 하는데, 그중 하나인 임전무퇴는 싸움에 임할 때는 물러남이 없어야 한다는 것이다. 즉, 전쟁에 나아가서는 진로만 있고 <u>퇴로</u>는 없다고 생각하는 단호한 의지를 가져야 함을 뜻하는 규칙이다.

(　　　　　　　)

인물 **01**

KEY WORD

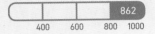
왕가리 마타이

글자 수

			862
400	600	800	1000

왕가리 마타이의 삶과 업적

1 케냐의 여성 환경 운동가인 왕가리 마타이의 어린 시절에 아프리카 여자들은 교육을 받지 못하거나 받아도 여자라는 이유로 많은 차별을 겪어야 했다. 하지만 마타이의 부모님은 교육의 가치와 배움에 대한 마타이의 열정을 잘 알고 있었기에 마타이에게 교육의 기회를 열어 주었다. 마타이는 이런 부모님께 보답하기 위해 열심히 공부했고, 동아프리카에서 최초로 박사 학위를 받은 여성이 되었다.

2 마타이는 큰 규모의 **벌목** 때문에 사라져 가던 케냐의 숲을 살리기 위해서 1977년에 여성들을 모아 '그린벨트 운동'이라는 단체를 만들었다. 마타이가 이 단체를 만든 것은 **훼손**된 아프리카의 숲을 되살리고, 가난한 여성들에게 일자리를 마련해 주는 두 가지 목적에서였다. 마타이를 중심으로 시작된 나무 심기 운동이 케냐뿐만 아니라 아프리카 **전역**으로 퍼지면서 마타이는 세계적인 환경 운동가로 이름이 알려지게 되었다.

3 그러나 마타이의 그린벨트 운동은 **순탄하지** 않았다. 마타이는 **부패**한 **정권**에 의해 몇 번이나 감옥에 갇히기도 했고, 숲의 중요성을 모르는 사람들의 비난과 공격을 받아야 했다. 하지만 마타이는 **굴복**하지 않았고, 끝내 숲을 지켜 냈다. 이렇게 부패 정권에 맞서 싸운 용기와 환경을 생각하는 굳은 의지는 케냐 국민뿐만 아니라 전 세계인들에게도 큰 감동을 주었다. 이러한 공을 인정받아 마타이는 아프리카 여성 최초로 2004년에 노벨 평화상을 수상했다.

4 마타이는 노벨 평화상의 상금 역시 그린벨트 운동을 펼치는 데 사용했고, 71세의 나이로 생을 마감하면서도 자신의 관을 만들기 위해 나무를 베어서는 안 된다는 유언을 남겼다. 마타이는 여성으로서, 흑인으로서 받아야 했던 차별과 맞서 싸웠고, 사라져 가던 숲을 되살렸을 뿐만 아니라, 여성의 삶도 변화시켰던 위인이다.

5

10

15

20

● **벌목**(伐 칠 벌, 木 나무 목) 산이나 숲의 나무를 벰.

● **훼손**(毁 헐 훼, 損 덜 손) 헐거나 깨뜨려 못쓰게 만듦.

● **전역**(全 온전할 전, 域 지경 역) 어느 지역의 전체.

● **순탄**(順 순할 순, 坦 평평할 탄)**하지** 아무 탈 없이 순조롭지.

● **부패**(腐 썩을 부, 敗 패할 패) 정치, 사상, 의식 등이 타락함.

● **정권**(政 정사 정, 權 권세 권) 정치상의 권력. 또는 정치를 담당하는 권력.

● **굴복**(屈 굽을 굴, 服 입을 복) 힘이 모자라서 남의 명령을 그대로 따름.

지문 독해

설명 대상

1 이 글에서 설명하고 있는 인물을 찾아 쓰세요.

(   )

내용 이해

2 이 글을 통해 알 수 있는 내용을 모두 찾아 ○표를 하세요.

(1) 왕가리 마타이의 유언 내용   (   )

(2) 왕가리 마타이가 펴낸 책의 제목   (   )

(3) 왕가리 마타이가 만든 단체의 이름과 활동   (   )

(4) 왕가리 마타이가 교육을 받을 수 있었던 까닭   (   )

내용 이해

3 이 글에서 알 수 있는 왕가리 마타이의 업적으로 알맞지 <u>않은</u> 것은 무엇인가요?

(   )

① 훼손된 아프리카의 자연을 살려 냈다.

② 가난한 여성들에게 상금을 나누어 주었다.

③ 부패한 정권에 굴복하지 않고 숲을 지켜 냈다.

④ 아프리카 여성 최초로 노벨 평화상을 수상했다.

⑤ 여성이자 흑인으로서 받아야 했던 차별과 맞서 싸웠다.

추론하기

4 왕가리 마타이의 삶을 통해 깨달을 수 있는 점을 가장 알맞게 말한 친구는 누구인 가요? (   )

① 현주: 가난을 극복하기 위해서는 교육이 꼭 필요하구나.

② 도연: 부패한 정권은 국가의 경제 발전에 부정적인 영향을 주는구나.

③ 지성: 백인과 흑인의 차별 문제로 발생하는 사회적 갈등이 심각하구나.

④ 상훈: 내가 옳다고 믿는 일은 반드시 해내려는 용기와 의지가 중요하구나.

⑤ 가희: 환경 파괴 문제를 해결하기 위해서는 정부의 적극적인 노력이 필요하 겠구나.

지문 분석

1 문단 요약 각 문단의 중심 내용을 알맞게 선으로 이으세요.

1 문단 •

2 문단 •

3 문단 •

4 문단 •

• 왕가리 마타이의 업적

• 왕가리 마타이가 겪은 시련과 극복

• 왕가리 마타이의 배움에 대한 열정

• 왕가리 마타이가 만든 '그린벨트 운동'

2 글의 구조 다음 빈칸을 채워 이 글의 내용을 정리해 보세요.

왕가리 마타이의 삶

동아프리카에서 최초로 (　　　) 학위를 받은 여성이 됨.

↓

'(　　　) 운동'이라는 환경 운동 단체를 만듦.

↓

여러 시련을 겪으면서도 (　　　)하지 않고 숲을 지켜 냄.

↓

아프리카 여성 최초로 (　　　) 평화상을 수상함.

배경지식 숲이 만들어지는 과정

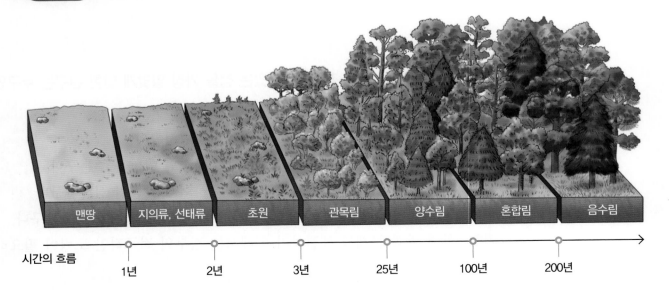

맨땅 | 지의류, 선태류 | 초원 | 관목림 | 양수림 | 혼합림 | 음수림

시간의 흐름

1년　　2년　　3년　　25년　　100년　　200년

오늘의 어휘

다음 낱말의 알맞은 뜻을 찾아 선으로 이으세요.

벌목 •　　　• 어느 지역의 전체.

전역 •　　　• 산이나 숲의 나무를 벰.

순탄하지 •　　　• 아무 탈 없이 순조롭지.

부패 •　　　• 정치, 사상, 의식 등이 타락함.

굴복 •　　　• 힘이 모자라서 남의 명령을 그대로 따름.

---

1 다음 문장의 빈칸에 들어갈 알맞은 말을 오늘의 어휘 에서 찾아 쓰세요.

- 무리한 [　　　　　]으로 산이 크게 훼손되었다.
- 내일은 우리나라 [　　　　　]에 비가 내릴 것이다.
- 우리 민족은 일제의 탄압에도 [　　　　　]하지 않았다.
- 금메달을 따기까지 그 선수의 훈련 과정은 [　　　　　] 않았다.
- 정치 권력이 [　　　　　]하지 않도록 국민이 늘 깨어 있어야 한다.

---

2 다음 글에서 밑줄 친 말과 뜻이 비슷한 말을 찾아 두 글자로 쓰세요.

탐관오리란 욕심이 많고 행실이 깨끗하지 못한 <u>타락</u>한 관리를 뜻하는 말이다. 이들은 백성의 어려움은 살피지 않고 자신들의 이익을 위해 백성의 재물을 빼앗기도 했다. 이렇게 부패한 관리를 벌하기 위해 왕은 암행어사를 각 지방에 보내어 백성을 살폈다.

(　　　　　)

KEY WORD

이봉창

글자 수

798

400 600 800 1000

㉠

1 이봉창은 어렸을 때 일본인이 운영하는 상점에서 종업원으로 일하면서 일본인 주인으로부터 온갖 **수모**를 받았다. 이후 만주를 거쳐 일본으로 건너가 여러 가지 일을 하며 살았다. 일본에서 이봉창은 조선인들이 받는 차별과 설움을 직접 경험하면서 이 모든 것이 나라를 빼앗겼기 때문이라는 것을 깨닫고 독립운동에 뛰어들기로 마음먹었다.

2 이봉창은 김구가 독립운동을 위해 만든 비밀 단체인 한인 애국단에 들어가기 위해 중국으로 건너갔다. 이봉창은 일본인처럼 보이기 위해 일부러 일본식 이름을 쓰고, 겉으로 보면 술에 취한 건달처럼 행동하면서 독립운동가들과 조심스럽게 접촉했다. 김구는 이봉창이 단순한 건달이 아님을 알아보았고, **일왕**을 **암살**하겠다는 그의 계획과 의지를 알게 되었다.

3 김구는 이봉창을 돕기 위해 필요한 돈을 모으고 수류탄을 구해 주었다. 1931년 12월 13일에 **의거**를 위한 선서식이 있었는데, 이봉창은 이를 기념하기 위해 양손에 수류탄을 들고 활짝 웃으며 기념사진을 찍기도 했다. **거사**를 실행하기 위해 도쿄로 건너간 이봉창은 1932년 1월 8일에 일왕을 향해 수류탄을 던졌다. 비록 일왕을 죽이지 못해 거사는 실패했지만 그는 그 자리에서 '대한 독립 만세'를 외쳤고, 일본에 붙잡혀 그해 10월 10일에 목숨을 잃었다. 이때 이봉창의 나이는 31살이었다.

4 비록 실패로 돌아갔지만 이봉창의 의거는 세계를 놀라게 만들었다. 일본의 수도인 도쿄에서 일왕에게 폭탄을 던진 일은 우리 민족의 독립에 대한 **열망**을 세계에 알리는 계기가 되었다. 또한 당시 **침체**되고 있던 대한민국 임시 정부는 이봉창의 의거로 다시 큰 힘을 얻게 되었다.

5

10

15

20

- **수모**(受 받을 수, 侮 업신여길 모) 모욕을 받음.
- **일왕**(日 날 일, 王 임금 왕) 일본의 왕.
- **암살**(暗 어두울 암, 殺 죽일 살) 몰래 사람을 죽임.
- **의거**(義 옳을 의, 擧 들 거) 개인이나 집단이 의로운 일을 이루기 위한 대책과 방법을 세움.
- **거사**(擧 들 거, 事 일 사) 사회적으로 큰일을 일으킴.
- **열망**(熱 더울 열, 望 바랄 망) 열렬하게 바람.
- **침체**(沈 잠길 침, 滯 막힐 체) 진행되어 발전하지 못하고 제자리에 머무름.

지문 독해

제목

1 ㉠에 들어갈 이 글의 제목으로 가장 알맞은 것은 무엇인가요? (   )

① 한인 애국단의 조직

② 김구의 생애와 업적

③ 독립운동의 발전 과정

④ 독립운동가 이봉창의 의거

⑤ 대한민국 임시 정부의 역할

내용 이해

2 이 글을 통해 알 수 있는 내용을 모두 찾아 ○표를 하세요.

(1) 이봉창의 의거가 갖는 의의 ( )

(2) 이봉창이 중국으로 건너간 이유 ( )

(3) 이봉창이 독립운동을 시작하게 된 배경 ( )

(4) 이봉창이 일왕 암살 계획을 실행하지 않은 이유 ( )

어휘·어법

3 이봉창의 삶을 표현하기에 가장 적절한 한자 성어는 무엇인가요? (   )

① 입신양명: 출세하여 이름을 세상에 떨침.

② 대기만성: 크게 될 사람은 늦게 이루어짐.

③ 사생취의: 목숨을 버릴지언정 옳은 일을 함.

④ 우유부단: 어물어물 망설이기만 하고 결단성이 없음.

⑤ 근묵자흑: 나쁜 사람과 가까이 지내면 나쁜 버릇에 물들기 쉬움.

추론하기

4 이 글을 읽고 추가로 할 수 있는 질문으로 가장 알맞은 것은 무엇인가요?

(   )

① 이봉창이 실행에 옮긴 의거는 무엇인가요?

② 이봉창의 의거를 도운 사람은 누구인가요?

③ 이봉창은 언제 어디에서 의거를 실행에 옮겼나요?

④ 이봉창은 의거를 실행한 이후에 어떻게 되었나요?

⑤ 이봉창의 의거 이후에 임시 정부는 어떤 활동을 하였나요?

지문 분석

1 문단 요약 **다음은 각 문단의 중심 내용을 정리한 것입니다. 문단의 순서대로 기호를 쓰세요.**

가	실패로 돌아간 이봉창의 의거
나	이봉창이 독립운동에 뛰어든 배경
다	이봉창의 의거가 남긴 역사적 의의
라	일왕을 암살하고자 한 이봉창의 계획

( ) → ( ) → ( ) → ( )

2 중심 내용 **다음 빈칸을 채워 이 글의 중심 내용을 완성하세요.**

독립운동가 이봉창은 ( )의 도움을 받아서 ( )을 암살하려는 계획을 실행에 옮겼다. 이봉창의 의거는 비록 ( )하였지만 우리 민족의 ( )에 대한 열망을 ( )에 알리는 계기가 되었다.

배경지식 조국의 독립을 꿈꾸었던 독립운동가들

김구(1876~1949)

이봉창, 윤봉길 등의 의거를 지휘하였고 1944년에 대한민국 임시 정부 주석으로 선임되었음.

안중근(1879~1910)

의병 운동에 참가하였고, 1909년에 만주의 하얼빈역에서 이토 히로부미를 사살하였음.

이봉창(1900~1932)

1932년에 일본 천황에게 수류탄을 던졌으나 실패하고 검거되어 순국하였음.

윤봉길(1908~1932)

1932년, 훙커우 공원에서 열린 일본 천황의 생일을 기념하는 축하식장에 폭탄을 던졌음.

오늘의 어휘

다음 낱말의 알맞은 뜻을 찾아 선으로 이으세요.

수모 •　　　• 모욕을 받음.

암살 •　　　• 몰래 사람을 죽임.

의거 •　　　• 사회적으로 큰일을 일으킴.

거사 •　　　• 진행되어 발전하지 못하고 제자리에 머무름.

침체 •　　　• 개인이나 집단이 의로운 일을 이루기 위한 대책과 방법을 세움.

1 다음 문장의 빈칸에 들어갈 알맞은 말을 **오늘의 어휘** 에서 찾아 쓰세요.

- 올해 경기가 작년보다 [　　　　]되었다.

- 이봉창 의사는 일왕을 [　　　　]하려 했지만 실패했다.

- 독재 정권에 저항하는 시민들의 [　　　　]가 성공했다.

- 독립운동을 위해 [　　　　]를 치르려면 많은 돈이 필요했다.

- 일제 강점기에 조선인은 일본인에게 온갖 [　　　　]를 당했다.

2 다음 글에서 밑줄 친 말과 뜻이 반대되는 말을 찾아 두 글자로 쓰세요.

　　국민의 소득이 늘고 경제 회복에 <u>진전</u>이 있으면 일반적으로 물가도 오르게 된다. 물가가 오르면 매달 같은 월급을 받는 사람들은 장을 볼 때 부담을 느끼게 된다. 이렇게 계속 물가가 오르면 사람들의 소비가 줄어서 다시 경기가 침체되게 된다.

(　　　　　　)

지문분석

KEY WORD

찰스 다윈

글자 수

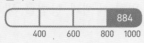

400 600 800 1000 / 884

• **제도**(諸 모든 제, 島 섬 도)
모든 섬. 또는 여러 섬.

• **영감**(靈 신령 영, 感 느낄 감)
창조적인 일의 계기가 되는
기발한 생각이나 자극.

• **도출**(導 이끌 도, 出 날 출)
판단이나 결론 등을 이끌어
냄.

• **도입**(導 이끌 도, 入 들 입)
새롭게 끌어 들임.

• **종**(種 씨 종) 생물 분류의 기
초 단위.

• **진화**(進 나아갈 진, 化 될 화)
생물이 점차적으로 변해 가는
현상.

• **변이**(變 변할 변, 異 다를 이)
같은 종에서 성별, 나이와 관
계없이 모양과 성질이 다른
개체가 존재하는 현상.

• **번식**(繁 많을 번, 殖 번성할
식) 양이나 수가 늘어서 많이
퍼짐.

• **저자**(著 나타날 저, 者 놈 자)
글로 써서 책을 지어 낸 사람.

찰스 다윈의 [㉠]

1 영국의 생물학자인 찰스 다윈은 1831년에 비글호라는 이름의 배를 타고 5년 동안 항해를 떠났다. 다윈은 항해 중에 들렀던 곳인 갈라파고스 **제도**에서 핀치라는 새를 관찰하게 되었다. 다윈은 핀치새들이 겨우 수십 마일 떨어진 여러 섬들에서 서로 다른 부리 모양을 갖고 있다는 것을 발견하고 의문을 가졌다. 이를 통해 다윈은 자연 선택설에 대한 **영감**을 얻게 되었다.

2 다윈은 갈라파고스 제도의 생태계를 조사하면서 핀치새들이 공통된 조상으로부터 갈라져 나온 것이고, 부리 모양의 차이는 주위 환경에 적응하는 과정에서 일어났으며, 섬이라는 좁은 공간에서 서로 다른 핀치새들 간에 살아남기 위한 경쟁이 있었을 것이라는 결론을 **도출**했다.

3 다윈이 **도입**한 개념인 자연 선택이란 자연계에서 그 생활 조건에 잘 적응하는 생물은 생존하고, 그러지 못한 생물은 저절로 사라지는 일을 가리킨다. 이를 바탕으로 다윈은 생물의 **종**은 자연 선택의 결과, 환경에 적합한 방향으로 **진화**한다는 자연 선택설을 중심으로 한 진화론을 주장하였다.

4 예를 들어 여러 마리의 기린 사이에서 우연히 **변이**가 일어나 목이 긴 기린이 태어났다고 하자. 그런데 높은 나무의 나뭇잎을 먹고 살아야 하는 환경이라면 목이 긴 기린이 짧은 기린보다 살아남는 데 더 유리하므로 생존 경쟁에서 승리하게 된다. 그래서 목이 긴 기린이 더 많은 자손을 **번식**하게 되어 오늘날 목이 긴 기린으로 진화한 것으로 보는 것이다.

5 다윈은 진화론에 관한 자료를 정리하여 1856년부터 논문을 쓰기 시작했다. 그런데 1858년에 월리스가 다윈과 비슷한 내용의 논문을 보내왔고, 그 해에 다윈은 월리스와 공동 **저자**로 진화와 자연 선택에 관한 논문을 발표했다. 그리고 다윈은 이듬해에 진화론에 관한 자신의 연구 내용을 정리하여 쓴 책인 『종(種)의 기원』을 세상에 내놓았다.

5

10

15

20

25

제목

1 이 글의 제목으로 어울리도록 ㉠에 들어갈 알맞은 낱말을 세 글자로 쓰세요.

(   )

내용 이해

2 4 문단을 참고하여 다음 내용을 일어난 순서대로 숫자를 쓰세요.

(1) 여러 마리의 기린 사이에서 목이 긴 기린이 태어났다.   (   )

(2) 목이 긴 기린이 생존 경쟁에서 승리하여 더 많이 살아남았다.   (   )

(3) 목이 긴 기린이 많은 자손을 번식하여 오늘날 목이 긴 기린으로 진화했다.

(   )

(4) 목이 긴 기린이 짧은 기린보다 높은 나무의 나뭇잎을 먹는 데 더 유리했다.

(   )

추론하기

3 이 글의 내용을 참고하였을 때, 다음 보기 의 빈칸에 들어갈 내용으로 알맞은 것은 무엇인가요? (   )

> 보기
>
> 프린스턴 대학의 그랜트 교수는 18년간 갈라파고스 제도의 핀치새를 관찰했다. 가뭄이 길어졌을 시기에 작은 씨앗들이 사라지자, 부리 크기가 작은 핀치새는 개체 수가 줄었고 부리가 큰 핀치새는 남아 있는 큰 열매들을 먹으면서 살아남았다. 그래서 전체적으로 핀치새들의 부리가 커지는 현상이 발생했다. 그러나 가뭄이 끝나자, [   ]

① 핀치새들의 부리 크기가 같아지게 되었다.

② 부리가 큰 핀치새들이 보이지 않게 되었다.

③ 다시 부리가 큰 핀치새들이 나타나게 되었다.

④ 다시 부리가 작은 핀치새들이 나타나게 되었다.

⑤ 부리가 작은 핀치새들이 아예 사라지게 되었다.

추론하기

4 이 글을 읽고 찰스 다윈에게 추가로 할 수 있는 질문으로 가장 알맞은 것은 무엇인 가요? (   )

① 자연 선택은 무엇을 뜻하나요?

② 진화론에 관해 책이나 논문을 쓰신 것이 있나요?

③ 자연 선택설에 대한 영감을 어디에서 얻으셨나요?

④ 진화론을 발표했을 때 사람들의 반응은 어떠하였나요?

⑤ 핀치새들의 부리 모양이 달라지게 된 이유는 무엇인가요?

지문 분석

1 문단 요약 · 아래 표의 빈칸을 채워 각 문단의 중심 내용을 정리해 보세요.

1문단	다윈이 ( ) 선택설에 대한 영감을 얻은 계기
2문단	다윈이 조사를 통해 ( )한 결론
3문단	자연 ( )과 자연 선택설의 의미
4문단	다윈의 진화론의 예시
5문단	다윈이 쓴 ( )과 책

2 글의 구조 · 다음 빈칸을 채워 이 글의 내용을 정리해 보세요.

```
                        찰스 다윈의 진화론
        ┌──────────────────┼──────────────────┐
```

| 갈라파고스 제도의 ( )들이 여러 섬들에서 서로 다른 ( ) 모양을 갖고 있다는 것을 발견함. | • 공통된 조상으로부터 갈라져 나왔음.
• 부리 모양의 차이는 환경에 적응하는 과정에서 일어났음.
• 섬 안에서 치열한 생존 ( )이 있었음. | 생물의 종은 자연 ( )의 결과, 환경에 적합한 방향으로 진화한다는 자연 선택설을 중심으로 한 ( )을 주장함. |

배경지식 · **갈라파고스 제도의 핀치새들의 먹이와 부리 모양**

◀ 과일 열매

◀ 곤충

◀ 나무 속 곤충

◀ 딱딱한 열매

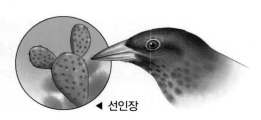
◀ 선인장

다음 낱말의 알맞은 뜻을 찾아 선으로 이으세요.

영감 •　　　　　• 새롭게 끌어 들임.

도출 •　　　　　• 글로 써서 책을 지어 낸 사람.

도입 •　　　　　• 판단이나 결론 등을 이끌어 냄.

번식 •　　　　　• 양이나 수가 늘어서 많이 퍼짐.

저자 •　　　　　• 창조적인 일의 계기가 되는 기발한 생각이나 자극.

1 다음 문장의 빈칸에 들어갈 알맞은 말을 오늘의 어휘 에서 찾아 쓰세요.

• 그 책을 쓴 [　　　　] 는 외국인이다.

• 이 영화를 보고 새로운 [　　　　] 이 떠올랐다.

• 새로운 제도를 [　　　　] 하자 사람들의 불만이 많았다.

• 이 옷감은 세균 [　　　　] 을 막는 특수 처리가 되어 있다.

• 학급 회의를 통해 [　　　　] 한 규칙은 모두가 지켜야 한다.

2 다음 글에서 밑줄 친 말과 뜻이 비슷한 말을 찾아 두 글자로 쓰세요.

전기는 한 사람이 평생 동안 한 일이나 업적을 적은 기록을 뜻한다. 전기 중에서 <u>작자</u> 자신의 일생을 소재로 스스로 쓰거나, 다른 사람에게 말하여 대신 쓰게 한 전기를 자서전이라 한다. 자서전은 저자와 화자, 주인공이 같다는 특징이 있다.

(　　　　　　　　　)

KEY WORD

윤이상

글자 수

| 400 | 600 | 800 | 830 1000 |

동서양의 음악 중계자 윤이상

1 윤이상은 살아생전에 유럽 평론가들에게 '유럽에 현재 존재하는 5대 작곡가'로 선정될 만큼 세계적인 음악가였다. 하지만 정작 우리나라에서는 그 이름이 많이 알려지지 않았다.

2 1917년에 경상남도 산청에서 태어난 윤이상은 일본 오사카 음악학교에서 공부를 마친 후, 1937년에 통영에 와서 음악 교사로 일하며 작곡 활동을 했고, 한편으로 항일 운동을 하기도 했다. 윤이상은 1956년에 유럽으로 유학을 떠났고, 1964년부터는 독일 베를린에 정착하여 당대의 **거장**들과 교류하며 세계적 음악가로 명성을 쌓는 등 활발한 음악 활동을 했다.

3 그러던 중 1967년, 윤이상은 1963년에 북한을 방문했던 일로 이른바 '동베를린 사건'에 **연루**되어 감옥에 갇히게 된다. 감옥 안에서 완성한 오페라 「나비의 미망인」 악보가 독일로 보내져 처음 공연되면서, 윤이상을 **구명**하기 위한 **여론**이 널리 퍼졌다. 당시 200여 명의 세계적인 음악가들이 한국 정부에 항의하는 등 국제적인 문제로까지 번지자, 결국 한국 정부는 1969년에 특별 **사면**으로 윤이상을 풀어 주었다. 이후 윤이상은 다시 독일로 돌아가서 죽을 때까지 조국 땅을 밟지 못했다.

4 1971년에 윤이상은 독일에 **귀화**하였고, 1972년에 그가 만든 오페라 「심청」이 뮌헨 올림픽의 **서막**을 열게 되면서 더욱 유명해졌다. 윤이상은 오페라 「심청」처럼 동양과 서양의 음악을 결합시킴으로써 세계 음악사의 새로운 시대를 연 작곡가로 평가받는다. 이 때문에 그를 동양과 서양의 음악을 이어 주는 사람이라고 부른다. 윤이상은 우리나라에서는 사상의 자유가 없어 **암울했던** 시대의 흐름 속에서 잊혀진 작곡가였지만, 세계의 예술가들이 먼저 그의 가치를 인정하고 있었던 것이다.

5

10

15

20

- **중계자**(中 가운데 중, 繼 이을 계, 者 놈 자) 중간에서 이어 주는 사람.
- **거장**(巨 클 거, 匠 장인 장) 예술, 과학 등의 어느 일정 분야에서 특히 뛰어난 사람.
- **연루**(連 잇닿을 연, 累 묶을 루) 남이 저지른 범죄에 연관됨.
- **구명**(救 구원할 구, 命 목숨 명) 사람의 목숨을 구함.
- **여론**(輿 수레 여, 論 논의할 론) 사회의 수많은 사람의 공통된 의견.
- **사면**(赦 용서할 사, 免 면할 면) 법적으로 죄를 용서하여 벌을 받지 않게 함.
- **귀화**(歸 돌아올 귀, 化 될 화) 다른 나라의 국적을 얻어 그 나라의 국민이 되는 일.
- **서막**(序 차례 서, 幕 막 막) 일의 시작.
- **암울**(暗 어두울 암, 鬱 막힐 울)**했던** 희망이 없고 우울했던.

지문 독해

설명 대상

1 이 글에서 설명하고 있는 인물을 찾아 쓰세요.

(   )

전개 방식

2 이 글의 설명 방법으로 알맞은 것은 무엇인가요? (   )

① 대상의 구성 요소를 설명하고 있다.

② 시간의 흐름에 따라 설명하고 있다.

③ 두 대상의 다른 점을 설명하고 있다.

④ 두 대상의 같은 점을 설명하고 있다.

⑤ 일정한 기준에 따라 나누어 설명하고 있다.

내용 이해

3 이 글의 내용과 일치하지 <u>않는</u> 것은 무엇인가요? (   )

① 윤이상은 동베를린 사건에 연루되어 감옥에 갇혔다.

② 윤이상이 작곡한 오페라가 뮌헨 올림픽의 서막을 열었다.

③ 윤이상은 독일에 귀화한 후, 조국 땅을 밟지 못하고 죽었다.

④ 윤이상은 유럽 평론가들에게 인정받은 세계적인 작곡가이다.

⑤ 윤이상은 감옥에 가기 전에 오페라 「나비의 미망인」을 완성했다.

추론하기

4 이 글을 읽고 반 친구들에게 윤이상을 알리기 위한 글을 쓴다고 할 때, 다음 중 글의 제목으로 가장 알맞은 것은 무엇인가요? (   )

① 오페라 「심청」

② 독일에 귀화한 윤이상

③ 인간과 자연을 조화시킨 윤이상

④ 동양과 서양의 음악을 이어 준 윤이상

⑤ 동베를린 사건으로 시련을 겪은 윤이상

1 문단 요약 **각 문단의 중심 내용을 알맞게 선으로 이으세요.**

1 문단 •   • 윤이상의 음악사적 의의

2 문단 •   • 윤이상의 음악 공부와 활동

3 문단 •   • 동베를린 사건에 연루된 윤이상

4 문단 •   • 세계적인 음악가이지만 우리나라에서는 잘 알려지지 않은 윤이상

2 글의 구조 **다음 빈칸을 채워 이 글의 내용을 정리해 보세요.**

1917년	경상남도 산청에서 태어남.
1937년	( )에서 음악 교사로 일하며 작곡 활동을 함.
1956년	유럽으로 ( )을 떠남.
1964년	독일 ( )에 정착하여 활발한 음악 활동을 함.
1967년	동베를린 사건에 연루되어 감옥에 갇힘.
1969년	특별 ( )으로 풀려나서 독일로 돌아감.
1971년	독일에 귀화함.
1972년	오페라 ( )이 뮌헨 올림픽의 서막을 열어 유명해짐.

배경지식 **『심청전』의 등장인물**

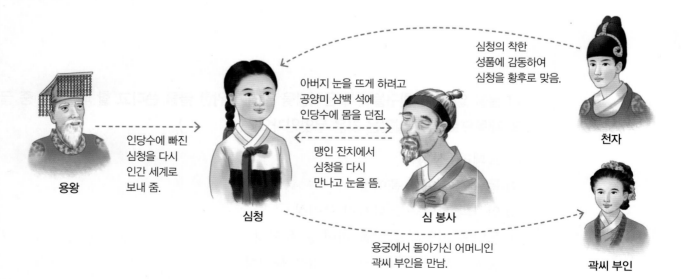

용왕

인당수에 빠진 심청을 다시 인간 세계로 보내 줌.

심청

아버지 눈을 뜨게 하려고 공양미 삼백 석에 인당수에 몸을 던짐.

맹인 잔치에서 심청을 다시 만나고 눈을 뜸.

심 봉사

심청의 착한 성품에 감동하여 심청을 황후로 맞음.

천자

용궁에서 돌아가신 어머니인 곽씨 부인을 만남.

곽씨 부인

다음 낱말의 알맞은 뜻을 찾아 선으로 이으세요.

구명 •   • 사람의 목숨을 구함.

여론 •   • 희망이 없고 우울했던.

사면 •   • 사회의 수많은 사람의 공통된 의견.

귀화 •   • 법적으로 죄를 용서하여 벌을 받지 않게 함.

암울했던 •   • 다른 나라의 국적을 얻어 그 나라의 국민이 되는 일.

1 다음 문장의 빈칸에 들어갈 알맞은 말을 오늘의 어휘 에서 찾아 쓰세요.

- 저 선수는 [   ]해서 한국 선수로 뛰고 있다.

- [   ]을 정책에 반영하는 것은 중요한 일이다.

- 신속한 구조 활동으로 모든 사람이 무사히 [   ]되었다.

- 일본이 우리나라를 점령했던 36년간은 무척 [   ] 시기였다.

- 한 시민 단체에서는 그 사람의 [   ]을 요구하는 입장문을 발표했다.

2 다음 글에서 밑줄 친 말과 뜻이 비슷한 말을 찾아 네 글자로 쓰세요.

일제 강점기는 일본에 나라를 빼앗긴 1910년부터 해방된 1945년까지의 민족 수난기를 뜻한다. 암담했던 이 시기에 일본에 저항하는 시를 썼던 대표적인 시인이 바로 이육사와 윤동주였다. 두 사람은 암울했던 일제 강점기에 조국의 안타까운 현실을 시를 통해 표현했던 저항 시인이었다.

(   )

환경 01

KEY WORD

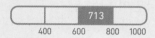
생태계 교란 생물

글자 수

		713		
400	600	800	1000

생태계 교란 생물의 심각성

1 자연의 생태계는 **먹이 사슬**의 가장 아래 단계에서 위 단계로 올라갈수록 **개체** 수가 줄어드는 피라미드 구조를 띤다. 쉽게 말해 잡아먹히는 생물이 잡아먹는 생물보다 번식력이 강해서 개체 수가 많다. 그러나 이러한 생태계의 균형을 깨뜨리는 동식물인 생태계 **교란** 생물이 늘고 있다.

2 생태계 교란 생물은 외국으로부터 인위적 또는 자연적으로 국내에 **유입**된 생물 중에서 생태계의 균형을 교란하거나 교란할 우려가 있는 생물을 말한다. 생태계 교란 생물은 대부분 번식력이 매우 강해서 한번 유입되면 **토종** 생물을 **잠식**하여 생태계의 균형을 파괴하는 심각한 문제를 일으킨다.

3 생태계 교란 생물의 강한 번식력과 **식성**은 이들을 주의해야 하는 가장 큰 이유이다. 우리나라의 대표적인 생태계 파괴 **주범**인 황소개구리는 원래 북아메리카 일부 지역에서 살던 개구리였다. 우리나라에서 한때 식용을 목적으로 수입했던 것이 야생에서 급격하게 번식하여 문제를 일으켰다. 황소개구리는 청개구리와 쥐, 뱀까지 잡아먹는 식성을 갖고 있다. 그러다 보니 황소개구리 때문에 한국 토종 청개구리의 개체 수가 급격히 줄어들게 되었다.

4 우리나라에서는 법률을 만들어 생태계 교란 생물로 지정된 동식물들을 엄격하게 관리하고 있다. 생물 다양성 보전 및 이용에 관한 법률에 의해 지정된 생태계 교란 생물은 2021년 기준 총 35종으로, 누구든지 생태계 교란 생물을 자연에 풀어놓거나 기르면 안 되며 수입하거나 판매하는 것도 금지되었다.

5

10

15

20

● **먹이 사슬** 생태계에서 먹이를 중심으로 이어진 생물 간의 관계.

● **개체**(個 낱 개, 體 몸 체) 전체나 집단에 대하여 하나하나의 낱개를 이르는 말.

● **교란**(攪 어지러울 교, 亂 어지러울 란) 마음이나 상황 등을 뒤흔들어서 어지럽고 혼란하게 함.

● **유입**(流 흐를 유, 入 들 입) 어떤 곳으로 들어옴.

● **토종**(土 흙 토, 種 씨 종) 본디부터 그곳에서 나는 종자.

● **잠식**(蠶 누에 잠, 食 먹을 식) 누에가 뽕잎을 먹듯이 점차 조금씩 침략하여 먹어 들어감.

● **식성**(食 먹을 식, 性 성품 성) 음식에 대하여 좋아하거나 싫어하는 성질.

● **주범**(主 주인 주, 犯 범할 범) 어떤 일에 대하여 좋지 않은 결과를 만드는 주된 원인.

지문 독해

핵심어

1 이 글에서 가장 중심이 되는 말을 찾아 일곱 글자로 쓰세요.

(   )

전개 방식

2 문단 **1**~**4**의 설명 방법으로 알맞은 것을 모두 찾아 ○표를 하세요.

(1) **1** : 구체적인 수치를 언급하며 설명하고 있다.   (   )

(2) **2** : 뜻을 자세하게 풀어서 설명하고 있다.   (   )

(3) **3** : 실제 사례를 들어 설명하고 있다.   (   )

(4) **4** : 대상을 이루는 구성 요소를 설명하고 있다.   (   )

내용 이해

3 이 글을 읽고 알 수 있는 생태계 교란 생물의 특성으로 알맞지 <u>않은</u> 것은 무엇인가요? (   )

① 번식력이 매우 강하다.

② 먹이 사슬을 교란시킨다.

③ 다양한 생물이 공존하게 한다.

④ 토종 생물의 개체 수를 감소시킨다.

⑤ 생태계의 피라미드 균형을 깨뜨린다.

추론하기

4 이 글을 읽고 추가로 할 수 있는 질문으로 알맞지 <u>않은</u> 것은 무엇인가요?

(   )

① 먹이 사슬의 각 단계에는 어떤 생물이 있나요?

② 황소개구리 외에 생태계 교란 생물에는 어떤 것이 있나요?

③ 황소개구리가 우리나라에 들어오게 된 까닭은 무엇인가요?

④ 황소개구리 때문에 생긴 문제를 어떤 방법으로 해결했나요?

⑤ 생태계 교란 생물 관련 법률을 어기면 어떤 벌을 받게 되나요?

지문 분석

1 문단 요약 　각 문단의 중심 내용을 알맞게 선으로 이으세요.

1 문단 •

2 문단 •

3 문단 •

4 문단 •

• 생태계 교란 생물의 뜻과 심각성

• 우리나라 생태계 교란 생물 관련 법률

• 생태계의 균형을 깨뜨리는 생태계 교란 생물

• 생태계 교란 생물이 문제가 되는 이유와 사례

2 글의 구조 　다음 빈칸을 채워 이 글의 내용을 정리해 보세요.

생태계 (　　　　) 생물

문제점	해결 방안
(　　　　)이 매우 강해서 한 번 유입되면 토종 생물을 잠식하여 (　　　　)의 균형을 파괴함.	(　　　　)을 만들어 생태계 교란 생물로 지정된 동식물들을 엄격하게 (　　　　)하고 있음.

배경지식 　**생태계의 먹이 사슬**

식물　　　초식 동물　　　육식 동물　　　육식 동물　　　육식 동물

생산자　　　1차 소비자　　　2차 소비자　　　3차 소비자　　　최종 소비자

식물성 플랑크톤　　　동물성 플랑크톤　　　육식 동물　　　육식 동물　　　육식 동물

오늘의
어휘

다음 낱말의 알맞은 뜻을 찾아 선으로 이으세요.

유입	•	• 어떤 곳으로 들어옴.
토종	•	• 본디부터 그곳에서 나는 종자.
잠식	•	• 음식에 대하여 좋아하거나 싫어하는 성질.
식성	•	• 어떤 일에 대하여 좋지 않은 결과를 만드는 주된 원인.
주범	•	• 누에가 뽕잎을 먹듯이 점차 조금씩 침략하여 먹어 들어감.

1 다음 문장의 빈칸에 들어갈 알맞은 말을 〔오늘의 어휘〕에서 찾아 쓰세요.

- 우리 ▢ 농산물을 즐겨 먹고 있다.
- 과식하는 습관이 성인병의 ▢ 이다.
- 아빠께서는 ▢ 이 까다로운 편이시다.
- 오늘날 영어가 우리말을 ▢ 하고 있다.
- 외국 제품의 ▢ 으로 우리나라 산업이 피해를 입었다.

2 다음 글에서 밑줄 친 말과 뜻이 반대되는 말을 찾아 두 글자로 쓰세요.

배스는 북아메리카 북부가 원산지인 <u>외래종</u> 물고기로, 1973년에 양식을 목적으로 국내에 들여왔다. 하지만 여러 가지 이유로 배스 양식이 힘들어졌고, 결국 배스가 강을 따라 퍼져 나가면서 토종 생태계에 큰 피해를 주게 되었다.

(   )

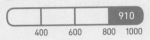

㉠ 발전을 위한 노력

1 물이 한 병밖에 없는데 먼저 들어온 ㉮형이 다 마셔 버리면 늦게 들어온 ㉯동생은 ㉰마실 물이 없게 된다. 마찬가지로 미래 세대를 생각하지 않고 현재를 살기 위해 지구에 남아 있는 자원을 모두 끌어다 쓴다면 인류의 **지속** 가능한 발전은 불가능하다. 그렇다면 지속 가능한 발전을 위해 어떤 노력들이 필요할까?

2 첫째, 지속 가능한 발전을 위한 환경적 차원의 노력이다. 친환경 에너지와 **대체** 에너지를 개발해서 자원 **고갈**에 대비하고 환경 오염을 막는 것도 물론 중요하지만, 인간 중심적인 사고방식을 전환하는 것이 우선되어야 한다. 인간과 자연이 공존할 수 있는 방안을 전 지구적 차원에서 함께 **모색**해야 한다.

3 둘째, 지속 가능한 발전을 위한 경제적 차원의 노력이다. 생산자는 상품을 생산할 때 환경에 미치는 영향을 고려해야 한다. 친환경적인 생산 기술을 개발하고, 제품을 사용한 후 버려지는 쓰레기를 최소화할 수 있는 방법을 연구해야 한다. 또한 나중에 재활용이 가능하도록 제품 설계 단계에서부터 미리 고민한다면 지속 가능한 생산이 이루어질 수 있다. 한편 소비자는 일회용품 사용을 줄여서 쓰레기 배출을 최소화해야 한다. 또한 되도록 친환경 제품을 사용하면서 자신의 소비가 환경에 미치는 영향을 생각해 보아야 한다.

4 셋째, 지속 가능한 발전을 위한 사회적 차원의 노력이다. 개인뿐만 아니라 우리 모두, 그리고 미래 세대까지 포함한 모든 인간은 똑같이 존중받아야 한다. 이를 바탕으로 나와 다른 사람, 다른 나라의 안전과 이익도 배려하는 진정한 **공동체** 의식을 가진다면, 지구 온난화나 기후 변화와 같은 전 지구적인 위험을 함께 극복해 나갈 수 있다.

5 우리는 이전 세대에게서 물려받은 지구를 다음 세대에 잘 물려줄 의무가 있다. 따라서 지구가 허용하는 범위 내에서 환경, 경제, 사회를 조화롭게 발전시켜 나가는 일은 우리가 **지향**해야 할 중요한 가치이다.

5
10
15
20
25

KEY WORD

지속 가능한 발전

글자 수

910
400 600 800 1000

- **지속**(持 가질 지, 續 이을 속) 어떤 상태가 오래 계속됨. 또는 어떤 상태를 오래 계속함.

- **대체**(代 대신할 대, 替 바꿀 체) 다른 것으로 대신함.

- **고갈**(枯 마를 고, 渴 목마를 갈) 다 써서 없어짐.

- **모색**(摸 본뜰 모, 索 찾을 색) 일이나 사건 등을 해결할 수 있는 방법이나 실마리를 더듬어 찾음.

- **공동체**(共 함께 공, 同 같을 동, 體 몸 체) 생활이나 행동 또는 목적 등을 같이하는 집단.

- **지향**(志 뜻 지, 向 향할 향) 어떤 목표로 뜻이 쏠리어 향함.

지문 독해

1 이 글의 제목으로 어울리도록 ㉠에 들어갈 알맞은 말을 다섯 글자로 쓰세요.

제목

(   )

내용 이해

2 이 글을 통해 알 수 있는 내용을 모두 찾아 ○표를 하세요.

(1) 지속 가능한 발전의 필요성   (   )

(2) 지속 가능한 발전을 위한 환경적 차원의 노력   (   )

(3) 지속 가능한 발전을 위해 소비자가 할 수 있는 노력   (   )

(4) 지속 가능한 발전이 인간에게 가져다주는 경제적 이익   (   )

내용 이해

3 다음 중 ㉮~㉰가 의미하는 것으로 알맞은 것은 무엇인가요? (   )

	㉮ '형'	㉯ '동생'	㉰ '마실 물'
①	과거 세대	현재 세대	쓰레기
②	현재 세대	과거 세대	지구 자원
③	현재 세대	미래 세대	지구 자원
④	미래 세대	과거 세대	쓰레기
⑤	미래 세대	현재 세대	지구 자원

적용하기

4 이 글에서 알 수 있는 지속 가능한 발전을 위한 노력으로 적절하지 <u>않은</u> 것은 무엇인가요? (   )

① 생산자는 제품을 설계할 때부터 되도록 재활용이 가능하도록 고민한다.

② 친환경 에너지, 대체 에너지를 개발해서 자원 고갈과 환경 오염을 막는다.

③ 인간 중심적인 사고를 버리고, 인간과 자연이 공존할 수 있는 방안을 찾는다.

④ 미래 세대까지 포함하여 모든 사람의 안전과 이익을 배려하는 공동체 의식을 갖는다.

⑤ 전 지구적 위험은 개인이 어찌할 수 없으므로 국가적 차원의 적극적인 정책을 마련한다.

지문 분석

1 문단 요약   다음 빈칸을 채워 각 문단의 중심 내용을 정리해 보세요.

1문단	( ) 가능한 ( )을 위한 노력의 필요성
2문단	지속 가능한 발전을 위한 ( ) 차원의 노력
3문단	지속 가능한 발전을 위한 ( ) 차원의 노력
4문단	지속 가능한 발전을 위한 ( ) 차원의 노력
5문단	우리가 ( )해야 할 중요한 가치인 지속 가능한 발전

2 글의 구조   다음 빈칸을 채워 이 글의 내용을 정리해 보세요.

지속 가능한 발전을 위한 노력

환경적 차원
- (   ) 에너지와 대체 에너지를 개발함.
- (   ) 중심적인 사고방식을 전환함.

경제적 차원
- 생산자 : 상품을 생산할 때 (   )에 미치는 영향을 고려함.
- 소비자 : (   ) 사용을 줄이고 친환경 제품을 사용함.

사회적 차원
- (   ) 세대까지 포함한 모든 인간을 똑같이 존중함.
- (   ) 의식을 갖고 전 지구적인 위험을 함께 극복해 나가도록 함.

배경지식   친환경 에너지의 종류

태양광(태양열) 발전
태양의 빛과 열을 이용함.

풍력 발전
바람을 이용함.

조력 발전
밀물과 썰물의 차이를 이용함.

지열 발전
땅속에서 나오는 증기를 이용함.

바이오매스 발전
농축산 폐기물 등을 활용함.

수력 발전
물의 힘을 이용함.

동아출판 초등 무료 스마트러닝

동아출판 초등 **무료 스마트러닝**으로 쉽고 재미있게!

큐브 유형 2-1 동영상 강의

각종 경시대회에 출제되는 응용, 심화 문제를 통해 실력을 한 단계 높일 수 있습니다.

과목별·영역별 특화 강의

수학 개념 강의

국어 독해 지문 분석 강의

구구단 송

그림으로 이해하는 비주얼씽킹 강의

과학 실험 동영상 강의

과목별 문제 풀이 강의

서비스 제공 교재 큐브 | 백점 과학 | 빠작 초등 국어 | 초능력 | 초고필 | 하이탑 초등 과학

바른 독해의 **빠른**시작

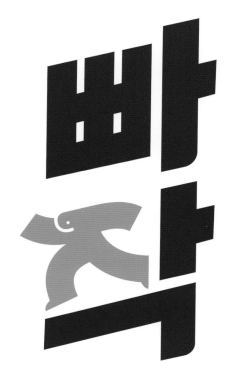

빠작

정답과 해설

초등 국어

비문학 독해 **4**단계
3·4학년

동아출판

- **글의 종류** 설명하는 글
- **글의 특징** 이 글은 '산통 깨다'라는 표현의 두 가지 어원을 통해 그 의미가 무엇인지를 설명하는 글입니다.
- **글의 주제** '산통 깨다'의 어원과 의미

013쪽 　지문 독해

1 산통 깨다 　**2** (1) ○ (3) ○ 　**3** ④ 　**4** ①

1 이 글은 '산통 깨다'의 두 가지 어원을 통해 그 의미를 설명하는 글입니다.

2 이 글은 '산통 깨다'의 어원을 각각 '산통계'와 '산통점'에서 유래되었다고 보는 두 가지 설을 설명하고 있으므로 (1)과 (3)은 이 글을 통해 알 수 있는 내용으로 적절합니다.

　오답 풀이
(2) ❷문단에 '계'에 대한 설명이 있지만 곗돈을 통한 목돈 마련의 중요성에 대한 내용은 나타나 있지 않습니다.
(4) ❷문단에는 곗돈 받는 순서를 정하는 '산통계'에 대한 방법만 설명되어 있어서 그 외의 다른 방법은 이 글을 통해 알 수 없습니다.

3 '산통 깨다'의 의미는 무난하게 잘 진행되는 일을 그르치게 하거나 일이 안 되도록 끼어들어 훼방하는 것입니다.

　유형 분석/추론하기
글의 내용을 통해 '산통 깨다'의 의미를 추론하는 문제입니다. '산통계'와 '산통점'에서 유래되었다는 설명에서 각 상황의 공통점에 주목하며 '산통 깨다'의 의미를 생각해 봅니다.

4 '다 된 죽에 코 풀기'는 거의 다 된 일을 망쳐 버리는 주책없는 행동을 비유하는 말이므로 '산통 깨다'와 비슷한 뜻으로 볼 수 있습니다.

　오답 풀이
② 일이 이미 잘못된 뒤에는 손을 써도 소용이 없다는 뜻입니다.
③ 좋은 일을 기대하고 갔다가 도리어 안 좋은 일을 당하고 돌아오는 것을 뜻합니다.
④ 형편이 전에 비하여 나아진 사람이 지난날의 미천하거나 가난했던 것을 생각하지 않고 처음부터 잘난 듯이 뽐내는 것을 비유하는 말입니다.
⑤ 허물이 더 많으면서 자기의 허물은 생각하지 않고 도리어 허물이 적은 자를 나무라는 것을 의미합니다.

　유형 분석/어휘·어법
글에 제시된 관용 표현과 비슷한 의미의 속담을 찾는 문제입니다. 각 속담의 상황을 떠올려 보고 그 의미를 짐작해 보도록 합니다.

014쪽 　지문 분석

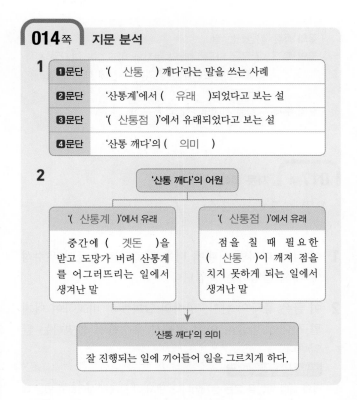

1 ❶문단에서는 '산통 깨다'라는 말을 어떤 상황에서 쓰는지 소개하고, ❷~❸문단에서는 '산통계'에서 유래되었다는 입장과 '산통점'에서 유래되었다고 보는 입장을 각각 설명하였습니다. ❹문단에서는 두 가지 설에서 공통적인 의미를 이끌어 내어 '산통 깨다'의 의미를 설명하고 있습니다.

2 이 글은 '산통 깨다'의 어원을 두 가지 설로 나누어 설명하고 있습니다.

015쪽 　오늘의 어휘

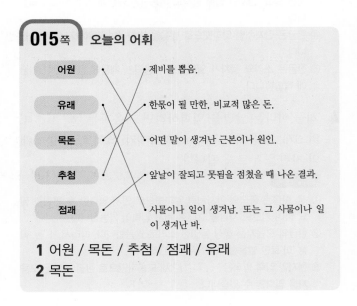

1 어원 / 목돈 / 추첨 / 점괘 / 유래
2 목돈

- **글의 종류** 설명하는 글
- **글의 특징** 이 글은 다른 나라의 문자와 비교하여 디지털 시대에 더 돋보이는 한글의 우수성에 대해 설명하는 글입니다.
- **글의 주제** 디지털 시대의 한글의 우수성

017쪽 지문 독해

1 ① **2** ② **3** ① **4** ③

1 이 글은 디지털 시대에 더욱 강조되는 한글의 우수성에 대해 설명하는 글입니다.

2 이 글은 중국의 한자, 영어의 알파벳과 비교하여 디지털 시대에 한글이 어떤 점에서 우수한지 설명하는 글입니다.

유형 분석 / 전개 방식

글의 설명 방법을 묻는 문제입니다. 먼저 이 글에서 설명하고 있는 대상이 정확히 무엇인지 확인해야 합니다. 그리고 그 대상을 잘 설명하기 위해 사용하고 있는 방법을 생각합니다.

3 ❸문단에서 한글은 소리와 글자가 일대일로 대응되기 때문에 음성 인식 기술에 최적의 문자라고 하였습니다.

오답 풀이

② ❸문단에서 한글 'ㅏ'는 언제든지 '아'로만 발음한다고 설명하고 있습니다.
③ 한글은 자음자 14개와 모음자 12개의 키보드 자판을 그대로 치기만 하면 되고, 천지인 입력 방식도 이용하기 때문에 입력 속도가 빠릅니다.
④ 한글은 한자처럼 알파벳으로 발음을 변환하여 입력하지 않아도 됩니다.
⑤ 한글은 소리와 글자가 일대일로 대응되기 때문에 음성 인식 기술에 적합합니다.

4 '하늘'이라는 낱말을 입력하려면 자음자는 'ㅎ, ㄴ, ㄹ'의 3개, 모음자는 'ㅏ, ㅡ'의 2개가 쓰이므로, 총 5개의 자판을 누르게 됩니다.

오답 풀이

①, ④ 한글은 중국의 한자처럼 알파벳으로 먼저 입력한 후 변환할 필요 없이 키보드 자판을 그대로 쳐서 입력이 가능합니다.
② 한글의 모음자는 항상 동일한 소리로 발음합니다. 따라서 'ㅏ'는 항상 '아'로만 발음합니다.
⑤ 천지인 입력 방식은 'ㆍ, ㅡ, ㅣ' 세 모음자만으로 한글의 모든 모음자를 입력할 수 있습니다.

018쪽 지문 분석

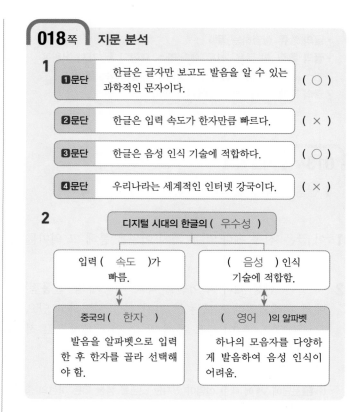

1
❶문단 | 한글은 글자만 보고도 발음을 알 수 있는 과학적인 문자이다. (○)
❷문단 | 한글은 입력 속도가 한자만큼 빠르다. (×)
❸문단 | 한글은 음성 인식 기술에 적합하다. (○)
❹문단 | 우리나라는 세계적인 인터넷 강국이다. (×)

2
디지털 시대의 한글의 (우수성)

입력 (속도)가 빠름. → 중국의 (한자) 발음을 알파벳으로 입력한 후 한자를 골라 선택해야 함.

(음성) 인식 기술에 적합함. → (영어)의 알파벳 하나의 모음자를 다양하게 발음하여 음성 인식이 어려움.

1 ❷문단에서는 중국의 한자에 비해 입력 속도가 훨씬 빠른 한글의 장점을 소개하고 있습니다. ❹문단에서는 디지털 시대에 강조되는 한글의 우수성을 설명하고 있습니다.

2 이 글은 디지털 시대의 한글의 우수성을 다른 문자와 비교하여 설명하고 있습니다.

019쪽 오늘의 어휘

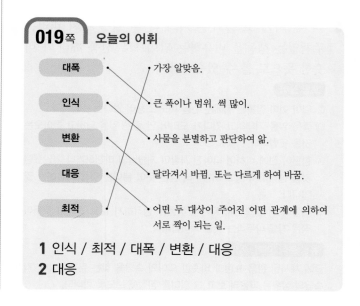

대폭 • • 가장 알맞음.
인식 • • 큰 폭이나 범위. 썩 많이.
변환 • • 사물을 분별하고 판단하여 앎.
대응 • • 달라져서 바뀜. 또는 다르게 하여 바꿈.
최적 • • 어떤 두 대상이 주어진 어떤 관계에 의하여 서로 짝이 되는 일.

1 인식 / 최적 / 대폭 / 변환 / 대응
2 대응

- **글의 종류** 설명하는 글
- **글의 특징** 이 글은 의미와 길이에 따라 나뉘는 부정문의 종류를 구체적인 예를 통해 설명하는 글입니다.
- **글의 주제** 부정문의 종류와 올바른 사용

021쪽 지문 독해

1 부정문   **2** ③   **3** ④   **4** ③

1 이 글은 의미와 길이에 따른 부정문의 종류를 설명하는 글입니다.

2 이 글은 부정문의 종류를 구분하면서 각각 예를 들어 설명하고 있습니다.

3 **4**문단에서 '알다'는 '알지 못하다'와 같이 긴 부정문은 쓰지만, '못 알다'와 같이 짧은 부정문은 쓰지 않는다고 하였습니다. 그러나 긴 부정문이 아닌 짧은 부정문만 써야 하는 말에 대한 언급은 이 글에 없습니다. 따라서 ④는 이 글을 통해 답을 알 수 없는 질문입니다.

〔오답 풀이〕
① 명령문은 화자가 청자에게 어떤 행동을 할 것을 요구하는 문장이고, 청유문은 화자가 청자에게 어떤 행동을 함께 할 것을 부탁하는 문장입니다.(**3**문단)
② 부정문은 의미와 길이라는 기준에 따라 종류를 나눌 수 있습니다.(**1**문단)
③ 명령문이나 청유문은 '안'이나 '못' 부정문을 쓸 수 없고, '예쁘다'라는 말에도 '못' 부정문이 사용되지 않습니다.(**3**, **4**문단)
⑤ 주체의 의지에 따른 부정문에는 '안' 또는 '-지 않다'라는 표현을 사용합니다.(**2**문단)

〔유형 분석/추론하기〕
주어진 글에서 각 선지의 질문에 대한 답을 찾을 수 있는가를 묻는 문제입니다. 각 질문의 답이 글에 제시되지 않았다면 답을 알 수 없다는 것에 주목합니다.

4 ⨶는 '-지 않다'가 사용되었으므로, '안' 부정문이자 긴 부정문에 해당합니다.

〔오답 풀이〕
① ㉮는 주체의 의지에 따른 '안' 부정문이자 짧은 부정문입니다.
② ㉯는 주체의 능력 부족 또는 외부 원인에 따른 '못' 부정문이자 짧은 부정문입니다.
④ ㉺는 주체의 능력 부족 또는 외부 원인에 따른 '못' 부정문이자 긴 부정문입니다.
⑤ ㉽는 청유문에 사용된 '-지 말다' 부정문입니다.

022쪽 지문 분석

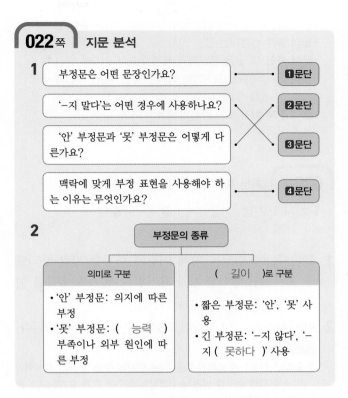

1 이 글의 **1**문단에서는 부정문의 뜻과 예를 제시하고, **2**문단에서는 '안'과 '못' 부정문을, **3**문단에서는 '-지 말다' 부정문을 설명하였습니다. **4**문단에서는 맥락에 맞게 부정 표현을 사용해야 함을 강조하고 있습니다.

2 이 글은 부정문의 종류를 의미와 길이에 따라 나누어 설명하고 있습니다.

023쪽 오늘의 어휘

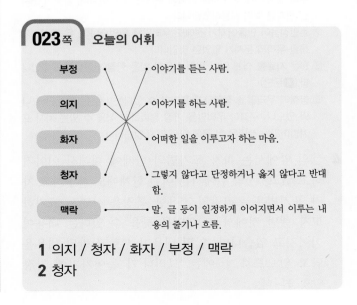

1 의지 / 청자 / 화자 / 부정 / 맥락
2 청자

- **글의 종류** 설명하는 글
- **글의 특징** 이 글은 훈민정음 창제 이전에 한자를 빌려서 우리말을 표기했던 방식인 향찰, 이두, 구결을 설명하는 글입니다.
- **글의 주제** 차자 표기 방식의 종류와 의의

025쪽 지문 독해

1 차자 표기법　　**2** ④　　**3** ④　　**4** ④

1 글쓴이는 훈민정음 창제 이전에 한자를 빌려 우리말을 표기했던 방식인 차자 표기법의 세 가지 종류를 설명하기 위해 이 글을 썼습니다.

2 이 글에는 구결이 사라진 까닭은 언급되지 않았습니다.

오답 풀이

① 향찰은 실질적인 의미가 있는 말은 한자의 뜻을 빌리고, 형식적인 말은 한자의 소리를 빌려서 우리말의 어순에 맞게 표기한다고 하였습니다.(**2**문단)
② 이두는 관공서에서 공적인 문서를 작성할 때 주로 쓰였다고 하였습니다.(**3**문단)
③ 차자 표기법의 종류에는 향찰, 이두, 구결이 있다고 하였습니다.(**1**문단)
⑤ 차자 표기법은 한자를 알아야 사용할 수 있었으므로 일반 백성들은 쓰지 못했다는 한계가 있다고 하였습니다.(**5**문단)

3 **2**문단과 **3**문단에 따르면 향찰과 이두는 우리말 어순에 맞게 표기하는 방식입니다.

오답 풀이

① 우리 조상이 우리 문자를 중국에 빌려준 것이 아니라, 중국의 문자인 한자를 빌려 사용하였습니다.
② 훈민정음이 만들어지기 전에도 우리말은 있었습니다. 우리말을 기록할 우리의 문자가 없었던 것입니다.
③ 한문 자료를 쉽게 읽기 위해 사용한 것은 향찰이 아니라 구결입니다.(**4**문단)
⑤ 향찰이 우리말을 정확하게 표기할 수 있다는 내용은 **2**문단에 나와 있으나, 구결이 우리말을 가장 정확하게 적을 수 있는 차자 표기법이라는 설명은 이 글에 나와 있지 않습니다.

4 ㉠의 앞에서는 차자 표기법의 한계에 대해서 이야기하고 있고, ㉠의 뒤에서는 이런 한계에도 불구하고 차자 표기법은 우리말의 고유한 특징을 살려서 표기하고자 했던 것에서 그 의의를 찾을 수 있다는 내용이 이어지고 있습니다. 앞뒤 내용이 서로 상반된 내용을 담고 있으므로, ㉠에는 '그러나'가 들어가기에 가장 알맞습니다.

026쪽 지문 분석

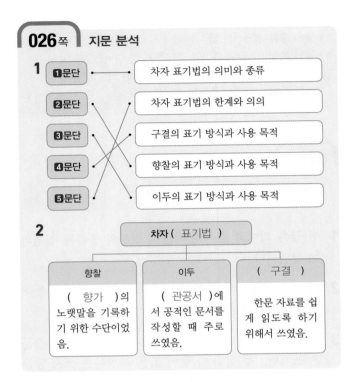

1 **1**문단에서는 차자 표기법의 의미와 종류를 소개하였고, **2**~**4**문단에서는 향찰, 이두, 구결의 표기 방식과 사용 목적을 각각 설명하였습니다. **5**문단에서는 차자 표기법의 한계와 의의를 강조하고 있습니다.

2 이 글에서는 차자 표기 방식의 종류를 향찰, 이두, 구결의 세 가지로 구분하여 각각의 사용 목적을 설명하고 있습니다.

027쪽 오늘의 어휘

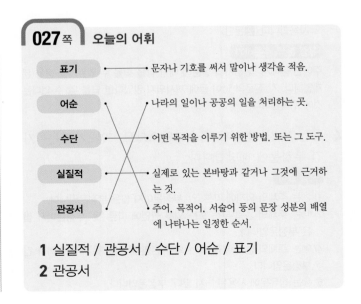

1 실질적 / 관공서 / 수단 / 어순 / 표기
2 관공서

- **글의 종류** 설명하는 글
- **글의 특징** 이 글은 비단길의 역할, 기원과 이름의 유래를 밝히고 역사적 의의를 설명하는 글입니다.
- **글의 주제** 비단길의 역할과 역사적 의의

029쪽 　지문 독해

1 비단길　**2** (1) ○　(3) ○　**3** ②　**4** ②

1 이 글은 비단길의 역할과 기원, 이름의 유래 등을 설명하는 글입니다.

2 (1) **2**문단에서 비단길을 개척한 인물은 장건으로, 그로 인해 한나라 때부터 서역과 교역이 이루어졌다고 하였습니다.
(3) **3**문단에서 비단길이라는 이름은 서양으로 전달된 동양의 물품 중 가장 인기 있었던 것이 비단이었기 때문에 붙여진 것이라고 하였습니다.

3 신라의 옛 무덤에서 로마의 유리 제품이 발굴된 적이 있었으므로 ②의 설명은 적절합니다.

　오답 풀이
① 서양의 보석이 중국으로 전해졌습니다.(**5**문단)
③ 서양으로 전해진 중국의 물품은 비단이 대표적이며, 이 외에 차, 도자기 등이 있었습니다.(**5**문단)
④ 인도의 불교가 중국에 전해졌습니다.(**5**문단)
⑤ 중국의 제지술이 서양으로 전해져 인쇄술이 발달할 수 있었습니다.(**5**문단)

4 신라는 서역과의 교역 자체를 금지한 것이 아니라, 사치가 심한 신라 귀족들에게 서역의 사치품을 쓰지 못하게 했을 뿐입니다.

　오답 풀이
① 비단길은 동서양의 상업적인 교역로이자 두 문화를 이어 주는 교통로였다고 하였습니다.(**1**문단)
③, ⑤ 동서양의 발달된 기술과 문화가 서로에게 전해지면서 더욱 발달된 기술과 문화를 꽃피웠다고 한 것으로 보아, 비단길이 동서양에 좋은 영향을 끼쳤음을 알 수 있습니다.(**5**문단)
④ '비단길'이라는 이름이 서양으로 전달된 동양의 물품 중 가장 인기 있었던 것이 비단이라서 지어진 것이라는 내용에서 짐작할 수 있습니다.(**3**문단)

　유형 분석 / 적용하기
주어진 글의 내용을 바탕으로 하여 글의 내용을 알맞게 적용한 친구를 구분해 내는 문제입니다. 비단길의 역할과 역사적 의의를 중심으로 글을 읽어 봅니다.

030쪽 　지문 분석

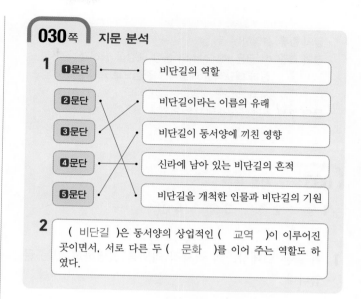

2 (비단길)은 동서양의 상업적인 (교역)이 이루어진 곳이면서, 서로 다른 두 (문화)를 이어 주는 역할도 하였다.

1 **1**문단에서는 비단길의 역할을 밝히고, **2**문단에서는 비단길을 개척한 인물과 비단길의 기원을 설명하였습니다. 그리고 **3**문단에서는 비단길이라는 이름의 유래를 설명하였고, **4**문단에서는 신라에 남아 있는 비단길의 흔적을 설명하였습니다. 마지막으로 **5**문단에서는 비단길이 동양과 서양에 끼친 영향을 설명하였습니다.

2 이 글은 비단길을 통해 동양과 서양이 주고받은 교역 물품과 기술, 종교, 문화 등을 중심으로 설명하고 있습니다.

031쪽 　오늘의 어휘

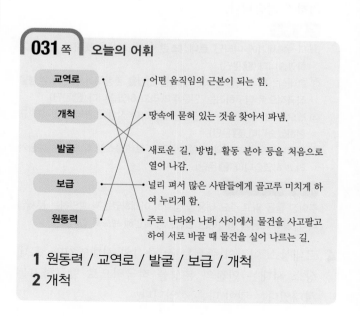

1 원동력 / 교역로 / 발굴 / 보급 / 개척
2 개척

- **글의 종류** 설명하는 글
- **글의 특징** 이 글은 르네상스의 등장 배경을 밝히고, 근본정
  신과 대표적인 예술가를 중심으로 르네상스의 역
  사적 의의를 설명하는 글입니다.
- **글의 주제** 르네상스의 역사적 의의

033쪽   지문 독해

1 ④   **2** ③   **3** ②   **4** ①

1 이 글은 르네상스의 역사적 의의를 설명하고 있는 글
입니다.

2 대상을 기준에 따라 나누어 설명하는 방법은 분류입
니다. 그러나 **4**문단에는 분류가 사용되지 않았습니다.
[오답 풀이]
① 르네상스의 대표적인 예술가와 작품을 예를 들어 설명하고 있습니
다.(**3**문단)
② '르네상스'와 '인문주의'의 뜻과 어원을 설명하고 있습니다.(**1**문단
과 **2**문단)
④ 르네상스가 등장하게 된 배경을 **1**문단에서 설명하고 있습니다.
⑤ 이전의 중세 문화와 다른 르네상스의 특징을 설명하고 있습니
다.(**2**문단)

3 **4**문단에서는 르네상스를 근대의 시작으로 볼 것인지
중세의 연속선상으로 볼 것인지 학자들마다 견해가
다양하다고 하였습니다. 따라서 르네상스 이후부터를
근대 시대라고 한다는 ②의 설명은 이 글의 내용과 일
치하지 않습니다.
[오답 풀이]
① 14~16세기에 나타난 르네상스란 부활, 재생을 뜻하는 말이라고
하였습니다.(**1**문단)
③ 르네상스의 본바탕이 되는 정신은 인간을 존중하며 인간의 본성을
적극적으로 탐구하려는 '인문주의'라고 하였습니다.(**2**문단)
④ 레오나르도 다빈치는 원근법을 활용하여 작품에 완벽한 질서를 표
현하였습니다.(**3**문단)
⑤ 레오나르도 다빈치와 미켈란젤로는 르네상스를 대표하는 예술가
라고 하였습니다.(**3**문단)
[유형 분석 / 내용 이해]
주어진 글을 읽고 주요 내용을 정확히 이해하였는지 확인하는 문제입
니다. 글의 내용과 일치하는 설명인지 확인해 보도록 합니다.

4 르네상스 이전의 중세는 신 중심의 시대였지만, 르네
상스 시대는 인간의 본성을 적극적으로 탐구하려는
시대였다는 것이 다른 점입니다.

034쪽   지문 분석

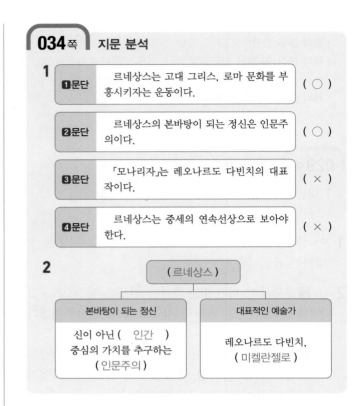

1

1문단	르네상스는 고대 그리스, 로마 문화를 부흥시키자는 운동이다.	(○)
2문단	르네상스의 본바탕이 되는 정신은 인문주의이다.	(○)
3문단	「모나리자」는 레오나르도 다빈치의 대표작이다.	(×)
4문단	르네상스는 중세의 연속선상으로 보아야 한다.	(×)

2

(르네상스)

본바탕이 되는 정신	대표적인 예술가
신이 아닌 (인간) 중심의 가치를 추구하는 (인문주의)	레오나르도 다빈치, (미켈란젤로)

1 **1**문단에서는 르네상스의 뜻과 등장 배경을, **2**문단
에서는 르네상스의 본바탕이 되는 정신인 인문주의
를, **3**문단에서는 르네상스를 대표하는 예술가인 레
오나르도 다빈치와 미켈란젤로를, **4**문단에서는 르네
상스의 역사적 의의를 설명하였습니다.

2 이 글은 르네상스의 본바탕이 되는 정신과 르네상스
의 대표적인 예술가에 대해 설명하고 있습니다.

035쪽   오늘의 어휘

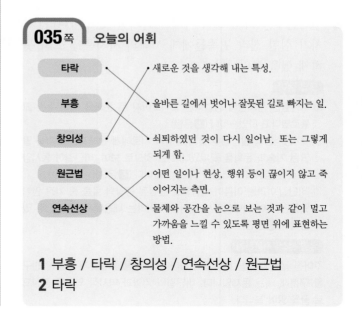

타락	새로운 것을 생각해 내는 특성.
부흥	올바른 길에서 벗어나 잘못된 길로 빠지는 일.
창의성	쇠퇴하였던 것이 다시 일어남. 또는 그렇게 되게 함.
원근법	어떤 일이나 현상, 행위 등이 끊이지 않고 죽 이어지는 측면.
연속선상	물체와 공간을 눈으로 보는 것과 같이 멀고 가까움을 느낄 수 있도록 평면 위에 표현하는 방법.

1 부흥 / 타락 / 창의성 / 연속선상 / 원근법
2 타락

- **글의 종류** 설명하는 글
- **글의 특징** 이 글은 비슷한 시기에 지어진 『삼국사기』와 『삼국유사』의 특징을 비교하여 살펴보며 두 책의 가치와 의의를 제시한 글입니다.
- **글의 주제** 『삼국사기』와 『삼국유사』의 공통점과 차이점

037쪽 　지문 독해

1 『삼국사기』, 『삼국유사』　**2** (1) 유사　(2) 사기　(3) 사기　(4) 유사　**3** ④　**4** ④

1 이 글은 고려 시대에 편찬된 역사책인 『삼국사기』와 『삼국유사』의 공통점과 차이점을 설명하며 그 특징을 비교하는 내용의 글입니다.

2 『삼국사기』는 우리나라에서 가장 오래된 역사책으로, 역사를 있는 그대로 기록한 책입니다. 『삼국유사』는 단군의 이야기가 실려 있으며, 우리의 고유한 역사를 개인이 자유롭게 기록한 책입니다.

3 『삼국사기』와 『삼국유사』가 서로 다른 특징을 지니게 된 이유는 책을 쓴 사람이 역사를 바라보는 관점이 서로 달랐기 때문이며, 이 내용은 **1**문단과 **4**문단에 제시되어 있습니다.

　유형 분석 / 추론하기
이 문제는 『삼국사기』와 『삼국유사』의 차이점이 생겨난 근본적인 이유를 생각해 보는 것입니다. 두 책이 서로 다르게 쓰인 까닭에 유의하며 주어진 글을 읽어 보기 바랍니다.

4 『삼국사기』가 중국의 형식을 그대로 따른 것은 맞지만, 그것 때문에 가치가 없다고 보는 것은 적절하지 않습니다. **4**문단에서는 두 책의 차이점 덕분에 후세 사람들이 역사를 보다 깊이 있게 이해할 수 있다는 점에서 두 책 모두 귀중한 자료라고 설명하고 있습니다.

　오답 풀이
① 『삼국사기』는 나라에서 공식적으로 만든 역사책이라고 하였습니다.(**2**문단)
② 신라를 중심으로 서술했다는 것은 두 책의 공통점이라고 하였습니다.(**1**문단)
③ 『삼국유사』에는 근거가 없고 허황된 이야기들까지 후세에 전하기 위해 기록되었습니다.(**3**문단)
⑤ 『삼국유사』는 중국 역사책의 틀을 그대로 따른 것이 아니라 자유로운 방식으로 지어졌으며, 우리 고유의 역사가 주체적인 관점에서 서술되어 있습니다.(**3**문단)

038쪽 　지문 분석

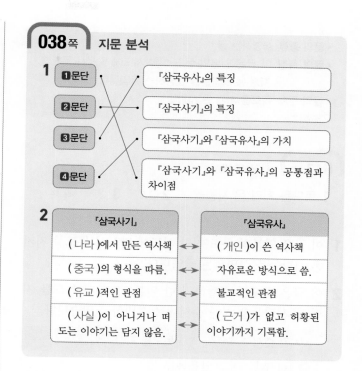

1 **1**문단에서는 『삼국사기』와 『삼국유사』의 공통점을 먼저 설명한 다음 두 책의 근본적인 차이점을 제시하고 있습니다. **2**~**3**문단에서는 각각의 책이 갖고 있는 특징을 설명함으로써 두 책의 차이점을 구체적으로 밝히고 있습니다. **4**문단에서는 두 책이 갖는 가치를 드러내고 있습니다.

2 이 글에서는 **2**문단과 **3**문단에서 『삼국사기』와 『삼국유사』의 특징을 각각 구체적으로 설명하고 있습니다.

039쪽 　오늘의 어휘

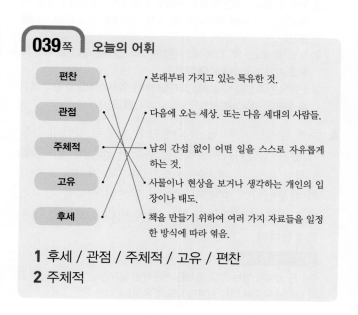

1 후세 / 관점 / 주체적 / 고유 / 편찬
2 주체적

• **글의 종류** 설명하는 글
• **글의 특징** 이 글은 일본의 독도 침탈 시도에 맞서서 독도를 지켜 온 사람들을 설명하는 글입니다.
• **글의 주제** 독도를 지켜 온 사람들

041쪽 지문 독해

1 독도를 지켜 온 사람들 **2** ① **3** ③ **4** ④

1 이 글은 일본의 독도 침탈 시도에 맞서서 독도를 지켜 온 사람들을 설명하는 글입니다.

2 이 글은 독도를 침탈하려 한 일본으로부터 독도를 지켜 낸 사람들을 시간 순서대로 설명하고 있습니다.

시간 순서	독도를 지킨 사람들
❶ 1696년	안용복
❷ 1950년대	독도 의용 수비대
❸ 1997년	이종학
❹ 오늘날	독도 경비대, 해군과 공군, 해경 들, 독도 수호대

3 독도 의용 수비대는 독도를 지켜 낸 우리나라 최초의 독도 경비대였지만 정식 군대는 아니었습니다.

〈오답 풀이〉
① 이종학은 독도와 관련된 자료를 수집하고 연구하는 데 평생을 바쳤습니다.(**4**문단)
② 독도 수호대는 일본의 억지 주장을 믿는 외국인들에게 독도를 제대로 알리기 위해 외국어로 된 독도 자료집을 만들었습니다.(**5**문단)
④ 독도 경비대는 약 30여 명의 경찰이 24시간 해안 경계를 서며 독도를 지키고 있습니다.(**5**문단)
⑤ 안용복은 조선의 바다에서 고기잡이하는 일본 어부들의 불법 행위를 일본에 강력하게 항의한 사람입니다.(**2**문단)

4 ㉠과 ㉡에는 우리 땅 독도에 대한 일본의 정반대 입장이 담겨 있습니다. ㉠에서는 독도가 조선의 영토임을 인정한 반면, ㉡에서는 독도가 자기네 땅이라고 우기기 때문입니다. 따라서 ④에서 일본이 태도를 갑자기 바꾼 것을 손바닥을 뒤집는 것에 빗대어 표현한 것은 적절합니다.

〈유형 분석 / 추론하기〉
주어진 글에서 정보 간의 관계를 추론하는 문제입니다. ㉠과 ㉡에 각각 나타난 독도에 대한 일본의 태도에 유의합니다.

042쪽 지문 분석

1

❶문단	우리나라 고유의 영토인 (독도)를 지켜 온 사람들
❷문단	독도를 지킨 (안용복)
❸문단	독도를 지킨 독도 (의용) 수비대
❹문단	독도를 지킨 (이종학)
❺문단	오늘날 (독도)를 지키는 사람들

2

(독도)를 지킨 사람들

(안용복)	일본 어부들의 불법 행위를 강력하게 항의함.
독도 의용 수비대	우리나라 최초의 독도 경비대
(이종학)	독도 박물관의 초대 박물관장
독도 경비대, 독도 (수호대)	오늘날 독도를 지키고 있음.

1 **❶**문단에서는 독도가 우리 고유의 영토가 분명함을 말하고, 그런 독도를 지켜 온 사람들이 있다고 밝혔습니다. **❷**~**❹**문단에서는 각각 안용복, 독도 의용 수비대, 이종학이 독도를 지킨 활약을 설명하였습니다. **❺**문단에서는 오늘날 독도를 지키는 사람들을 설명하고 있습니다.

2 이 글은 계속된 일본의 독도 침탈 시도로부터 독도를 지켜 온 사람들을 설명하는 글입니다.

043쪽 오늘의 어휘

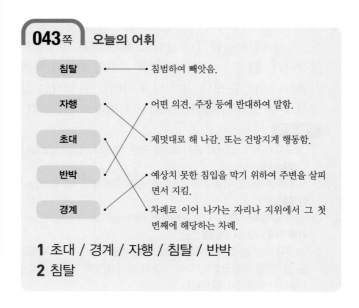

침탈 —————— 침범하여 빼앗음.

자행 —————— 어떤 의견, 주장 등에 반대하여 말함.

초대 —————— 제멋대로 해 나감. 또는 건방지게 행동함.

반박 —————— 예상치 못한 침입을 막기 위하여 주변을 살피면서 지킴.

경계 —————— 차례로 이어 나가는 자리나 지위에서 그 첫 번째에 해당하는 차례.

1 초대 / 경계 / 자행 / 침탈 / 반박
2 침탈

- **글의 종류** 설명하는 글
- **글의 특징** 이 글은 조선의 건국 과정을 고려 말의 상황과 연관 지어 시간적 순서로 설명하는 글입니다.
- **글의 주제** 조선의 건국 과정

045쪽 지문 독해

1 조선 **2** (1) ○ (2) ○ (4) ○ **3** ④ **4** ①

1 이 글은 조선의 건국 과정을 설명하는 글입니다.

2 (1), (2) 이 글은 고려를 개혁하고자 했던 신진 사대부와 신흥 무인 세력의 등장부터 고려가 멸망하고 조선이 건국되기까지의 과정을 설명하고 있습니다.(**1**~**3**문단)

(4) **4**문단에 의하면 왕이 항상 뛰어난 인물일 수 없으므로 능력 있는 신하가 왕을 도와야 한다는 것이 정도전의 생각이었습니다.

오답 풀이

(3) **4**문단에서는 이성계가 나라의 이름을 조선이라고 하고 수도를 한양으로 옮겼다는 내용만 설명하였고, 수도를 한양으로 정한 까닭은 설명되어 있지 않습니다.

3 온건 개혁파는 고려를 유지하면서 개혁하자는 입장이었지만, 급진 개혁파는 고려를 버리고 새로운 나라를 세워 개혁하자는 입장이었습니다.

4 「하여가」는 정몽주와 뜻을 함께하고 싶었던 이성계의 의도를 아들인 이방원이 시조를 통해 정몽주에게 전한 것입니다. 즉, 정몽주를 설득하기 위함이지 정몽주에게 적대감을 드러내고자 한 것은 아닙니다.

오답 풀이

②, ④ 「단심가」는 이방원이 건넨 시조의 뜻을 알아차린 정몽주가 답으로 지은 시조입니다. 고려를 배신할 수 없다는 정몽주의 변함없는 의지가 담겨 있습니다. 이후 이방원은 정몽주를 설득하는 것을 포기하고 죽이게 됩니다.

③, ⑤ 「하여가」는 이방원이 정몽주를 설득하기 위해 건넨 시조입니다. 너무 복잡하게 생각하지 말고 같은 편이 되어 새로운 나라에서 잘 살아 보자는 의도가 담겨 있습니다.

유형 분석 / 추론하기

주어진 역사적 사실들을 바탕으로 하여 관련된 상황을 추론하는 문제입니다. ⓒ에는 이성계가 정몽주와 뜻을 함께하고자 했다는 내용이 나타나 있습니다. 이러한 이성계의 의도를 담은 아들 이방원의 시조에 주목합니다.

046쪽 지문 분석

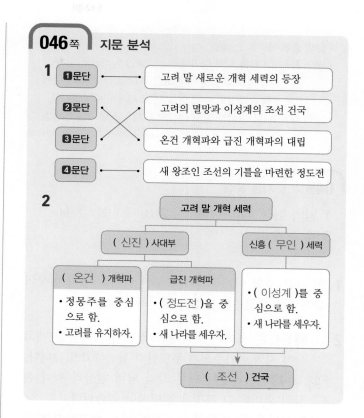

1 **1**문단에서는 고려 말 새로운 개혁 세력의 등장을 설명하고, **2**문단에서는 이들 세력 중 신진 사대부 간의 대립을 소개하였습니다. **3**문단에서는 위화도 회군으로 고려를 멸망시키고 조선을 건국한 이성계를, **4**문단에서는 이성계를 도와 조선의 기틀을 마련한 정도전을 설명하였습니다.

2 이 글에서는 고려 말 개혁 세력의 대립을 중심으로 조선이 건국된 배경을 설명하고 있습니다.

047쪽 오늘의 어휘

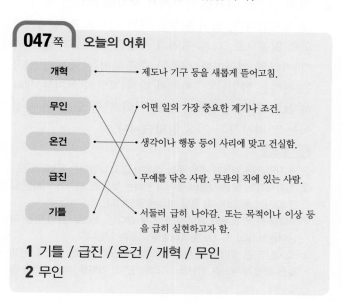

1 기틀 / 급진 / 온건 / 개혁 / 무인
2 무인

- **글의 종류** 설명하는 글
- **글의 특징** 이 글은 지역 이기주의의 일종인 님비와 핌피 현상의 뜻과 특징을 설명하고, 지역 이기주의의 문제점을 해결할 수 있는 방안을 제시하는 글입니다.
- **글의 주제** 님비 현상과 핌피 현상의 문제점과 올바른 해결법

049쪽   지문 독해

1 님비 현상, 핌피 현상   **2** (1) ○ (3) ○ (4) ○

3 ④   **4** ①

1 이 글은 지역 이기주의의 일종인 님비와 핌피 현상의 문제점을 해결하는 방법을 제시하는 글입니다.

2 (1) ❶문단은 쓰레기 소각장과 월드컵 경기장을 예로 들어 지역 이기주의가 무엇인지 설명하고 있습니다.
(2), (3) ❷문단과 ❸문단은 각각 님비 현상과 핌피 현상의 의미와 그 특징을 설명하고 있습니다.
(4) ❹문단은 두 현상의 문제점과 이를 해결하기 위한 방안을 제시하고 있습니다.

3 쓰레기 소각장이나 장애인 시설 등은 우리가 살아가기 위해 어딘가에는 반드시 있어야 할 필수 시설입니다. 따라서 지역 주민들의 뜻에 맞지 않는 시설을 지으려 하는 계획 자체를 잘못되었다고 보는 것은 적절하지 않습니다.

4 '역지사지'는 처지를 바꾸어서 생각해 본다는 뜻의 한자 성어입니다. 님비 현상과 핌피 현상은 지역 이기주의의 일종으로, 다른 지역의 사정은 돌아보지 않고 자기 지역의 이익이나 행복만 추구하려는 태도나 입장을 뜻하는 말입니다. 따라서 다른 지역의 처지를 생각해 보는 자세가 필요하므로, 이와 관련 있는 한자 성어는 '역지사지'가 가장 알맞습니다.

[오답 풀이]
② '초지일관'은 처음에 세운 뜻을 끝까지 밀고 나간다는 뜻입니다.
③ '결자해지'는 맺은 사람이 풀어야 한다는 뜻으로, 자기가 저지른 일은 자기가 해결하여야 함을 이르는 말입니다.
④ '마이동풍'은 동풍이 말의 귀를 스쳐 간다는 뜻으로, 남의 말을 귀담아듣지 않고 지나쳐 흘려버림을 이르는 말입니다.
⑤ '호시탐탐'은 범이 눈을 부릅뜨고 먹이를 노려본다는 뜻으로, 남의 것을 빼앗기 위하여 형편을 살피며 가만히 기회를 엿보는 것을 말합니다.

050쪽   지문 분석

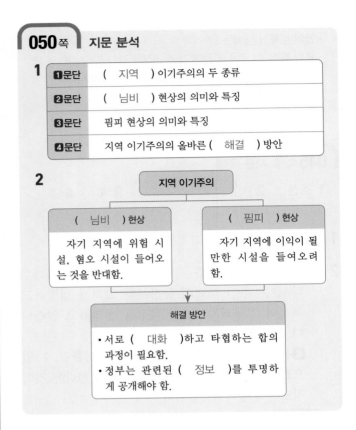

1 ❶문단에서는 사례를 통해 지역 이기주의의 두 가지 종류를 소개하였고, ❷~❸문단에서는 각각 님비 현상과 핌피 현상의 의미와 특징을 설명하였습니다. ❹문단에서는 두 현상의 문제점을 해결하기 위한 방안을 강조하였습니다.

2 이 글은 지역 이기주의의 일종인 님비와 핌피 현상을 설명하고, 지역 이기주의로 인한 문제를 해결할 방안을 제시하는 글입니다.

051쪽   오늘의 어휘

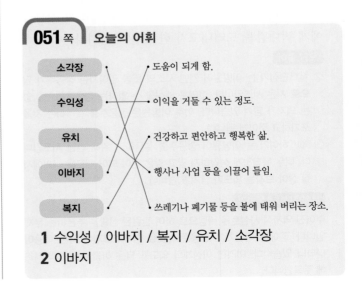

1 수익성 / 이바지 / 복지 / 유치 / 소각장
2 이바지

- **글의 종류** 설명하는 글
- **글의 특징** 이 글은 빅 데이터의 의미와 특징을 밝히고, 다양한 활용 사례를 설명하는 글입니다.
- **글의 주제** 빅 데이터의 특징과 활용 사례

053쪽 지문 독해

1 빅 데이터   **2** (1) ○ (4) ○   **3** ②   **4** ①

1 이 글은 빅 데이터에 대해 설명하는 글입니다.

2 (1) **1**문단에 빅 데이터의 특징 세 가지가 제시되어 있습니다.
(4) **2**~**4**문단에서는 빅 데이터를 활용한 사례를 소개하고 있습니다.

오답 풀이
(2) 이 글에는 빅 데이터의 문제점은 제시되지 않았습니다.
(3) 빅 데이터를 활용한 사례는 제시되었지만, 이와 관련된 직업이 소개되지는 않았습니다.

3 빅 데이터는 디지털 기기를 활용하여 수많은 정보들이 기록되고 저장된 것을 말합니다. 그러나 많은 사람들이 읽은 책의 겉표지가 낡은 흔적은 빅 데이터와 관련이 있다고 볼 수 없습니다.

오답 풀이
①, ⑤ 현대인은 통화 내역, 누리 소통망(SNS) 메시지, 검색창에 입력한 검색어, 신용카드 사용 내역 등의 수많은 디지털 기록들을 남기며 그 데이터는 네트워크를 통해 저장된다고 하였습니다.(**4**문단)
③, ④ 빅 데이터를 통해 기업이 고객의 행동을 예측한 후 실제 구매로 이어지게 하여 기업 경쟁력을 강화시키는 사례가 많아졌습니다. 데이터를 통한 인터넷 서점의 도서 구매 추천 시스템, 동네 맛집 추천 시스템 등이 그 예에 해당합니다.(**3**문단)

유형 분석 / 적용하기
주어진 글의 중심 내용을 다른 사례에 적용하는 문제입니다. 빅 데이터의 의미와 특징, 활용 사례를 유의해서 읽어 봅니다.

4 ㉠'늘어나고'의 반대되는 말은 '줄어들고'입니다. '작아지고'는 '커지고'와 반대 관계입니다.

오답 풀이
② '구매'는 물건을 사들이는 것이고, '판매'는 물건을 파는 것입니다.
③ '강화시키다'는 세력이나 힘을 더 강하고 튼튼하게 하는 것이고, '약화시키다'는 세력이나 힘이 약해지게 하는 것입니다.
④ '자발적'은 남이 시키거나 요청하지 않아도 자기 스스로 나아가 행하는 것이고, '강압적'은 강제로 누르는 방식으로 하는 것입니다.
⑤ '망각하다'는 잊어버린다는 뜻이므로 '기억하다'와 반대 의미입니다.

054쪽 지문 분석

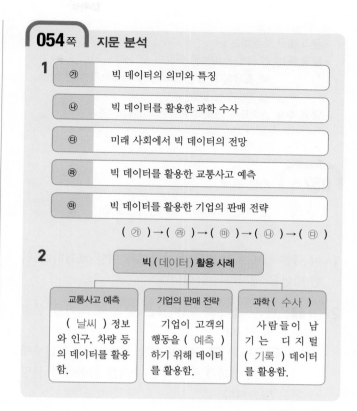

1
㉮ 빅 데이터의 의미와 특징
㉯ 빅 데이터를 활용한 과학 수사
㉰ 미래 사회에서 빅 데이터의 전망
㉱ 빅 데이터를 활용한 교통사고 예측
㉲ 빅 데이터를 활용한 기업의 판매 전략

(㉮) → (㉱) → (㉲) → (㉯) → (㉰)

2
빅 (데이터) 활용 사례

교통사고 예측	기업의 판매 전략	과학 (수사)
(날씨) 정보와 인구, 차량 등의 데이터를 활용함.	기업이 고객의 행동을 (예측)하기 위해 데이터를 활용함.	사람들이 남기는 디지털 (기록) 데이터를 활용함.

1 **1**문단에서는 빅 데이터의 의미와 특징을 소개하고, **2**~**4**문단에서는 빅 데이터를 활용한 다양한 사례를 설명하였습니다. **5**문단에서는 미래 사회에서 활용될 빅 데이터에 대한 전망을 설명하고 있습니다.

2 이 글은 빅 데이터가 활용된 다양한 사례를 소개하며 빅 데이터의 특징을 설명하고 있습니다.

055쪽 오늘의 어휘

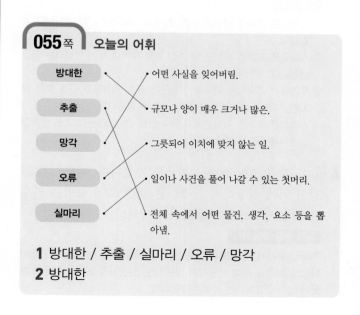

방대한 • • 어떤 사실을 잊어버림.
추출 • • 규모나 양이 매우 크거나 많은.
망각 • • 그릇되어 이치에 맞지 않는 일.
오류 • • 일이나 사건을 풀어 나갈 수 있는 첫머리.
실마리 • • 전체 속에서 어떤 물건, 생각, 요소 등을 뽑아냄.

1 방대한 / 추출 / 실마리 / 오류 / 망각
2 방대한

- **글의 종류** 주장하는 글
- **글의 특징** 이 글은 스마트폰 중독의 심각성을 구체적인 수치를 활용하여 설명하고, 이를 해결하기 위한 방안을 제시하는 글입니다.
- **글의 주제** 스마트폰 중독의 심각성과 해결 방안

057쪽 　지문 독해

1 중독　**2** (1) ○ (2) ○ (3) ○　**3** ⑤　**4** ③

1 이 글은 스마트폰 중독의 심각성과 이를 해결하기 위한 방안을 제시하는 글입니다.

2 (1) ❶문단은 '중독'과 '스마트폰 중독'의 의미를 설명하고 있습니다.

(2), (3) ❷문단과 ❸문단은 과학 기술 정보 통신부에서 조사한 결과를 구체적인 수치를 활용하여 설명하고 있습니다.

오답 풀이

(4) ❹문단에 대상의 구성 요소를 분석한 내용은 나타나 있지 않습니다. 문제 상황의 해결 방안을 제시하고 있습니다.

3 스마트폰 과의존 위험군 중 청소년은 35.8%로 가장 높은 수치를 보였으며, 유아동도 27.3%로 나타났습니다. 이를 통해 자기 조절 능력이 부족한 청소년과 유아동의 스마트폰 중독 문제가 심각하다는 것을 알 수 있습니다.

오답 풀이

① 스마트폰 과의존 위험군은 2018년(19.1%)이 2016년(17.8%)보다 높습니다.
② 스마트폰 과의존 위험군 중 가장 높은 수치를 보인 연령대는 청소년입니다.
③ 우리나라 스마트폰 과의존 위험군이 계속 증가하고 있는 것은 맞지만, 다른 나라와의 비교 결과는 알 수 없습니다.
④ 스마트폰 과의존 위험군에 속한 사람들 중 71.5%는 스스로 문제점을 인식한다고 하였습니다.

4 ⓒ은 자기 조절 능력을 키우는 것입니다. 따라서 ③과 같이 아예 사용하지 않겠다는 것은 조절 능력을 키우는 실천 방안으로 적절하지 않습니다.

유형 분석 / 적용하기

주어진 글에서 제시한 해결 방안을 실생활에 적용해 보는 문제입니다. 스마트폰을 아예 사용하지 않는 것은 실천하기 어려운 일이기 때문에 ⓒ이 필요하다는 것에 주의합니다.

058쪽 　지문 분석

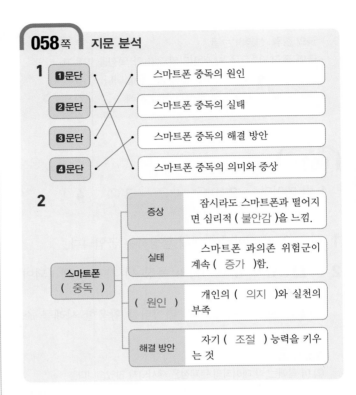

1 ❶문단에서는 스마트폰 중독의 의미와 증상을 소개하고, ❷문단에서는 스마트폰 중독의 실태를, ❸문단에서는 스마트폰 중독의 원인을 설명하고 있습니다. ❹문단에서는 스마트폰 중독을 해결하기 위한 방안을 제시하였습니다.

2 이 글은 스마트폰 중독의 증상과 실태, 원인을 설명하고, 스마트폰 중독의 해결 방안을 제시하는 글입니다.

059쪽 　오늘의 어휘

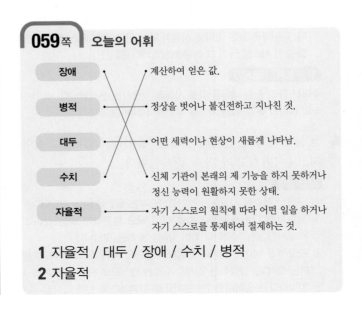

1 자율적 / 대두 / 장애 / 수치 / 병적
2 자율적

- **글의 종류** 설명하는 글
- **글의 특징** 이 글은 자동화의 의미와 종류, 자동화의 올바른 발전 방향에 대해 설명하는 글입니다.
- **글의 주제** 자동화의 의미와 종류

061쪽 　지문 독해

1 ⑤　　**2** ⑤　　**3** ②　　**4** ⑤

1 이 글은 자동화의 의미와 종류, 올바른 발전 방향을 설명하는 글입니다.

2 **1**문단에서는 자동화의 개념을 기계화와 비교하여 제시하고 있습니다. 기계화는 제품 생산 과정에서 사람이 하기 어려운 일을 기계로 보완하는 것이지만, 자동화는 제품 생산의 전체 과정에서 사람의 손을 빌리지 않는 것입니다.

　오답 풀이
　① 자동화는 제품 생산 과정을 컴퓨터나 전자 기기에 의해 자동적으로 통제하거나 문제를 해결하는 것을 말합니다.(**1**문단)
　② 은 공장 자동화, ③은 상점 자동화, ④는 가정 자동화에 대한 설명으로 알맞습니다.(**2**~**4**문단)

3 상점 자동화는 가게나 은행에서 직원 없이 고객을 응대하는 것을 말합니다. 따라서 무인 정보 단말기를 통해 음식을 주문받는 식당은 상점 자동화의 사례로 볼 수 있습니다.

　오답 풀이
　① 아이스크림의 생산을 자동화한 기업은 공장 자동화의 사례입니다.
　③ 집에 가스가 새고 있다고 알려 주는 애플리케이션은 가정 자동화의 사례입니다.
　④ 주문받은 제품을 내보내는 일을 자동화한 것은 공장 자동화의 사례입니다.
　⑤ 원격으로 열 수 있는 현관문은 가정 자동화의 사례입니다.

4 **5**문단에서 글쓴이는 자동화 기기를 이용하는 데 어려움을 느끼는 사람들에게는 오히려 자동화가 차별적인 서비스가 될 수 있음을 우려하고 있습니다. 따라서 ⑤와 같이 영어가 많이 쓰인 자동화 기기 사용을 어려워하는 사람들에 대한 걱정은 글쓴이의 우려와 같은 맥락으로 이해할 수 있습니다.

　유형 분석 / 추론하기
　글쓴이의 생각을 추론하는 문제입니다. **5**문단에서 글쓴이가 자동화에 대한 걱정을 드러낸 부분을 주목하여 다시 읽어 봅니다.

062쪽 　지문 분석

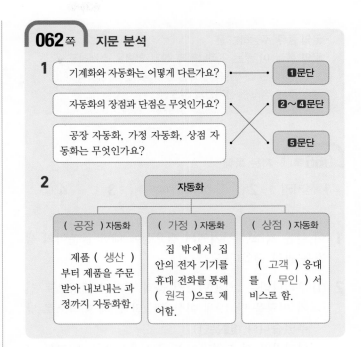

1 **1**문단에서는 기계화와 비교하여 자동화의 의미를 설명한 후 자동화의 종류를 제시하였습니다. **2**~**4**문단에서는 각각 공장 자동화, 가정 자동화, 상점 자동화에 대하여 설명하였습니다. 마지막 **5**문단에서는 자동화의 장단점을 통해 올바른 발전 방향을 설명하였습니다.

2 이 글에서는 자동화의 종류 중 공장 자동화, 가정 자동화, 상점 자동화에 대해 설명하고 있습니다.

063쪽 　오늘의 어휘

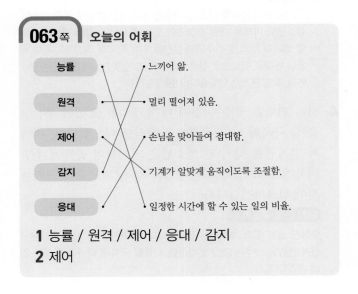

1 능률 / 원격 / 제어 / 응대 / 감지
2 제어

글의 종류 주장하는 글
글의 특징 이 글은 우리나라의 선거 연령을 소개하고, 청소년 선거권의 필요성을 주장하는 글입니다.
글의 주제 청소년 선거권의 필요성

065쪽 　지문 독해

1 선거권　　**2** (1) ○　(2) ○　(4) ○　　**3** ②　　**4** ④

1 이 글은 청소년 선거권의 필요성에 대한 글쓴이의 생각을 밝힌 글입니다.

2 (1) 우리나라는 2020년 1월 공직 선거법 개정으로 선거 연령을 만 19세 이상에서 만 18세 이상으로 낮추었습니다.(**1**문단)
(2) 나라마다 선거 연령이 다른 이유는 법을 만드는 정치인들의 생각이 다르기 때문입니다.(**2**문단)
(4) 청소년은 자신이 앞으로 살아갈 미래에 대한 결정권이 있으므로, 앞날에 영향을 줄 오늘날의 정책 결정에 참여할 권리가 있습니다.(**3**문단)
[오답 풀이]
(3) 선거 연령을 높였을 때의 좋은 점은 이 글에 제시되지 않았습니다. 이 글은 선거 연령을 낮추어야 하는 이유와 그 타당성을 주장하는 글입니다.

3 우리나라 청소년들이 다양한 방법을 통해 이미 자발적으로 정치에 참여하고 있다는 근거는 찬성 측의 근거로 적절합니다.
[오답 풀이]
①, ④, ⑤ 선거 연령을 낮춘 법 개정은 세계적인 추세에 따른 것이며, 청소년도 미래에 대한 결정권이 있는 주체로서 정책 결정에 참여할 권리가 있고, 민주주의의 발전을 위해 정치에 직접 참여하며 배워야 한다고 했으므로 찬성 측의 근거로 알맞습니다.(**3**, **4**문단)
③ 반대 측의 근거로 알맞습니다.(**2**문단)

4 선거 연령을 낮추는 것에 대해 우려를 표했던 부분들을 잘 극복해 나가는 것이 바람직한 태도입니다. 따라서 선거권을 갖게 된 청소년은 인기몰이 공약에 휘말리지 않도록 공약의 타당성을 잘 살펴보고 투표하는 것이 필요하겠습니다.
[유형 분석/추론하기]
주어진 글을 읽고 추론하는 문제입니다. 선거권을 갖게 된 청소년은 선거 연령을 낮추는 것을 반대했던 이유를 극복해 나가야 한다는 것에 유의합니다.

066쪽 　지문 분석

1 이 글은 (청소년) 선거권에 대한 자신의 주장을 알리고 읽는 사람을 설득하는 글이다. 글쓴이는 국민이 정치에 직접 참여하며 배움으로써 (민주주의)의 수준을 높일 수 있으므로, 청소년 선거권은 우리 사회의 민주주의 발전을 위해 (보장)되어야 한다고 주장하고 있다.

2
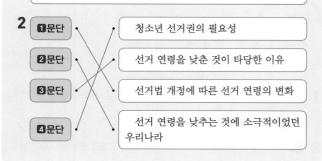

1문단 → 선거법 개정에 따른 선거 연령의 변화
2문단 → 선거 연령을 낮추는 것에 소극적이었던 우리나라
3문단 → 선거 연령을 낮춘 것이 타당한 이유
4문단 → 청소년 선거권의 필요성

1 이 글은 청소년 선거권에 대한 글쓴이의 주장을 담은 글입니다. 글쓴이가 청소년 선거권에 대해 어떤 주장을 하였는지 정리하여 봅니다.

2 **1**문단에서는 우리나라의 선거법 개정과 그로 인한 선거 연령의 변화를 소개하고, **2**문단에서는 그동안 우리나라가 선거 연령을 낮추는 것에 소극적이었던 이유를 설명하고 있습니다. **3**문단에서는 선거 연령을 낮춘 이유를 설명하고, **4**문단에서는 청소년 선거권의 필요성에 대한 글쓴이의 생각을 밝히고 있습니다.

067쪽 　오늘의 어휘

개정 → 이미 정하였던 것을 고쳐 다시 정함.
공약 → 선거에서 후보자가 사람들에게 실행하기로 한 약속.
명분 → 겉으로 내세우는 구실이나 이유.
추세 → 어떤 현상이 일정한 방향으로 나아가는 경향.
주체 → 사물의 작용이나 어떤 행동의 주가 되는 것.

1 주체 / 개정 / 공약 / 추세 / 명분
2 주체

- **글의 종류** 설명하는 글
- **글의 특징** 이 글은 1인 방송의 긍정적인 면과 부정적인 면을 설명하고, 건전한 1인 방송 문화 정착을 위한 노력이 필요함을 강조하는 글입니다.
- **글의 주제** 1인 방송의 특징

069쪽　지문 독해

1 1인 방송　**2** (3) ○ (4) ○　**3** ①　**4** ③

1 이 글은 1인 방송의 의미와 특징에 대해 설명하는 글입니다.

2 (3) **2**~**4**문단에서는 1인 방송의 특징을 나열하여 설명하고 있습니다.
(4) **1**~**3**문단에서는 기존 방송과 1인 방송의 다른 점을 비교하며 설명하고 있습니다.

3 1인 방송은 누구나 시청자로서 채팅창에 글을 쓰거나 '좋아요'를 누르는 방식으로 방송에 참여할 수 있습니다. (**2**문단)

오답 풀이
② 일상의 친근한 소재들에 작은 아이디어를 더한 다양한 콘텐츠를 만들 수 있다고 하였습니다. (**3**문단)
③ 제작 공정이 단순한 편이라 상대적으로 제작 비용이 적게 든다고 하였습니다. (**3**문단)
④ 개인의 표현의 자유를 실현시켜 주는 현대의 문화적 표현 방식 중 하나라고 하였습니다. (**5**문단)
⑤ 구독자 수를 늘리기 위해 자극적으로 영상을 제작하기도 한다고 하였습니다. (**4**문단)

4 '고장난명'은 한쪽 손바닥만으로는 소리가 울리지 않는다는 뜻으로, 혼자의 힘만으로 어떤 일을 이루기 어려움을 이르는 말입니다. 따라서 ㉠과 같이 모두의 노력이 함께 필요한 상황에 어울리는 한자 성어입니다.

오답 풀이
① '고진감래'는 쓴 것이 다하면 단 것이 온다는 뜻으로, 고생 끝에 즐거움이 옴을 이르는 말입니다.
② '설상가상'은 난처한 일이나 불행한 일이 잇따라 일어난다는 뜻입니다.
④ '감언이설'은 귀가 솔깃하도록 남의 비위를 맞추거나 이로운 조건을 내세워 꾀는 말입니다.
⑤ '타산지석'은 다른 산의 나쁜 돌이라도 자신의 산의 옥돌을 가는 데에 쓸 수 있다는 뜻으로, 본보기가 되지 않는 남의 말이나 행동도 자신의 지식과 인격을 갈고닦는 데에 도움이 될 수 있음을 비유적으로 이르는 말입니다.

070쪽　지문 분석

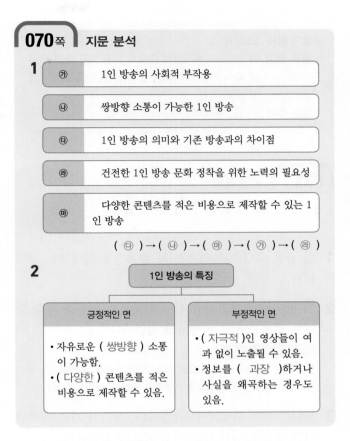

1
㉮	1인 방송의 사회적 부작용
㉯	쌍방향 소통이 가능한 1인 방송
㉰	1인 방송의 의미와 기존 방송과의 차이점
㉱	건전한 1인 방송 문화 정착을 위한 노력의 필요성
㉲	다양한 콘텐츠를 적은 비용으로 제작할 수 있는 1인 방송

(㉰) → (㉯) → (㉲) → (㉮) → (㉱)

2　1인 방송의 특징

긍정적인 면	부정적인 면
• 자유로운 (쌍방향) 소통이 가능함. • (다양한) 콘텐츠를 적은 비용으로 제작할 수 있음.	• (자극적)인 영상들이 여과 없이 노출될 수 있음. • 정보를 (과장)하거나 사실을 왜곡하는 경우도 있음.

1 **1**문단에서는 1인 방송의 의미와 기존 방송과의 차이점을, **2**~**3**문단에서는 1인 방송의 장점을, **4**문단에서는 1인 방송의 사회적 부작용을, **5**문단에서는 건전한 1인 방송 문화의 정착을 위한 노력의 필요성을 설명하고 있습니다.

2 이 글에서는 1인 방송의 장점과 부작용을 설명하고 있습니다.

071쪽　오늘의 어휘

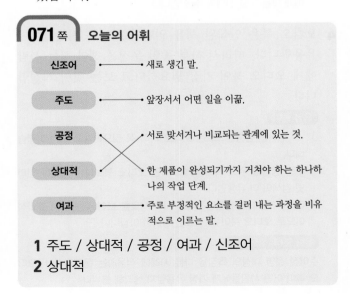

신조어	•━━━━ 새로 생긴 말.
주도	•━━━━ 앞장서서 어떤 일을 이끎.
공정	•━━━ 서로 맞서거나 비교되는 관계에 있는 것.
상대적	•━━ 한 제품이 완성되기까지 거쳐야 하는 하나하나의 작업 단계.
여과	•━━━ 주로 부정적인 요소를 걸러 내는 과정을 비유적으로 이르는 말.

1 주도 / 상대적 / 공정 / 여과 / 신조어
2 상대적

- **글의 종류** 설명하는 글
- **글의 특징** 이 글은 오디오 북의 의미와 유용성을 통해 오디오 북이 기존 독서의 대안이 될 수 있음을 설명하는 글입니다.
- **글의 주제** 오디오 북의 유용성

073쪽 지문 독해

1 오디오 북   **2** ④   **3** ③   **4** ②

1 이 글은 오디오 북의 의미와 유용성을 설명하는 글입니다.

2 이 글에서는 고전적인 독서 활동과의 비교를 통해 오디오 북의 특징을 설명하고 있습니다.

유형 분석 / 전개 방식
글이 전체적으로 어떤 방식으로 전개되었는지 묻는 문제입니다. 오디오 북의 특징을 어떤 방법으로 설명하고 있는지 파악해 봅니다.

3 오디오 북은 귀로 듣는 것입니다. 따라서 기존 책처럼 여러 권을 무겁게 들고 다닐 필요가 없습니다.

오답 풀이
① 휴대용 전자 기기나 인터넷을 활용한 오디오 북은 디지털 기술의 발달과 함께 등장한 것이 맞습니다.
② 오디오 북은 귀로 듣는 책이므로 눈이 잘 안 보이는 사람도 활용할 수 있습니다.
④ ❸문단에서 오디오 북은 현대인의 생활 양식에 잘 맞는다고 하였습니다.
⑤ 개인의 상황과 목적에 따라 기존의 책 또는 오디오 북 중에서 자신에게 맞는 것을 선택할 수 있습니다.

4 오디오 북은 인쇄된 책을 읽기가 어려운 사람들에게 유용합니다. 따라서 하루 종일 운전을 해야 하는 사람에게 오디오 북이 가장 필요하다고 보는 것이 적절합니다.

오답 풀이
①, ⑤ 주어진 상황만으로는 오디오 북이 꼭 필요하다고 보기 어렵습니다.
③ 수행 평가를 위해 자료를 찾으려면 오디오 북보다는 책이나 인터넷 검색이 더 유용합니다.
④ 미술 작품에 대해 설명하려면 시각 자료를 보여 주는 것이 효과적이므로 오디오 북이 꼭 필요한 상황이 아닙니다.

유형 분석 / 적용하기
주어진 설명 대상의 특징을 다른 사례에 적용하는 문제입니다. 오디오 북이 어떤 사람들에게 가장 유용할지 생각해 봅니다.

074쪽 지문 분석

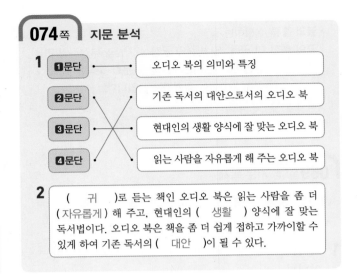

1 ❶문단에서는 오디오 북의 의미와 특징을 소개하였습니다. ❷문단에서는 읽는 사람을 자유롭게 해 주는 오디오 북의 특징을 설명하였고, ❸문단에서는 바쁜 현대인의 생활 양식에 잘 맞는 오디오 북의 특징을 설명하였습니다. 마지막으로 ❹문단에서는 기존 독서의 대안이 될 수 있는 오디오 북의 유용성을 설명하였습니다.

2 이 글은 오디오 북의 의미와 특성을 설명하고, 이를 통해 오디오 북이 기존 독서의 대안이 될 수 있음을 밝히고 있습니다.

075쪽 오늘의 어휘

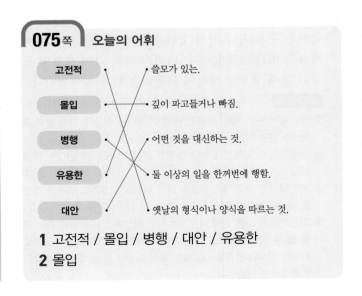

1 고전적 / 몰입 / 병행 / 대안 / 유용한
2 몰입

• **글의 종류** 설명하는 글
• **글의 특징** 이 글은 한류의 의미를 제시하고, 그 효과를 긍정적, 부정적 측면으로 나누어 설명한 후, 한류가 나아가야 할 방향을 제시하는 글입니다.
• **글의 주제** 한류의 효과와 앞으로의 방향성

077쪽 　지문 독해

1 ②　　**2** (2) ○　(4) ○　　**3** ②　　**4** ③

1 이 글은 한류의 의미와 한류 열풍의 효과에 대해 설명하는 글입니다. 따라서 가장 중심이 되는 말은 '한류'입니다.

2 ⑵ ❸문단에는 한류 열풍의 부작용이 제시되어 있습니다.
⑷ ❷문단에서는 한류 열풍이 우리나라 경제에 미치는 긍정적인 효과를 설명하고 있습니다.

3 한류 열풍의 부작용 중 하나가 한국 대중문화를 좋아하는 사람이 많아질수록 이에 반발하는 감정을 갖는 사람도 늘어난다는 것입니다. 따라서 한류 열풍의 효과가 이러한 반한류 감정을 없앨 수 있다고 보는 것은 적절하지 않습니다.
오답 풀이
① 한류 열풍으로 한국의 문화를 세계에 널리 알릴 수 있습니다.(❷, ❹문단)
③ 한류 열풍으로 인해 한국을 찾는 외국인 수가 증가할 수 있습니다.(❷문단)
④ 한류 열풍으로 인해 한국의 물품을 구입하려는 외국인들이 많아질 수 있습니다.(❷문단)
⑤ 한류 열풍은 세계 여러 나라의 사람들이 한국에 더 많은 관심을 갖게 합니다.(❷문단)

4 ❹문단에서는 아직 우리나라에 대해 잘못 알고 있는 다른 나라 사람들이 많이 있음을 지적하고, 앞으로의 한류는 한국의 문화를 제대로 알리는 방향으로 전개될 필요성이 있음을 강조하고 있습니다. 따라서 우리 문화를 다른 나라 사람들에게 제대로 알리기 위해 노력해야 한다고 한 예은이가 알맞게 말했습니다.
유형 분석 / 추론하기
글쓴이의 중심 생각을 추론하는 문제입니다. 아직도 독도를 일본 땅으로, 한복을 일본의 전통 의상으로 잘못 알고 있는 사람들이 많이 있다고 말한 ❹문단의 내용에 유의합니다.

078쪽 　지문 분석

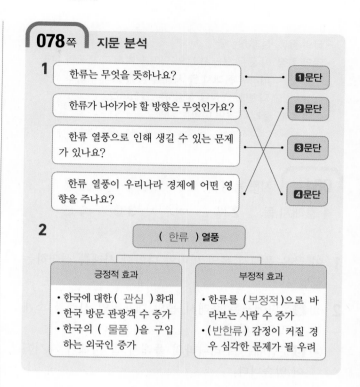

1
한류는 무엇을 뜻하나요? → ❶문단
한류가 나아가야 할 방향은 무엇인가요? → ❷문단
한류 열풍으로 인해 생길 수 있는 문제가 있나요? → ❸문단
한류 열풍이 우리나라 경제에 어떤 영향을 주나요? → ❹문단

2
(한류) 열풍

긍정적 효과	부정적 효과
• 한국에 대한 (관심) 확대 • 한국 방문 관광객 수 증가 • 한국의 (물품)을 구입하는 외국인 증가	• 한류를 (부정적)으로 바라보는 사람 수 증가 • (반한류) 감정이 커질 경우 심각한 문제가 될 우려

1 ❶문단에서는 한류의 의미를 밝히고, ❷문단에서는 한류 열풍의 긍정적 효과를, ❸문단에서는 한류 열풍의 부정적인 효과를 설명하고 있습니다. ❹문단에서는 한류가 나아가야 할 바람직한 방향을 설명하였습니다.

2 이 글에서는 한류 열풍의 효과를 긍정적, 부정적으로 나누어 설명하였습니다.

079쪽 　오늘의 어휘

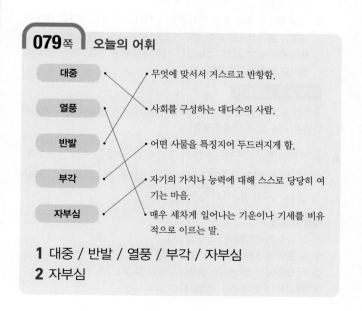

대중 — 사회를 구성하는 대다수의 사람.
열풍 — 매우 세차게 일어나는 기운이나 기세를 비유적으로 이르는 말.
반발 — 무엇에 맞서서 거스르고 반항함.
부각 — 어떤 사물을 특징지어 두드러지게 함.
자부심 — 자기의 가치나 능력에 대해 스스로 당당히 여기는 마음.

1 대중 / 반발 / 열풍 / 부각 / 자부심
2 자부심

- **글의 종류** 설명하는 글
- **글의 특징** 이 글은 플래시 몹의 의미를 밝히고, 외국과 우리 나라의 플래시 몹 사례를 통해 플래시 몹의 특징의 변화 양상을 설명하는 글입니다.
- **글의 주제** 플래시 몹의 다양한 사례

081쪽 지문 독해

1 플래시 몹   **2** (2) ○ (4) ○   **3** ③   **4** ⑤

1 이 글은 플래시 몹의 의미와 다양한 사례를 설명하는 글입니다.

2 (2) **2**문단에서는 플래시 몹의 대표적인 사례를 소개하고 있습니다.

(4) **3**문단에는 우리나라의 플래시 몹 사례가 제시되어 있습니다.

3 플래시 몹은 처음에는 어떤 목적이나 의미를 부여하지 않는 형태가 많았지만, 독도 플래시 몹처럼 특정한 목적을 갖고 이루어지기도 합니다.(**3**, **4**문단) 따라서 플래시 몹을 반드시 어떤 목적이나 의미를 전달하려는 의도에서 한다는 것은 적절하지 않습니다.

> 오답 풀이
>
> ①, ②, ④ 플래시 몹은 불특정 다수의 사람들이 인터넷이나 누리 소통망(SNS) 등을 통해 날짜, 시간, 장소를 정한 뒤 모여서 서로 약속한 행동을 한 후 곧바로 해산하는 행위라는 의미를 살펴보면(**1**문단) ①, ②, ④의 내용은 플래시 몹에 대해 알맞게 이해한 내용임을 알 수 있습니다.
>
> ⑤ 처음 플래시 몹은 도심 한복판에 갑자기 모여서 괴성을 지르는 등 재미나 호기심으로 하는 경우가 많아서 우스꽝스럽고 황당한 모임들이 대부분이었지만 그렇다고 사회적 문제를 일으키는 것은 아니었다고 하였습니다.(**4**문단)

> 유형 분석 / 추론하기
>
> 주어진 글의 내용을 통해 추론하는 문제입니다. 플래시 몹의 의미와 다양한 사례 및 특징에 주목합니다.

4 ⓜ'한복판'은 가장 중심이 되는 가운데를 의미합니다. 이와 반대되는 낱말은 둘레나 끝에 해당되는 부분을 뜻하는 '가장자리'가 적절합니다.

> 오답 풀이
>
> ① ㉠'다수'의 반대말은 '소수'입니다.
> ② ㉡'흩어졌다'의 반대말은 '모였다'입니다.
> ③ ㉢'젊은이'의 반대말은 '늙은이', '노인'입니다.
> ④ ㉣'시작'의 반대말은 '끝'입니다.

082쪽 지문 분석

1

⑦	플래시 몹의 의미
⑭	외국의 플래시 몹 사례
⑭	플래시 몹의 변화 양상
㉑	우리나라의 플래시 몹 사례

(⑦) → (⑭) → (㉑) → (⑭)

2

플래시 몹은 (불특정) 다수의 사람들이 모여서 서로 (약속)한 행동을 한 후 (해산)하는 행위를 말한다. 처음에는 목적이나 의미 없이 재미나 호기심으로 하는 경우가 많았으나, 요즘에는 (메시지)를 담은 형태로 변화하고 있다.

1 **1**문단에서는 플래시 몹의 의미를 밝히고, **2**문단과 **3**문단에서는 각각 외국과 우리나라의 플래시 몹 사례를 소개하고 있습니다. 마지막으로 **4**문단에서는 처음 플래시 몹과 요즘 플래시 몹의 변화 양상을 설명하였습니다.

2 이 글은 플래시 몹의 의미와 플래시 몹의 특징의 변화를 설명하는 글입니다. 빈칸에 알맞은 낱말을 써넣어 이 글의 중심 내용을 정리해 보도록 합니다.

083쪽 오늘의 어휘

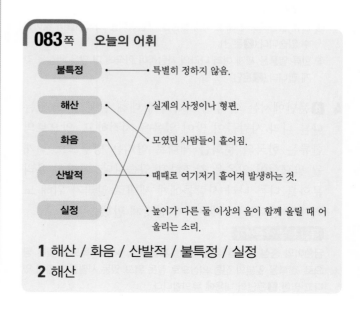

1 해산 / 화음 / 산발적 / 불특정 / 실정
2 해산

- **글의 종류** 설명하는 글
- **글의 특징** 이 글은 우리나라의 4대 명절 중 하나인 한식의 두 가지 유래와 풍습을 설명하는 글입니다.
- **글의 주제** 한식의 유래와 풍습

085쪽   지문 독해

1 유래   **2** (1) ○ (2) ○ (4) ○   **3** ④   **4** ②

1 이 글은 우리나라의 4대 명절 중 하나인 한식의 두 가지 유래를 소개하는 글입니다. 이 글에는 한식의 유래 외에도 한식의 날짜, 의미, 풍습 등도 제시되어 있으나 이 글에서 다루고 있는 주된 내용은 한식의 유래이므로, 제목의 ㉠에 들어가기에 가장 적합한 말은 '유래'입니다.

2 (1) **2**문단과 **3**문단에서는 한식의 유래에 관한 '개자추 설화'와 '개화 의례'를 소개하고 있습니다.
   (2) **4**문단에서는 찬 음식을 먹고 조상의 묘를 돌보며 제사를 지내는 한식의 풍습을 설명하고 있습니다.
   (4) **1**문단에서는 설날, 단오, 추석, 한식이 우리나라의 4대 명절임을 밝히고 있습니다.

3 한식이 개화 의례에서 유래되었다는 설에서는 오래된 불이 생명력이 없다고 여겨 새 불로 바꾸는 날에 찬 음식을 먹었던 것에서 한식이 시작되었다고 하였습니다. 하지만 오래된 불을 생명력이 없다고 여기는 까닭은 이 글에 제시되지 않았습니다.

4 문공은 자신에게 도움을 주었던 개자추를 잃고 난 후 크게 슬퍼하였습니다. 이러한 상황에 가장 어울리는 속담은 '소 잃고 외양간 고친다'입니다. 이 속담은 소를 도둑맞은 다음에서야 빈 외양간의 허물어진 데를 고치느라 수선을 떤다는 뜻으로, 일이 이미 잘못된 뒤에는 손을 써도 소용이 없음을 비꼬는 말입니다.

오답 풀이
① 모든 일에는 질서와 차례가 있는 법인데 일의 순서도 모르고 성급하게 덤빔을 비유적으로 이르는 말입니다.
③ 원인이 없으면 결과가 있을 수 없음을 비유적으로 이르는 말입니다. 또는 실제 어떤 일이 있기 때문에 말이 남을 비유적으로 이르는 말입니다.
④ 잘 아는 일이라도 세심하게 주의를 하라는 말입니다.
⑤ 아무리 훌륭하고 좋은 것이라도 다듬고 정리하여 쓸모 있게 만들어 놓아야 값어치가 있음을 비유적으로 이르는 말입니다.

086쪽   지문 분석

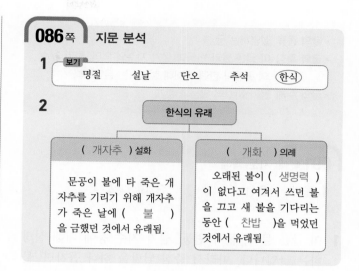

1 | 보기 |
   명절   설날   단오   추석   (한식)

2
한식의 유래
- (개자추) 설화: 문공이 불에 타 죽은 개자추를 기리기 위해 개자추가 죽은 날에 (불)을 금했던 것에서 유래됨.
- (개화) 의례: 오래된 불이 (생명력)이 없다고 여겨서 쓰던 불을 끄고 새 불을 기다리는 동안 (찬밥)을 먹었던 것에서 유래됨.

1 이 글은 우리나라의 4대 명절 중 하나인 한식에 관한 두 가지 유래와 한식의 풍습 등에 대해 설명하는 글입니다.

2 이 글에서는 한식의 유래를 '개자추 설화'와 '개화 의례'에 관한 설로 나누어 설명하고 있습니다. '개자추 설화'와 관련된 유래는 문공이 불에 타 죽은 개자추를 기리기 위해 개자추가 죽은 날에 불을 금했다는 데서 한식이 시작되었다고 보는 것입니다. 그리고 '개화 의례'와 관련된 유래는 백성들이 일 년 동안 쓰던 불을 끄고 나라에서 나누어 주는 새 불을 기다리는 동안에는 불을 쓰지 못하니, 미리 지어 둔 찬밥을 먹었던 것에서 시작되었다는 것입니다.

087쪽   오늘의 어휘

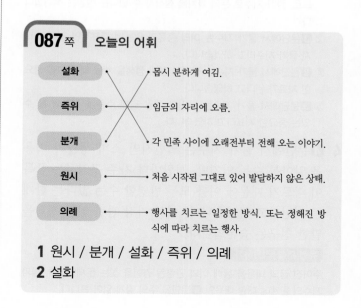

- 설화 ─ 각 민족 사이에 오래전부터 전해 오는 이야기.
- 즉위 ─ 임금의 자리에 오름.
- 분개 ─ 몹시 분하게 여김.
- 원시 ─ 처음 시작된 그대로 있어 발달하지 않은 상태.
- 의례 ─ 행사를 치르는 일정한 방식. 또는 정해진 방식에 따라 치르는 행사.

1 원시 / 분개 / 설화 / 즉위 / 의례
2 설화

• **글의 종류** 설명하는 글
• **글의 특징** 이 글은 물가 변동과 물가 지수의 의미, 물가 지수의 활용과 한계에 대해 설명하는 글입니다.
• **글의 주제** 물가 지수의 활용과 한계

091쪽 지문 독해

1 물가   **2** (1) ○ (2) ○   **3** ③   **4** ④

1 이 글은 물가, 물가 변동, 물가 지수 등에 대해 설명하는 글입니다. 따라서 중심 낱말을 하나 꼽자면 '물가'입니다.

2 (1) **1**문단에서는 물가의 의미를 설명하고 있습니다.
　(2) **2**문단에서는 물가 변동의 뜻을 설명하면서 일정한 월급을 받는 사람들의 입장을 예로 들어 설명하고 있습니다.

오답 풀이
(3) '물가 지수'와 '소비자 물가 지수'의 의미를 설명하고 있을 뿐, 비슷한 상황에 빗대어 설명하고 있지 않습니다.
(4) 물가 지수의 한계를 몇 가지로 나누어 설명하고 있을 뿐, 다른 대상과의 차이점을 설명하고 있지 않습니다.

3 **4**문단에서 정부에서 발표하는 물가 지수는 소비자들이 느끼는 체감 물가와 서로 다른 경우가 있다고 하였습니다.

오답 풀이
① **2**문단에서 물가가 돈의 가치를 알려 주는 기준이 된다고 하였으므로, 물가 지수로 돈의 가치를 짐작할 수 있다는 설명은 적절합니다.
② **3**문단에서 물가 지수는 여러 종류가 있는데 대표적인 것이 소비자 물가 지수라고 하였습니다.
④ **3**문단에서 물가 지수는 정부가 경제 정책을 세울 때 참고할 중요한 자료가 된다고 하였습니다.
⑤ **3**문단에서 물가 지수는 국민의 생활 경제 수준을 짐작해 볼 수 있는 중요한 지표라고 하였습니다.

4 **4**문단에서 물가 지수는 일반적인 소비 생활의 비용을 알아볼 수는 있지만, 사람마다 자주 구입하는 품목이 다르기 때문에 이를 모두 반영할 수는 없다는 한계를 지닌다고 하였습니다. 이와 가장 관련 있는 경험을 말한 친구는 승온입니다.

유형 분석 / 적용하기
주어진 글의 내용을 통해 이와 관련된 경험을 찾는 문제입니다. 물가 지수의 한계에 대한 내용인 **4**문단을 주의 깊게 읽어 봅니다.

092쪽 지문 분석

1

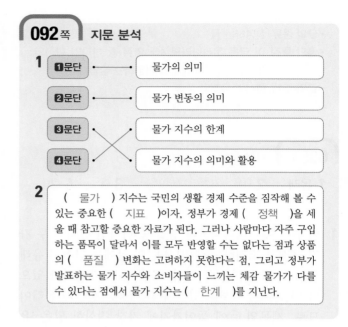

1문단 ── 물가의 의미
2문단 ── 물가 변동의 의미
3문단 ╳ 물가 지수의 한계
4문단 ╳ 물가 지수의 의미와 활용

2

(물가) 지수는 국민의 생활 경제 수준을 짐작해 볼 수 있는 중요한 (지표)이자, 정부가 경제 (정책)을 세울 때 참고할 중요한 자료가 된다. 그러나 사람마다 자주 구입하는 품목이 달라서 이를 모두 반영할 수는 없다는 점과 상품의 (품질) 변화는 고려하지 못한다는 점, 그리고 정부가 발표하는 물가 지수와 소비자들이 느끼는 체감 물가가 다를 수 있다는 점에서 물가 지수는 (한계)를 지닌다.

1 **1**문단에서는 물가의 의미를 설명하였고, **2**문단에서는 물가 변동의 의미를 설명하였습니다. **3**문단에서는 물가 지수의 의미와 물가 지수가 어떻게 활용되는지를 설명하였고, **4**문단에서는 물가 지수의 한계를 설명하였습니다.

2 이 글에서는 물가 지수의 활용과 한계에 대해 설명하고 있습니다. 빈칸에 알맞은 낱말을 써넣어 이 글의 중심 내용을 정리해 보도록 합니다.

093쪽 오늘의 어휘

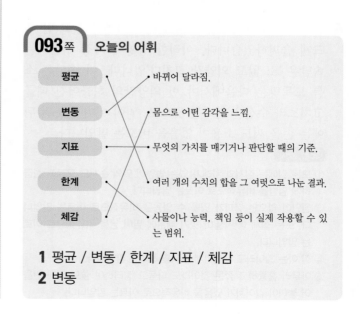

평균 ── 여러 개의 수치의 합을 그 여럿으로 나눈 결과.
변동 ── 바뀌어 달라짐.
지표 ── 무엇의 가치를 매기거나 판단할 때의 기준.
한계 ── 사물이나 능력, 책임 등이 실제 작용할 수 있는 범위.
체감 ── 몸으로 어떤 감각을 느낌.

1 평균 / 변동 / 한계 / 지표 / 체감
2 변동

- **글의 종류** 설명하는 글
- **글의 특징** 이 글은 세금의 종류를 일정한 기준에 따라 나누어 설명하고, 세금을 걷는 목적을 알려 주는 글입니다.
- **글의 주제** 우리나라 세금의 종류와 세금을 걷는 이유

095쪽　지문 독해

1 ②　　**2** (1) 지방세 (2) 간접세 (3) 관세 (4) 내국세
3 ②　　**4** ⑤

1 이 글은 우리나라 세금의 종류를 일정한 기준에 따라 나누어 설명하고 있습니다.

2 지방 자치 단체에서 걷는 세금은 지방세이며(**1**문단), 물건 가격에 포함되어 있는 세금은 간접세입니다.(**3**문단) 외국에서 들어오는 수입품에 부과하는 세금은 관세이고, 나라 안에 있는 사람이나 물건에 부과하는 세금은 내국세입니다.(**2**문단)

3 이 글에는 내국세가 보통세와 목적세로 나뉜다는 내용이 있을 뿐, 목적세의 종류에 대해서는 언급하지 않았습니다.

오답 풀이
① 세금은 나라를 지키고, 공공시설을 건설하며, 국민의 건강을 보호하는 등의 일을 하는 데 쓰입니다.(**1**문단)
③ 세금을 걷는 이유는 나라 살림을 꾸려 나가고, 사람들의 소득 격차를 줄이기 위해서입니다.(**4**문단)
④ 내국세는 국세청에서 담당합니다.(**2**문단)
⑤ 소득의 많고 적음을 고려하지 않고 세금을 똑같이 거둔다면, 부자는 더욱 부자가 되고 가난한 사람은 가난에서 벗어날 수 없게 됩니다.(**4**문단)

4 **2**문단에서 외국에서 들어오는 수입품에는 관세가 붙는다고 하였습니다. 따라서 수입 과일들에 관세가 부과되었을 것이라고 ⑤와 같이 이해하는 것은 적절합니다.

오답 풀이
① 회사원마다 근무 조건에 따라 월급이 다르기 때문에 서로 다른 금액의 소득세를 냅니다.
② 어린이들도 물건을 살 때 포함되어 있는 간접세를 부담하기도 합니다.(**3**문단)
③ 부모님의 월급에 붙는 소득세는 직접세입니다.(**4**문단)
④ 과자와 같은 상품에 붙는 세금은 소득세(직접세)가 아니라 간접세입니다.(**3**문단)

096쪽　지문 분석

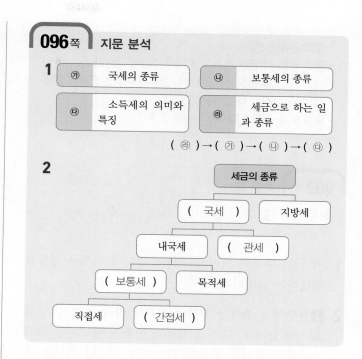

1 **1**문단에서는 세금으로 정부가 하는 일과 우리나라 세금의 종류를 소개하였고, **2**문단에서는 국세의 종류를, **3**문단에서는 보통세의 종류를, **4**문단에서는 소득세의 의미와 특징을 각각 설명하였습니다.

2 이 글은 일정한 기준에 따라 세금의 종류를 나누어 설명하고 있습니다. 세금은 크게 국세와 지방세로 나뉘며, 국세는 다시 내국세와 관세로 나뉩니다. 내국세는 다시 보통세와 목적세로 나뉘며, 보통세는 다시 직접세와 간접세로 나뉩니다.

097쪽　오늘의 어휘

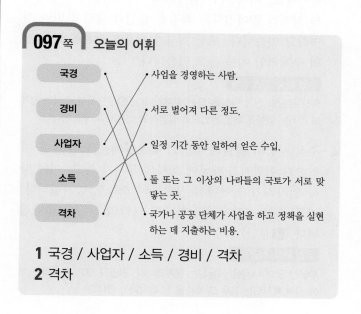

1 국경 / 사업자 / 소득 / 경비 / 격차
2 격차

- **글의 종류** 설명하는 글
- **글의 특징** 이 글은 주식의 의미와 주가에 영향을 주는 요인을 분석한 후, 주식이 경제에 미치는 영향을 설명하는 글입니다.
- **글의 주제** 주식이 경제에 미치는 영향

099쪽 지문 독해

1 주식 **2** ② **3** (1) ○ (3) ○ **4** ②

1 이 글은 주식의 의미와 주식이 경제에 미치는 영향을 설명하는 글입니다.

2 ❸문단에서 주가는 정부의 정책에 따라 변할 수 있다고 하였습니다. 그리고 정부가 친환경 에너지를 적극 지원하는 정책을 발표한다면 이와 관련된 회사의 주가가 오를 수 있다는 예를 들었습니다.

오답 풀이
① ❸문단에서 주가는 회사의 실적에 따라 값이 달라진다고 하였습니다.
③ ❸문단에서 금리가 높을 경우 사람들은 주식을 사기보다는 저축을 한다고 하였으므로 적절하지 않습니다.
④ ❷문단에서 주주는 주식을 자기가 산 가격보다 올랐을 때 팔아서 이익을 남길 수도 있다고 하였습니다.
⑤ ❷문단에서 주식을 많이 가지고 있을수록 회사에 대해 더 큰 권리를 갖게 된다고 하였습니다.

3 ❹문단에서는 주식 시장이 활성화되면 회사의 투자가 늘어나고, 이에 따라 일자리와 소득도 증가하여 나라의 경제가 좋아진다는 과정을 원인과 결과에 따라 설명하고 있습니다. 또한 회사가 새로운 투자를 하는 것의 구체적인 예를 들고 있습니다.

유형 분석 / 전개 방식
특정 문단의 전개 방식을 묻는 문제입니다. ❹문단에서 주식이 경제에 미치는 영향을 어떤 방법으로 설명하고 있는지 파악해 봅니다.

4 주식 시장이 활발해지면 회사 운영에 필요한 돈을 마련하기 쉬워지기 때문에 회사의 투자가 늘고, 이에 따라 일자리가 늘어나서 사람들의 소득도 증가합니다. 결국 주식 시장이 활성화되면 나라의 경제가 좋아집니다. (❹문단)

유형 분석 / 적용하기
주어진 글의 내용을 적용하는 문제입니다. 원인과 결과가 여러 단계에 걸쳐 제시되는 경우 그 흐름을 잘 파악해야 합니다.

100쪽 지문 분석

1

❶문단	(주식)과 주식회사의 의미
❷문단	(주주)의 의미와 역할
❸문단	(주가)에 영향을 주는 요인
❹문단	주식이 (경제)에 미치는 영향

2

주식이 경제에 미치는 영향

주식 (시장)이 활발해짐. → 새로운 (투자)가 늘어남. → (일자리)가 늘어남. → (소득)이 증가함. → 나라의 (경제)가 좋아짐.

1 ❶문단에서는 주식과 주식회사의 의미를, ❷문단에서는 주주의 의미와 역할을 설명하였습니다. ❸문단에서는 주가에 영향을 주는 여러 요인을 설명하였고, ❹문단에서는 주식이 경제에 미치는 영향을 설명하였습니다.

2 이 글의 ❹문단에서는 주식이 경제에 어떤 영향을 미치는지를 원인과 결과를 바탕으로 구체적으로 설명하고 있습니다. 빈칸에 알맞은 낱말을 써넣어 이 글의 중심 내용을 정리해 보도록 합니다.

101쪽 오늘의 어휘

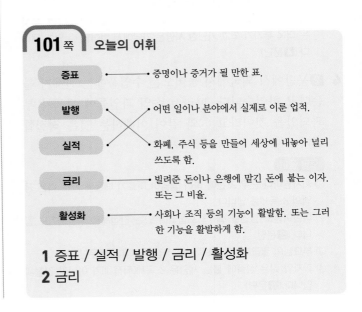

증표 ● ─ ● 증명이나 증거가 될 만한 표.
발행 ● ─ ● 어떤 일이나 분야에서 실제로 이룬 업적.
실적 ● ─ ● 화폐, 주식 등을 만들어 세상에 내놓아 널리 쓰도록 함.
금리 ● ─ ● 빌려준 돈이나 은행에 맡긴 돈에 붙는 이자. 또는 그 비율.
활성화 ● ─ ● 사회나 조직 등의 기능이 활발함. 또는 그러한 기능을 활발하게 함.

1 증표 / 실적 / 발행 / 금리 / 활성화
2 금리

- **글의 종류** 설명하는 글
- **글의 특징** 이 글은 모세관 현상의 의미와 원리를 다양한 일상생활 속의 사례를 통해 설명하는 글입니다.
- **글의 주제** 모세관 현상의 의미와 원리

103쪽 **지문 독해**

1 모세관 현상　**2** (1) ○ (3) ○　**3** ②　**4** ⑤

1 이 글은 모세관 현상의 의미와 그 원리에 대해 설명하는 글입니다.

2 (1) **1**문단은 모세관 현상의 예를 들어 설명하고 있습니다.

(3) **3**문단은 모세관 현상이 생기는 이유를 밝히고 있으므로 적절합니다.

3 모세관 현상은 관이 가늘수록, 액체의 밀도가 낮을수록 잘 일어납니다. 따라서 다른 조건이 같다면 밀도가 더 낮은 액체 ④가 실을 더 빨리 적실 것으로 예측할 수 있습니다.

오답 풀이
① 모세관 현상은 밀도가 낮을수록 강해지기 때문에 밀도가 낮은 액체 ④가 액체 ㉮보다 더 빨리 실을 적실 것입니다.
③ 액체 ㉮와 액체 ④의 밀도가 다르므로 같은 속도로 실을 적실 수 없습니다.
④, ⑤ 모세관 현상으로 인하여 액체 ㉮와 액체 ④ 모두 실을 적실 것입니다.

유형 분석 / 적용하기
주어진 과학적 원리를 실험에 적용하는 문제입니다. **보기** 에서 제시한 두 액체의 밀도가 다르다는 것에 주목하여, 주어진 글에서 액체의 밀도가 모세관 현상에 어떤 영향을 주는지 살펴봅니다.

4 모세관에서 액체가 올라가거나 내려가는 것은 액체의 표면 장력과 액체가 관에 붙으려는 부착력의 상호 작용으로 인해 발생합니다. (**3**문단)

오답 풀이
① 표면 장력은 액체 내부의 분자들끼리 당기는 힘입니다. 따라서 액체의 내부에서 일어나는 힘입니다.
② 부착력은 액체가 관에 붙으려는 힘입니다. 따라서 액체의 외부에서 일어나는 힘입니다.
③ 풀잎 끝에 방울로 맺힌 이슬은 표면 장력 때문에 뭉쳐 있는 것입니다.
④ 표면 장력보다 부착력이 강하면 액체가 관 속으로 빨려 들어가 올라가기 때문에 액체 표면은 볼록해집니다.

104쪽 **지문 분석**

1

1문단	(모세관) 현상의 예
2문단	모세관 현상의 (뜻)
3문단	모세관 현상이 생기는 (원인)과 그 원리
4문단	(일상생활) 속에서 볼 수 있는 모세관 현상의 예

2

모세관 현상의 원리

표면 장력 > 부착력	표면 장력 < 부착력
• 액체가 관 (아래)로 밀려남. • 액체의 표면이 (오목) 해짐.	• 액체가 관 (속)으로 빨려 들어가 올라감. • 액체의 표면이 (볼록) 해짐.

1 **1**문단에서 예를 들어 모세관 현상을 소개하고, **2**문단에서 모세관 현상의 뜻을 설명하였습니다. **3**문단에서 모세관 현상이 생기는 원인과 원리를 설명한 후, **4**문단에서 일상생활에서 볼 수 있는 모세관 현상의 예를 설명하였습니다.

2 이 글에서는 모세관 현상의 원리를 표면 장력과 부착력의 상호 작용을 통해 설명하고 있습니다. 표면 장력과 부착력 중 어떤 힘이 더 강한지에 따라 각각 정리해 봅니다.

105쪽 **오늘의 어휘**

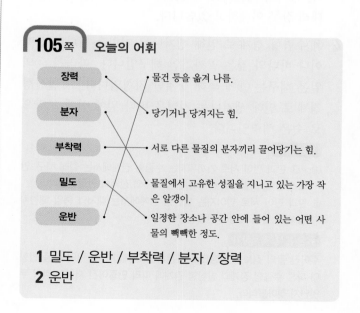

장력	물건 등을 옮겨 나름.
분자	당기거나 당겨지는 힘.
부착력	서로 다른 물질의 분자끼리 끌어당기는 힘.
밀도	물질에서 고유한 성질을 지니고 있는 가장 작은 알갱이.
운반	일정한 장소나 공간 안에 들어 있는 어떤 사물의 빽빽한 정도.

1 밀도 / 운반 / 부착력 / 분자 / 장력
2 운반

- **글의 종류** 설명하는 글
- **글의 특징** 이 글은 대륙 이동설과 맨틀 대류설을 소개하고, 이를 바탕으로 판의 이동 원인을 설명하는 글입니다.
- **글의 주제** 맨틀의 대류에 의한 판의 이동

107쪽　지문 독해

1 ②　**2** (1) ○ (4) ○　**3** ④　**4** ④

1 이 글은 맨틀의 대류에 의한 판의 이동에 대해 설명하고 있습니다.

2 (1) 지구의 대표적인 판은 유라시아판, 태평양판, 북아메리카판, 남아메리카판, 아프리카판, 호주-인도판, 남극판의 7개입니다.(**3**문단) 이 외에 수십 개의 작은 판들이 있다고 하였습니다.
(4) 판의 이동 방향에 따라 생기는 지형에는 수렴형 경계에서의 산맥과 해구, 발산형 경계에서의 해령이 있습니다.(**4**문단)

　오답 풀이
(2) 베게너는 대륙의 이동 원인을 밝히지 못해 사람들로부터 인정을 받지 못했습니다.
(3) 판 이동은 지금도 계속되고 있습니다.

3 **2**문단에서 맨틀 대류설에 대해 설명하면서 맨틀은 지구의 중심부로 갈수록 온도가 올라간다고 했습니다. 따라서 예은이는 이 글에서 설명한 맨틀 대류설에 대해 잘못 이해하고 있습니다.

4 ㉮'수렴형 경계'로 인해 생겨나는 지형은 커다란 산맥이나 바다의 깊은 골짜기인 해구입니다. 따라서 ④의 일본 해구는 ㉮에 의해 생겨난 지형입니다. ㉯'발산형 경계'로 인해 생겨나는 지형은 바다 밑에 산맥 모양으로 솟은 해령입니다.

　오답 풀이
①~③ 판과 판이 서로 가까워지는 수렴형 경계에서는 칠레 해구, 안데스 산맥, 히말라야 산맥과 같은 해구와 산맥이 만들어집니다.
⑤ 판과 판이 서로 멀어지는 발산형 경계에서는 대서양 중앙 해령처럼 바다 밑에 해령이 만들어집니다.

　유형 분석 / 적용하기
주어진 글의 정보를 바탕으로 추론하는 문제입니다. 판의 이동 방향이 다른 수렴형 경계와 발산형 경계에 따라 만들어진 지형이 각각 무엇인지 찾아봅니다.

108쪽　지문 분석

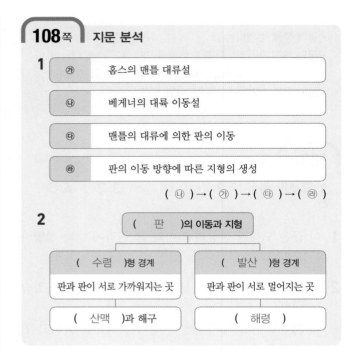

1
㉮	홈스의 맨틀 대류설
㉯	베게너의 대륙 이동설
㉰	맨틀의 대류에 의한 판의 이동
㉱	판의 이동 방향에 따른 지형의 생성

(㉯) → (㉮) → (㉰) → (㉱)

2
(판)의 이동과 지형
(수렴)형 경계	(발산)형 경계
판과 판이 서로 가까워지는 곳	판과 판이 서로 멀어지는 곳
(산맥)과 해구	(해령)

1 **1**문단에서는 베게너의 대륙 이동설을 설명하고, **2**문단에서는 대륙이 이동하는 원인인 맨틀 대류설을 설명하였습니다. **3**문단에서는 맨틀의 대류에 의한 판의 이동에 대해 설명하고, **4**문단에서는 판의 이동 방향에 따라 생기는 지형을 설명하였습니다.

2 이 글에서는 판의 이동을 수렴형 경계, 발산형 경계로 구분하여 설명하고, 각 경계에서 만들어지는 지형을 소개하고 있습니다.

109쪽　오늘의 어휘

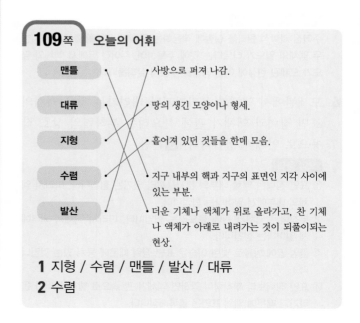

맨틀 ● ● 사방으로 퍼져 나감.
대류 ● ● 땅의 생긴 모양이나 형세.
지형 ● ● 흩어져 있던 것들을 한데 모음.
수렴 ● ● 지구 내부의 핵과 지구의 표면인 지각 사이에 있는 부분.
발산 ● ● 더운 기체나 액체가 위로 올라가고, 찬 기체나 액체가 아래로 내려가는 것이 되풀이되는 현상.

1 지형 / 수렴 / 맨틀 / 발산 / 대류
2 수렴

- **글의 종류** 설명하는 글
- **글의 특징** 이 글은 드라이아이스가 일상생활에서 어떻게 활용되고 있는지 드라이아이스의 특징과 함께 설명하는 글입니다.
- **글의 주제** 드라이아이스의 다양한 활용

111쪽 지문 독해

1 드라이아이스 　**2** (1) ○ (3) ○ 　**3** ⑤ 　**4** ①

1 이 글은 드라이아이스에 대해 설명하고 있습니다.

2 (1) 드라이아이스는 이산화 탄소를 압축하고 냉각시켜 고체로 만든 것을 말합니다.(**1**문단)
(3) 드라이아이스는 식품 보관과 운송, 무대의 안개 효과, 모기나 진드기 유인 등 다양하게 활용됩니다.(**2**~**4**문단)

3 드라이아이스는 얼음과 달리 녹을 때 물기가 생기지 않아서 식품을 차가운 상태로 보관하고 운반하기 편리합니다.(**2**문단)

오답 풀이

① 드라이아이스는 사람이 내쉬는 것보다 훨씬 많은 양의 이산화 탄소를 방출합니다.(**4**문단)
② 밀도가 높을수록 더 오래 사용할 수 있습니다.(**1**문단)
③ 드라이아이스는 맨손으로 직접 만지면 동상을 입을 수 있습니다.(**5**문단)
④ 드라이아이스는 고체에서 기체 상태로 변화하는 성질을 갖고 있습니다.(**3**문단)

4 드라이아이스는 사람 1000명이 내쉬는 정도의 이산화 탄소가 발생하여 모기를 유인할 수 있습니다. 그러므로 드라이아이스를 들고 다니면 더 많은 모기들이 달려들 수 있으므로 알맞지 않습니다. 또한 드라이아이스를 맨손으로 직접 만지는 것은 동상을 입을 수 있으므로 주의해야 합니다.

오답 풀이

②, ⑤ 드라이아이스는 고체에서 기체 상태로 변화하는 성질을 갖고 있어서 안개 효과를 낼 때 사용합니다.
③, ④ 드라이아이스는 식품을 차가운 상태로 보관하고 운반할 때 많이 사용합니다.

유형 분석 / 적용하기

주어진 내용을 다른 상황에 적용해 보는 문제입니다. 드라이아이스의 특징을 고려하여 다양한 활용 사례를 살펴보고 알맞게 활용한 사례가 아닌 것을 찾아봅니다.

112쪽 지문 분석

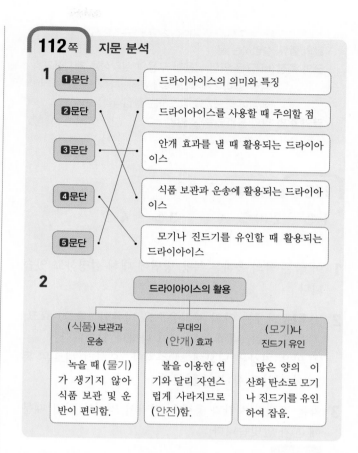

1 **1**문단에서는 드라이아이스의 의미와 특징을 설명하고, **2**~**4**문단에서는 각각 식품 보관과 운송, 무대의 안개 효과, 모기나 진드기 유인에 드라이아이스가 활용되는 사례를 설명하였습니다. **5**문단에서는 드라이아이스를 사용할 때 주의할 점을 강조하고 있습니다.

2 이 글에서는 드라이아이스의 활용 사례 세 가지를 설명하였습니다.

113쪽 오늘의 어휘

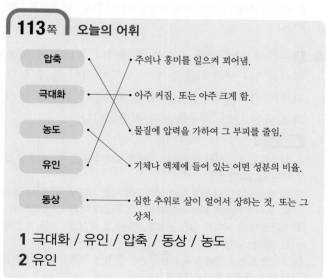

1 극대화 / 유인 / 압축 / 동상 / 농도
2 유인

- **글의 종류** 설명하는 글
- **글의 특징** 이 글은 약의 남용과 오용의 심각성을 제시하고, 약을 올바르게 복용하기 위해 사회 구성원들의 책임이 중요함을 강조하는 글입니다.
- **글의 주제** 약의 올바른 복용 방법

115쪽 지문 독해

1 ② **2** (1) ○ (4) ○ **3** ⑤ **4** ①

1 이 글은 약의 올바른 복용 방법에 대해 설명하고 있습니다.

2 (1) ❸문단에는 약의 부작용으로 나른함, 졸음, 쇼크, 호흡 곤란, 내성 등의 예가 나타나 있습니다.
(4) 약은 건강을 되찾게 해 주지만, 오히려 해로운 독이 되기도 합니다.(❶문단)

3 약은 정해진 시간과 용량을 지켜서 먹어야 하기 때문에 ⑤가 알맞습니다.

오답 풀이
①, ④ 약은 정해진 시간과 용량을 지켜서 복용해야 하므로, 증상이 심하다고 마음대로 약을 남용하지 않습니다.
② 가루약과 물약을 따로 받은 경우 미리 섞지 말고 먹기 직전에 섞어서 먹도록 합니다.
③ 아이의 경우, 증상이 어른과 비슷하다고 해서 어른이 먹는 약을 쪼개어 먹이지 않도록 합니다.

유형 분석 / 적용하기
주어진 내용을 실제 상황에 적용해 보는 문제입니다. 올바른 약 복용을 위한 구체적인 방법은 글의 마지막 문단인 ❺문단에 있음을 기억합니다.

4 ❶문단에서는 약이 고마운 존재이나 지나치게 약을 맹신하거나 약에 의존할 경우 오히려 독이 될 수 있다고 하였습니다. 따라서 정도를 지나침은 미치지 못함과 같다는 뜻의 '과유불급'과 어울립니다.

오답 풀이
② '내유외강'은 겉으로 보기에는 강하게 보이나 속은 부드러움을 뜻하는 말입니다.
③ '동병상련'은 같은 병을 앓는 사람끼리 서로 가엾게 여긴다는 뜻으로, 어려운 처지에 있는 사람끼리 서로 가엾게 여긴다는 말입니다.
④ '배은망덕'은 남에게 입은 은혜를 저버리고 배신하는 태도가 있음을 뜻하는 말입니다.
⑤ '사면초가'는 아무에게도 도움을 받지 못하는, 외롭고 곤란한 지경에 빠진 형편을 이르는 말입니다.

116쪽 지문 분석

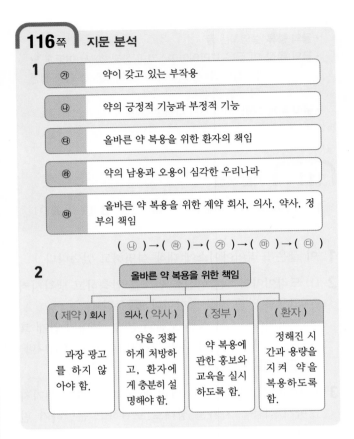

1
㉮ 약이 갖고 있는 부작용
㉯ 약의 긍정적 기능과 부정적 기능
㉰ 올바른 약 복용을 위한 환자의 책임
㉱ 약의 남용과 오용이 심각한 우리나라
㉲ 올바른 약 복용을 위한 제약 회사, 의사, 약사, 정부의 책임

(㉯) → (㉱) → (㉮) → (㉲) → (㉰)

2
올바른 약 복용을 위한 책임

(제약) 회사	의사, (약사)	(정부)	(환자)
과장 광고를 하지 않아야 함.	약을 정확하게 처방하고, 환자에게 충분히 설명해야 함.	약 복용에 관한 홍보와 교육을 실시하도록 함.	정해진 시간과 용량을 지켜 약을 복용하도록 함.

1 ❶문단에서는 약의 긍정적·부정적 기능을, ❷문단에서는 약의 남용과 오용 실태를 설명하였습니다. ❸문단에서는 약의 부작용을, ❹문단에서는 올바른 약 복용을 위한 제약 회사, 의사, 약사, 정부의 책임을, ❺문단에서는 환자의 책임을 설명하였습니다.

2 이 글의 ❹~❺문단에서는 올바른 약 복용을 위한 책임을 설명하고 있습니다.

117쪽 오늘의 어휘

맹신 — 옳고 그름을 가리지 않고 덮어놓고 믿는 일.
남용 — 일정한 기준이나 한도를 넘어서 함부로 씀.
오용 — 잘못 사용함.
복용 — 약을 먹음.
내성 — 약물의 반복 복용에 의해 약효가 떨어지는 현상.

1 남용 / 오용 / 내성 / 맹신 / 복용
2 남용

- **글의 종류** 설명하는 글
- **글의 특징** 이 글은 일상에서 사용하는 뚫어뻥의 과학적 원리를 중심으로 작동 과정과 사용 방법을 설명하는 글입니다.
- **글의 주제** 공기의 압력을 이용한 뚫어뻥의 원리

119쪽 지문 독해

1 뚫어뻥 **2** (1) ○ (3) ○ (4) ○ **3** ⑤ **4** ②

1 이 글은 뚫어뻥의 원리와 작동 과정 등을 설명하고 있습니다.

2 (1) ❶문단에서는 뚫어뻥의 쓰임을 설명하고 있습니다.
(3) ❸문단에서는 뚫어뻥의 작동 과정을 누를 때와 당길 때의 두 단계로 나누어 설명하고 있습니다.
(4) ❹문단에서는 뚫어뻥의 사용 방법을 설명하고 있는데, 기압 차가 클수록 작용하는 힘이 강해지기 때문에(원인) 뚫어뻥을 관 입구에 딱 붙여서 세게 눌렀다가 당겨야 한다(결과)고 하였습니다. 그리고 뚫어뻥을 누르고 당기는 것을 반복하면(원인) 이물질이 움직여 관이 뚫리게 된다(결과)고 하였습니다.

3 이 글은 공기의 압력 차이를 이용해서 막힌 관을 뚫는 도구인 뚫어뻥에 대해 설명하고 있습니다. 뚫어뻥의 원리를 통해 기압의 차이로 인한 힘은 관을 막고 있는 이물질을 밀어낼 만큼 세다는 것을 알 수 있습니다.

[오답 풀이]
① ❷문단에서 고기압과 저기압은 주변 기압과 비교해서 상대적으로 정해진다고 하였으므로, 고기압과 저기압은 고정된 것이 아닙니다.
② ❷문단에서 공기는 고기압에서 저기압으로 이동한다고 하였으므로, 공기의 흐름인 바람도 고기압에서 저기압으로 불 것입니다.
③ ❷문단에서 일정한 공간에 공기의 양이 많으면 고기압이라고 하였으므로, 어떤 지역이 주변보다 공기의 양이 많으면 고기압 상태입니다.
④ 뚫어뻥은 공기의 압력을 이용한 도구이므로, 공기가 새어 나갈 수 있는 구멍이 난다면 사용에 문제가 생깁니다.

4 뚫어뻥을 사용할 때는 기압 차가 클수록 작용하는 힘이 세어지기 때문에 누를 때와 당길 때 모두 센 힘으로 확실하게 해야 합니다.

[유형 분석 / 적용하기]
주어진 글의 내용을 요약하여 정리할 수 있게 적용한 문제입니다. 뚫어뻥의 작동 과정과 사용 방법에 유의하며 [보기]의 글을 읽어 봅니다.

120쪽 지문 분석

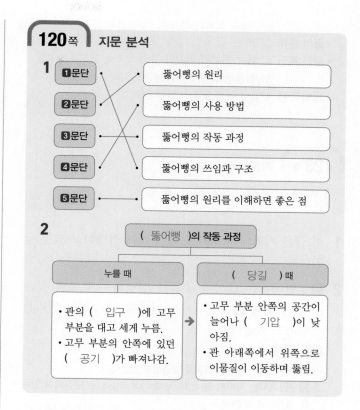

1 ❶문단에서는 뚫어뻥의 쓰임과 구조를, ❷문단에서는 뚫어뻥의 원리를, ❸문단에서는 뚫어뻥의 작동 과정을, ❹문단에서는 뚫어뻥의 사용 방법을 설명하였습니다. ❺문단에서는 뚫어뻥의 원리를 이해하면 어떤 점이 좋은지 설명하였습니다.

2 이 글의 ❸문단에서는 뚫어뻥의 작동 과정을 누를 때와 당길 때의 두 단계로 나누어 설명하고 있습니다.

121쪽 오늘의 어휘

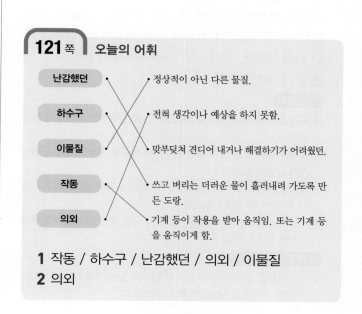

1 작동 / 하수구 / 난감했던 / 의외 / 이물질
2 의외

• **글의 종류** 설명하는 글
• **글의 특징** 이 글은 지퍼의 역할과 구성 요소를 밝히고, 지퍼의 작동 원리를 설명하는 글입니다.
• **글의 주제** 지퍼의 구성 요소와 작동 원리

123쪽 　지문 독해

1 지퍼　**2** ③　**3** ⑤　**4** ⑤

1 이 글은 지퍼의 구조와 원리에 대해 설명하고 있는 글입니다.

2 ❸문단에서는 대상의 종류를 설명하는 부분을 찾을 수 없습니다. ❸문단에서는 지퍼를 열고 닫는 원리를 설명하고 있습니다.

　오답 풀이
① ❶문단에서는 지퍼의 역할을 설명하고 있습니다.
② ❷문단에서는 지퍼가 톱니, 띠, 슬라이더, 막음쇠로 구성되어 있음을 설명하고 있습니다.
④ ❹문단에서는 슬라이더의 내부 구조를 설명하고 있습니다.
⑤ ❺문단에서는 단추와 지퍼를 비교하여 설명하고 있습니다.

3 슬라이더 안의 역삼각형 모양의 돌출된 부분은 두 띠의 톱니가 일정한 각도로 닿거나 멀어지도록 해 줍니다.

4 ❷문단에서 슬라이더는 지퍼의 톱니를 맞물리게 하거나 풀리게 하는 역할을 하는 부속품이라고 했습니다. 그리고 ❹문단에서 슬라이더 안의 역삼각형 모양의 돌출된 부분이 두 띠의 톱니가 일정한 각도로 닿거나 멀어지도록 해 주어 지퍼를 쉽게 여닫을 수 있게 한다고 하였습니다. 그러므로 ㉠에 들어갈 말로 알맞은 것은 슬라이더입니다.

　오답 풀이
① 띠는 톱니가 붙어 있는 부분이므로 ㉠에 들어가기에 알맞지 않습니다.
② 지퍼의 구성 요소 중 하나가 들어가야 하므로 지퍼는 ㉠에 들어가기에 알맞지 않습니다.
③ 톱니는 슬라이더에 의해 맞물리거나 풀리는 작은 조각들이므로 ㉠에 들어가기에 알맞지 않습니다.
④ 막음쇠는 슬라이더가 빠지지 않게 해 주는 부분이므로 ㉠에 들어가기에 알맞지 않습니다.

　유형 분석 / 추론하기
주어진 내용을 통해 빈칸에 들어갈 알맞은 말을 추론하는 문제입니다. 지퍼를 이루는 요소들의 역할에 유의합니다.

124쪽 　지문 분석

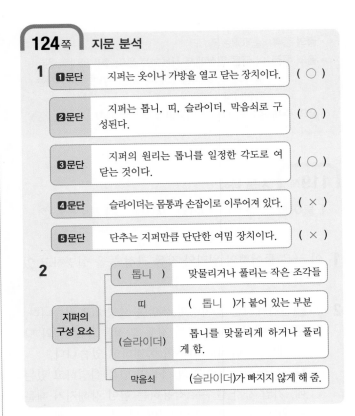

1
❶문단	지퍼는 옷이나 가방을 열고 닫는 장치이다.	(○)
❷문단	지퍼는 톱니, 띠, 슬라이더, 막음쇠로 구성된다.	(○)
❸문단	지퍼의 원리는 톱니를 일정한 각도로 여닫는 것이다.	(○)
❹문단	슬라이더는 몸통과 손잡이로 이루어져 있다.	(×)
❺문단	단추는 지퍼만큼 단단한 여밈 장치이다.	(×)

2

지퍼의 구성 요소
(톱니)	맞물리거나 풀리는 작은 조각들
띠	(톱니)가 붙어 있는 부분
(슬라이더)	톱니를 맞물리게 하거나 풀리게 함.
막음쇠	(슬라이더)가 빠지지 않게 해 줌.

1 ❶문단에서 지퍼의 역할을, ❷문단에서 지퍼의 구성 요소를, ❸문단에서 지퍼의 작동 원리를 설명하고 있습니다. ❹문단에서 슬라이더의 몸통의 내부 구조를 설명한 후, ❺문단에서 단추와 비교하였을 때 지퍼가 어떤 장점을 갖는지 설명하고 있습니다.

2 이 글의 ❷문단에서는 지퍼의 구조를 설명하고 있는데, 지퍼가 톱니, 띠, 슬라이더, 막음쇠로 구성되어 있음을 밝히고 있습니다.

125쪽 　오늘의 어휘

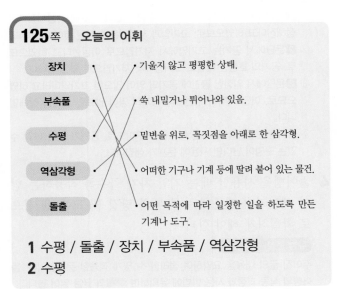

장치 — 어떤 목적에 따라 일정한 일을 하도록 만든 기계나 도구.
부속품 — 어떠한 기구나 기계 등에 딸려 붙어 있는 물건.
수평 — 기울지 않고 평평한 상태.
역삼각형 — 밑변을 위로, 꼭짓점을 아래로 한 삼각형.
돌출 — 쑥 내밀거나 튀어나와 있음.

1 수평 / 돌출 / 장치 / 부속품 / 역삼각형
2 수평

- **글의 종류** 설명하는 글
- **글의 특징** 이 글은 풍물놀이의 의미와 특징을 밝힌 후, 풍물놀이의 구성을 세 가지로 구분하여 각각을 설명하는 글입니다.
- **글의 주제** 풍물놀이의 특징과 구성

129쪽　지문 독해

1 풍물놀이　**2** ③　**3** ①　**4** ①

1 이 글은 풍물놀이의 특징과 구성 등에 대해 설명하는 글입니다.

2 윗놀음은 상모를 돌려 여러 가지 모양의 형태를 만드는 동작을 말하는데, 대표적인 것으로는 외사, 양사, 나비사 등이 있습니다. (**2**문단)

오답 풀이
① 풍물놀이는 국가 유형 문화재가 아니라 무형 문화재로 지정되었습니다. (**5**문단)
② 풍물놀이에 사용되는 악기의 수는 사물놀이에서 사용하는 네 가지 악기보다 많습니다. (**1**문단)
④ 윗놀음은 상모를 돌리는 동작을 의미합니다. 발동작은 아랫놀음이라고 합니다. (**2**문단)
⑤ 풍물놀이의 몸동작은 가락이 아니라 발림입니다. (**2**문단)

3 '또한'은 앞 내용에다 더하여 말한다는 뜻입니다. ㉠의 앞에서도 뒤에서도 모두 사물놀이와 풍물놀이의 특징을 비교하여 말하고 있으므로 '또한'이 들어가기에 알맞습니다.

4 풍물놀이의 가락은 지역에 따라 조금씩 특징이 다릅니다. (**3**문단)

오답 풀이
② 지수는 풍물놀이의 발림 중에서 윗놀음의 한 종류인 양사에 대해 알맞게 말했습니다. (**2**문단)
③ 준현이는 사물놀이와 다른 풍물놀이의 특징을 알맞게 말했습니다. (**1**문단)
④ 대희는 풍물놀이의 구성 중 하나인 가락의 지역적 특징을 알맞게 말했습니다. (**3**문단)
⑤ 기안이는 마을이 편안하기를 빌었던 옛날의 풍물놀이와 공연 형태로 발전한 현재의 풍물놀이를 비교하여 말했습니다. (**5**문단)

유형 분석 / 적용하기
주어진 내용을 다른 상황에 적용하는 문제입니다. 학생들이 민속촌에서 본 것이 풍물놀이라는 점에 유의하고, 글에 제시된 풍물놀이의 세부 내용에 주목합니다.

130쪽　지문 분석

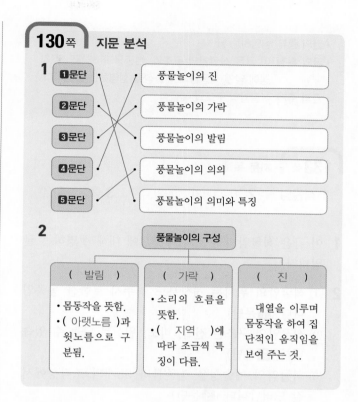

1 **1**문단에서는 풍물놀이의 의미와 특징을 소개하였고, **2**~**4**문단에서는 풍물놀이의 구성 요소인 발림, 가락, 진을 차례로 설명하였습니다. **5**문단에서는 풍물놀이의 의의를 강조하였습니다.

2 이 글은 풍물놀이의 구성을 발림, 가락, 진의 세 가지로 구분하여 설명하는 글입니다.

131쪽　오늘의 어휘

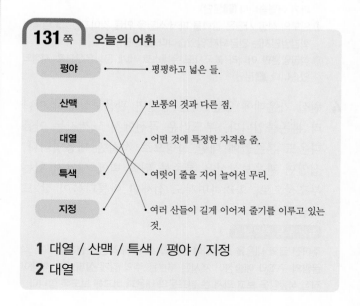

1 대열 / 산맥 / 특색 / 평야 / 지정
2 대열

- **글의 종류** 설명하는 글
- **글의 특징** 이 글은 석굴암의 구조와, 본존불과 38개의 조각 상에 담긴 석굴암의 예술성을 설명하는 글입니다.
- **글의 주제** 석굴암의 구조와 예술성

133쪽 　지문 독해

1 석굴암　**2** (1) ○ (2) ○ (3) ○　**3** ②　**4** ④

1 이 글은 석굴암의 구조와 예술성에 대해 설명하는 글 입니다.

2 (1) 석굴암의 위치는 경상북도 경주시 토함산 동쪽입 니다.(❶문단)
(2) 석굴암의 구조는 전실, 비도, 원실로 나눌 수 있습 니다.(❷문단)
(3) 석굴암의 예술성은 본존불과 38개의 조각상에서 잘 드러납니다.(❸문단)

3 이 글의 마지막 문단에는 돌을 다루던 신라 석공들의 정교한 기술과 뛰어난 예술성을 잘 보여 주는 석굴암 의 가치를 설명하고 있습니다. 이를 통해 당시 신라 석공들의 돌 다듬는 기술이 매우 훌륭했음을 알 수 있 습니다.

[오답 풀이]
① 석굴암의 천장은 돔 형태로 돌을 차곡차곡 쌓아 올려서 만들었습 니다.(❷문단)
③ 우리나라의 산은 단단한 화강암으로 이루어져 있기 때문에 석굴을 파기 어렵습니다.(❶문단)
④ 인도의 석굴 사원은 암벽을 파서 석굴을 만든 것이지만, 그 암벽이 화강암인지는 언급되지 않았습니다.(❶문단)
⑤ 석굴암뿐만 아니라 불국사도 유네스코 세계 문화유산으로 지정되 었습니다.(❹문단)

4 원실 가운데에 있는 것은 십일면 관음보살상이 아니 라 본존불입니다. 부드러운 곡선에서 느껴지는 아름 다움도 본존불에 대한 설명으로 적절한 내용입니다. 십일면 관음보살상은 본존불 뒤쪽 벽에 새겨져 있는 부조상으로, 화려하면서도 섬세한 아름다움이 잘 드 러납니다.

[유형 분석 / 적용하기]
주어진 글의 내용을 요약하여 정리할 수 있게 적용한 문제입니다. 석 굴암의 구조와 예술성이 제시된 부분을 주의 깊게 살펴보고, 학생이 직접 석굴암을 보고 와서 쓴 발표문의 내용과 비교해 보도록 합니다.

134쪽 　지문 분석

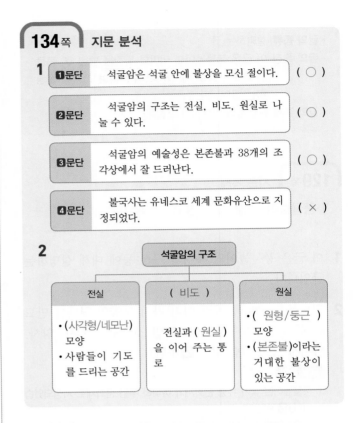

1
❶문단　석굴암은 석굴 안에 불상을 모신 절이다. (○)
❷문단　석굴암의 구조는 전실, 비도, 원실로 나 눌 수 있다. (○)
❸문단　석굴암의 예술성은 본존불과 38개의 조 각상에서 잘 드러난다. (○)
❹문단　불국사는 유네스코 세계 문화유산으로 지 정되었다. (×)

2
석굴암의 구조
전실	(비도)	원실
•(사각형/네모난) 모양 •사람들이 기도 를 드리는 공간	전실과 (원실) 을 이어 주는 통 로	•(원형/둥근) 모양 •(본존불)이라는 거대한 불상이 있는 공간

1 ❶문단에서는 석굴암의 뜻과 특징을, ❷문단에서는 석굴암의 구조를, ❸문단에서는 석굴암의 예술성을 설명하고 있습니다. ❹문단에서는 석굴암의 가치를 강조하고 있습니다.

2 이 글은 석굴암의 구조를 전실, 비도, 원실로 구분하 여 설명하고 있습니다.

135쪽 　오늘의 어휘

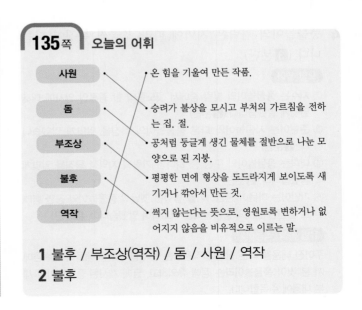

사원 ―――――― 온 힘을 기울여 만든 작품.
돔 ―――――― 승려가 불상을 모시고 부처의 가르침을 전하 는 집. 절.
부조상 ―――――― 공처럼 둥글게 생긴 물체를 절반으로 나눈 모 양으로 된 지붕.
불후 ―――――― 평평한 면에 형상을 도드라지게 보이도록 새 기거나 깎아서 만든 것.
역작 ―――――― 썩지 않는다는 뜻으로, 영원토록 변하거나 없 어지지 않음을 비유적으로 이르는 말.

1 불후 / 부조상(역작) / 돔 / 사원 / 역작
2 불후

• **글의 종류** 설명하는 글
• **글의 특징** 이 글은 인상주의의 의미와 인상주의 미술의 주요 특징, 인상주의 미술에 대한 평가를 설명하는 글입니다.
• **글의 주제** 인상주의 미술의 주요 특징

137쪽 　**지문 독해**

1 인상주의 미술　**2** (1) ○　(4) ○　(5) ○　**3** ③
4 ④

1 이 글은 인상주의 미술의 주요 특징에 대해 설명하는 글입니다.

2 ⑴ **1**문단의 맨 마지막 문장인 '인상주의 미술의 주요 특징은 무엇일까?'는 질문 형식을 사용해서 글에서 주로 설명할 내용을 소개하고 있습니다.
　⑷ **4**문단에서는 인상주의 미술의 특징을 이전 미술과의 비교를 통해 설명하고 있습니다.
　⑸ **5**문단에서는 인상주의 미술에 대한 당시와 오늘날의 서로 반대되는 평가를 모두 제시하고 있습니다.

오답 풀이
⑵ 구체적인 예를 들어 설명함으로써 이해를 돕고 있는 문단은 **3**문단입니다.
⑶ 원인과 결과에 따라 설명하고 있는 문단은 **2**문단입니다.

3 인상주의 미술 작품은 가까이에서 볼수록 대상의 형체가 사라지고 물감의 색만 강조되므로, 적당한 거리에서 떨어져서 감상하는 것이 좋습니다. **2**~**4**문단에 설명된 인상주의 미술의 특징을 살펴보며 친구들의 인상주의 미술 작품에 대한 생각이 알맞은지 알아봅니다.

4 **5**문단에는 인상주의 미술이 처음 등장했을 때의 부정적인 평가와는 달리, 오늘날에는 혁명적인 예술 운동으로 인정받고 있다는 내용이 있습니다. 그러므로 같은 예술 작품일지라도 시대에 따라 평가가 달라질 수 있다고 이해할 수 있습니다.

유형 분석 / 추론하기
주어진 내용을 바탕으로 하여 이끌어 낼 수 있는 의미를 찾는 문제입니다. 인상주의 미술에 대한 평가가 과거와 현재가 달라졌다는 **5**문단의 내용에 유의합니다.

138쪽 　**지문 분석**

1
㉮	인상주의의 의미
㉯	인상주의 미술에 대한 평가
㉰	형체나 윤곽이 뚜렷하지 않은 인상주의 미술
㉱	빛에 따라 변하는 색을 표현한 인상주의 미술
㉲	평범한 일상과 자연 풍경에 주목한 인상주의 미술

(㉮) → (㉰) → (㉱) → (㉲) → (㉯)

2
　인상주의 미술의 특징
　- 대상의 형체나 (윤곽)이 뚜렷하지 않고, 간단한 명암 표현과 짧은 붓 자국으로 인상을 표현함.
　- 대상의 원래 색보다는 대상을 비추는 (빛)의 양과 방향에 따라 변하는 색을 표현함.
　- 지극히 평범하고 (일상적)인 모습이나 (자연)의 풍경에 주목함.

1 **1**문단에서는 인상주의의 의미를 밝히고, **2**~**4**문단에서는 인상주의 미술의 특징을 형체나 윤곽이 뚜렷하지 않은 점, 빛에 따라 변하는 색을 표현한 점, 평범한 일상과 자연 풍경에 주목한 점으로 나누어 각각 설명하였습니다. **5**문단에서는 오늘날 인상주의 미술에 대한 긍정적인 평가를 강조하고 있습니다.

2 **2**~**4**문단의 중심 내용을 각각 정리해 봅니다.

139쪽 　**오늘의 어휘**

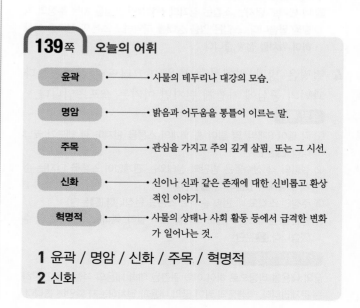

윤곽	사물의 테두리나 대강의 모습.
명암	밝음과 어두움을 통틀어 이르는 말.
주목	관심을 가지고 주의 깊게 살핌. 또는 그 시선.
신화	신이나 신과 같은 존재에 대한 신비롭고 환상적인 이야기.
혁명적	사물의 상태나 사회 활동 등에서 급격한 변화가 일어나는 것.

1 윤곽 / 명암 / 신화 / 주목 / 혁명적
2 신화

• **글의 종류** 설명하는 글
• **글의 특징** 이 글은 컬링을 할 때 필요한 준비물과 선수 구성, 각 선수들의 역할, 경기 진행 방법 및 득점 방법 등을 설명하는 글입니다.
• **글의 주제** 컬링의 경기 방법

141쪽 │ 지문 독해

1 ④ **2** 스톤, 브룸 **3** ② **4** ⑤

1 이 글은 컬링의 경기 방법을 설명하는 글입니다.

2 ❷문단에서 컬링 경기를 할 때 필요한 것에는 스톤과 브룸이 있다고 하였습니다.

　유형 분석 / 내용 이해

주어진 글의 세부 내용을 묻는 문제입니다. ❷문단에서 컬링 경기에 필요한 준비물로 무엇과 무엇을 언급하고 있는지 찾도록 합니다.

3 세컨드는 스킵이 스톤을 던질 때 리드와 함께 빙판을 문지르는 역할을 맡습니다. 스킵을 대신하여 주장의 역할을 하는 것은 서드입니다.

　오답 풀이

① 컬링은 리드 → 세컨드 → 서드 → 스킵의 순서대로 스톤을 던지므로 '리드'가 가장 먼저 스톤을 던집니다.
③ 두 번째로 던지는 세컨드는 상대편의 스톤을 밀어내야 하므로 가장 정확하고 세게 던질 수 있는 사람이 맡아야 합니다.
④ 세 번째로 던지는 서드는 리드나 세컨드가 스톤을 던질 때는 빙판을 문지르는 역할이지만, 스킵이 스톤을 던질 때는 스킵을 대신하여 작전을 내리고 경기를 책임집니다.
⑤ 네 번째로 던지는 스킵은 경기의 전체적인 책임을 지는 주장의 역할을 맡습니다. 스킵은 얼음 상태를 파악하고 스톤의 진로를 예상하여 위치를 정해 줍니다.

4 컬링은 빙판 위에서 스톤을 미끄러뜨려 상대편보다 과녁의 중심에 가깝게 던지면 이기는 스포츠입니다.

　오답 풀이

① 각 팀이 8개씩, 양 팀이 총 16개의 스톤을 던져야 한 엔드가 끝납니다.(❹문단)
② 컬링의 각 선수들은 빙판의 상태와는 관계없이 스톤을 던지는 순서가 정해져 있습니다.(❸문단)
③ 주장인 스킵도 네 번째 순서로 스톤을 던집니다.(❸문단)
④ 빙판을 문지르는 기술로 스톤을 보다 멀리, 똑바로 나아가게 할 수 있습니다.(❷문단)

　유형 분석 / 적용하기

글의 내용을 바탕으로 하여 이와 관련된 대화 내용의 적절성을 판단하는 문제입니다. 학생들의 말이 글의 내용과 일치하는지 확인해 봅니다.

142쪽 │ 지문 분석

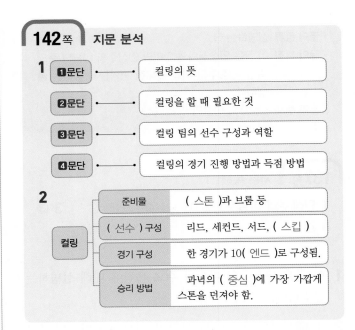

1
❶문단 ● ── ● 컬링의 뜻
❷문단 ● ── ● 컬링을 할 때 필요한 것
❸문단 ● ── ● 컬링 팀의 선수 구성과 역할
❹문단 ● ── ● 컬링의 경기 진행 방법과 득점 방법

2

컬링	준비물	(스톤)과 브룸 등
	(선수) 구성	리드, 세컨드, 서드, (스킵)
	경기 구성	한 경기가 10(엔드)로 구성됨.
	승리 방법	과녁의 (중심)에 가장 가깝게 스톤을 던져야 함.

1 ❶문단에서는 컬링의 뜻을, ❷문단에서는 컬링을 할 때 필요한 것을 설명하였고, ❸문단에서는 컬링 팀의 선수 구성과 역할을 설명하였습니다. ❹문단에서는 컬링의 경기 진행 방법과 득점 방법을 설명하고 있습니다. 각 문단의 중심 내용으로 알맞은 것을 찾아 선으로 이어 봅니다.

2 이 글은 컬링 경기의 준비물과 선수 구성, 경기 구성, 승리 방법 등을 설명하고 있습니다. 글의 내용을 잘 살펴보며 내용을 정리해 봅니다.

143쪽 │ 오늘의 어휘

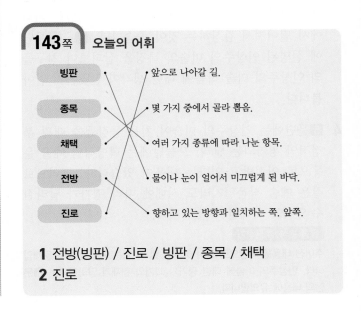

빙판 ● ● 앞으로 나아갈 길.
종목 ● ● 몇 가지 중에서 골라 뽑음.
채택 ● ● 여러 가지 종류에 따라 나눈 항목.
전방 ● ● 물이나 눈이 얼어서 미끄럽게 된 바닥.
진로 ● ● 향하고 있는 방향과 일치하는 쪽. 앞쪽.

1 전방(빙판) / 진로 / 빙판 / 종목 / 채택
2 진로

・**글의 종류** 전기문
・**글의 특징** 이 글은 숲과 나무를 지키고자 했던 환경 운동가 왕가리 마타이의 삶과 업적에 대해 쓴 글입니다.
・**글의 주제** 환경 운동가 왕가리 마타이의 삶과 업적

145쪽　지문 독해

1 왕가리 마타이　**2** (1) ○ (3) ○ (4) ○　**3** ②
4 ④

1 이 글은 케냐의 여성 환경 운동가인 왕가리 마타이의 삶과 업적에 대해 쓴 글입니다.

2 (1) 마타이의 유언 내용은 **4**문단에 나타나 있습니다.
(3) 마타이가 만든 단체인 '그린벨트 운동'의 활동은 **2**문단에 나타나 있습니다.
(4) 마타이에게 교육의 기회를 준 부모님에 대한 이야기는 **1**문단에 있습니다.

3 마타이는 '그린벨트 운동'이라는 단체를 만들어 숲을 되살리는 동시에 가난한 여성들에게 일자리를 마련해 주고자 했습니다. 또한 마타이는 노벨 평화상의 상금을 그린벨트 운동을 펼치는 데 사용했으므로, 가난한 여성들에게 상금을 나누어 주었다는 것은 적절하지 않습니다.

〔오답 풀이〕
① 마타이는 그린벨트 운동을 통해 훼손된 아프리카의 자연을 살려 냈습니다.
③ 마타이는 부패한 정권에 의해 몇 번이나 감옥에 갇히기도 했지만, 이에 굴복하지 않고 맞서 싸워 끝내 숲을 지켜 냈습니다.(**3**문단)
④ 마타이는 아프리카 여성 최초로 2004년에 노벨 평화상을 수상했습니다.(**3**문단)
⑤ 마타이는 여성으로서, 흑인으로서 받아야 했던 차별과 맞서 싸운 인물입니다.(**4**문단)

4 왕가리 마타이는 여성으로서, 흑인으로서 받아야 했던 차별과 맞서 싸웠습니다. 또한 파괴된 자연을 살리는 일은 다른 사람들의 비난과 공격에도 꺾이지 않고 해냈습니다. 그러므로 왕가리 마타이의 삶을 통해 내가 옳다고 믿는 일은 반드시 해내는 용기와 의지를 배울 수 있습니다.

〔유형 분석/추론하기〕
주어진 내용을 바탕으로 이끌어 낼 수 있는 교훈을 생각해 보는 문제입니다. 왕가리 마타이의 업적에 유의하며 글을 다시 읽어 봅니다.

146쪽　지문 분석

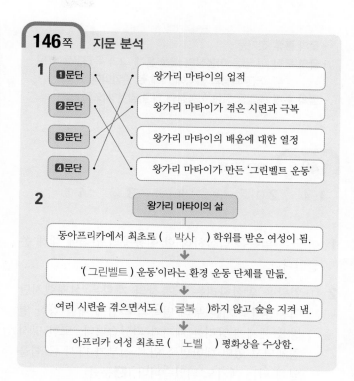

1 **1**문단에서는 마타이의 배움에 대한 열정을, **2**문단에서는 마타이가 만든 단체인 '그린벨트 운동'을 설명하였습니다. **3**문단에서는 마타이가 겪은 시련과 이를 극복해 낸 것을 설명하였고, **4**문단에서는 마타이의 유언과 마타이가 이루어 낸 업적을 설명하였습니다.

2 이 글은 환경 운동가인 왕가리 마타이의 삶과 업적에 대해 쓴 글입니다.

147쪽　오늘의 어휘

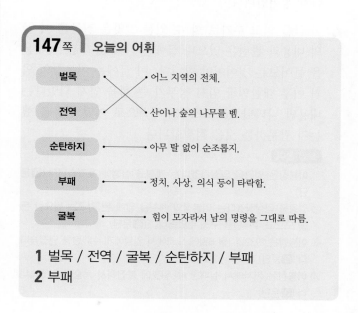

1 벌목 / 전역 / 굴복 / 순탄하지 / 부패
2 부패

- **글의 종류** 전기문
- **글의 특징** 이 글은 이봉창의 삶을 통해 그가 독립운동에 뛰어든 과정과 업적에 대해 쓴 글입니다.
- **글의 주제** 독립을 위한 이봉창의 일왕 암살 시도와 의의

149쪽 지문 독해

1 ④　**2** (1) ○ (2) ○ (3) ○　**3** ③　**4** ⑤

1 이 글은 일왕을 암살하려 한 이봉창의 업적에 대해 쓴 글입니다.

2 (1) 일왕을 암살하려는 이봉창의 계획은 실패했지만 이봉창의 의거는 우리 민족의 독립에 대한 강한 열망을 세계에 알리는 계기가 되었습니다. 또한 당시 침체되고 있던 대한민국 임시 정부가 다시 큰 힘을 얻게 되는 계기도 되었습니다.(**4**문단)
(2) 이봉창은 김구가 만든 비밀 단체인 한인 애국단에 가입하기 위해 중국으로 건너갔습니다.(**2**문단)
(3) 이봉창이 독립운동을 시작하게 된 배경은 **1**문단에 나타나 있습니다.

오답 풀이
(4) **3**문단에서 이봉창이 일왕을 암살하려던 계획을 실행에 옮겼으나, 거사가 실패로 돌아갔다고 했습니다.

3 '사생취의'는 목숨을 버리고 의를 좇는다는 뜻이므로, 독립운동에 목숨을 바친 이봉창의 삶과 관련이 있는 한자 성어입니다.

4 이 글을 읽고 추가로 할 수 있는 알맞은 질문은 이 글의 내용과 관련은 있으나 글에는 나와 있지 않은 내용을 물어보는 것이어야 합니다. 이 글에는 이봉창의 의거 이후 대한민국 임시 정부가 큰 힘을 얻게 되었다는 내용만 나타나 있으므로, 구체적으로 어떤 활동을 했는지 질문하는 것은 적절합니다.

오답 풀이
① 이봉창은 일왕을 암살하겠다는 계획을 실행에 옮겼습니다.(**3**문단)
② 일왕을 암살하겠다는 이봉창의 계획을 알게 된 김구는 필요한 돈을 모으고 수류탄을 구해 주었습니다.(**3**문단)
③ 이봉창은 1932년 1월 8일에 도쿄에서 일왕에게 수류탄을 던졌습니다.(**3**문단)
④ 이봉창은 거사에서 실패한 후 일본에 붙잡혀서 목숨을 잃었습니다.(**3**문단)

150쪽 지문 분석

1

㉮	실패로 돌아간 이봉창의 의거
㉯	이봉창이 독립운동에 뛰어든 배경
㉰	이봉창의 의거가 남긴 역사적 의의
㉱	일왕을 암살하고자 한 이봉창의 계획

(㉯) → (㉱) → (㉮) → (㉰)

2 독립운동가 이봉창은 (김구)의 도움을 받아서 (일왕)을 암살하려는 계획을 실행에 옮겼다. 이봉창의 의거는 비록 (실패)하였지만 우리 민족의 (독립)에 대한 열망을 (세계)에 알리는 계기가 되었다.

1 **1**문단에서는 이봉창이 독립운동에 뛰어든 배경을, **2**문단에서는 일왕을 암살하겠다는 이봉창의 계획을, **3**문단에서는 실패로 돌아간 이봉창의 의거를, **4**문단에서는 이봉창의 의거가 남긴 역사적 의의를 설명하고 있습니다. 각 문단의 중심 내용을 글의 순서에 맞게 차례대로 나열해 봅니다.

2 이 글은 독립운동가 이봉창이 일왕을 암살하려 했던 업적과 그 의의에 대해 쓴 글입니다. **3**문단과 **4**문단의 내용을 중점적으로 살펴보며 빈칸을 채워 보도록 합니다.

151쪽 오늘의 어휘

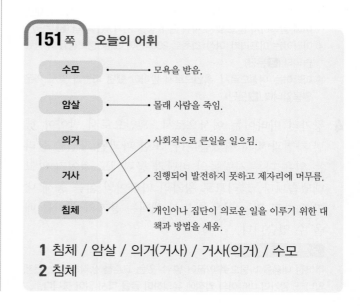

수모	모욕을 받음.
암살	몰래 사람을 죽임.
의거	사회적으로 큰일을 일으킴.
거사	진행되어 발전하지 못하고 제자리에 머무름.
침체	개인이나 집단이 의로운 일을 이루기 위한 대책과 방법을 세움.

1 침체 / 암살 / 의거(거사) / 거사(의거) / 수모
2 침체

- **글의 종류** 설명하는 글
- **글의 특징** 이 글은 다윈이 진화론을 도출하게 된 핀치새의 사례와 자연 선택설의 의미를 제시하고, 그가 발표한 논문과 저서를 설명하는 글입니다.
- **글의 주제** 다윈이 진화론을 도출한 과정

153쪽 　지문 독해

1 진화론　　**2** (1) 1　(2) 3　(3) 4　(4) 2　　**3** ④
4 ④

1 이 글은 진화론을 연구하여 발표한 찰스 다윈에 대하여 설명하고 있습니다.

2 **4**문단에서 오늘날 목이 긴 기린으로 진화하게 된 과정을 설명한 내용을 살펴보도록 합니다.
(목이 긴 기린이 태어남→목이 긴 기린이 짧은 기린보다 높은 나무의 나뭇잎을 먹는 데 더 유리함. →목이 긴 기린이 생존 경쟁에서 승리함. →목이 긴 기린이 많은 자손을 번식하여 오늘날 목이 긴 기린으로 진화함.)

3 보기 의 내용에 따르면 가뭄이 길어지자 작은 씨앗들이 사라졌고, 따라서 작은 씨앗들을 먹고 사는 부리가 작은 핀치새들이 줄어들었다고 하였습니다. 그러나 가뭄이 끝났으면 다시 작은 씨앗들이 자랄 것이고, 그러면 부리가 작은 핀치새들이 다시 늘어나게 될 것으로 예상할 수 있습니다.

유형 분석 / 추론하기

주어진 글 전체의 핵심 내용을 바탕으로 추론하는 문제입니다. 글에서 설명한 찰스 다윈의 진화론에 대해 이해하고, 보기 의 내용 흐름상 빈칸에 들어갈 내용이 무엇인지 파악해 봅니다.

4 제시된 글에는 다윈이 진화론을 발표했을 때 사람들이 어떤 반응을 보였는지 나와 있지 않으므로, 이와 관련해서 질문하는 것은 적절합니다.

오답 풀이

① 자연 선택의 뜻은 **3**문단에 제시되어 있습니다.
② 진화론에 관한 다윈의 책과 논문에 대한 내용은 **5**문단에 있습니다.
③ 자연 선택설에 대한 영감을 어디에서 얻었는지는 **1**문단에 제시되어 있습니다.
⑤ 핀치새들의 부리 모양이 달라지게 된 이유는 **2**문단에 나와 있습니다.

154쪽 　지문 분석

1

1문단	다윈이 (자연) 선택설에 대한 영감을 얻은 계기
2문단	다윈이 조사를 통해 (도출)한 결론
3문단	자연 (선택)과 자연 선택설의 의미
4문단	다윈의 진화론의 예시
5문단	다윈이 쓴 (논문)과 책

2

찰스 다윈의 진화론

갈라파고스 제도의 (핀치새)들이 여러 섬들에서 서로 다른 (부리) 모양을 갖고 있다는 것을 발견함.	• 공통된 조상으로부터 갈라져 나왔음. • 부리 모양의 차이는 환경에 적응하는 과정에서 일어났음. • 섬 안에서 치열한 생존 (경쟁)이 있었음.	생물의 종은 자연 (선택)의 결과, 환경에 적합한 방향으로 진화한다는 자연 선택설을 중심으로 한 (진화론)을 주장함.

1 **1**문단에서는 다윈이 자연 선택설에 대한 영감을 얻은 계기를, **2**문단에서는 다윈이 조사를 통해 도출한 결론을, **3**문단에서는 자연 선택과 자연 선택설의 의미를, **4**문단에서는 다윈의 진화론의 예시를, **5**문단에서는 다윈이 쓴 논문과 책을 설명하였습니다.

2 이 글은 다윈이 진화론을 도출하게 된 핀치새의 사례와 자연 선택의 의미를 설명하는 글입니다.

155쪽 　오늘의 어휘

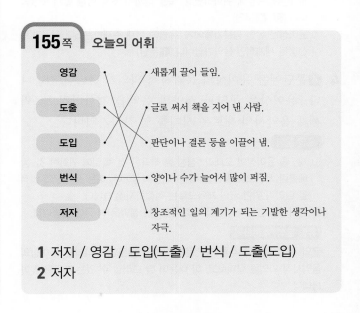

영감 ● ● 새롭게 끌어 들임.
도출 ● ● 글로 써서 책을 지어 낸 사람.
도입 ● ● 판단이나 결론 등을 이끌어 냄.
번식 ● ● 양이나 수가 늘어서 많이 퍼짐.
저자 ● ● 창조적인 일의 계기가 되는 기발한 생각이나 자극.

1 저자 / 영감 / 도입(도출) / 번식 / 도출(도입)
2 저자

- **글의 종류** 전기문
- **글의 특징** 이 글은 세계적인 음악가 윤이상의 굴곡진 삶과 음악사적 의의에 대해 쓴 글입니다.
- **글의 주제** 세계적인 음악가 윤이상의 삶과 음악사적 의의

157쪽 지문 독해

1 윤이상   **2** ②   **3** ⑤   **4** ④

1 이 글은 작곡가 윤이상의 삶과 업적에 대해 쓴 글입니다.

2 이 글은 윤이상의 생애를 시간의 흐름에 따라 설명하고 있습니다. 1917년에 윤이상이 경상남도 산청에서 태어난 일부터 1972년에 윤이상이 만든 오페라 「심청」이 뮌헨 올림픽의 서막을 열게 되면서 유명해져 세계적인 음악가가 된 일까지 시간의 흐름에 따라 차례대로 설명하였습니다.

3 윤이상은 동베를린 사건에 연루되어 감옥에 갇혔을 때, 감옥 안에서 오페라 「나비의 미망인」을 완성하였습니다.

오답 풀이
① 윤이상은 1967년에 동베를린 사건에 연루되어 감옥에 갇혔습니다.(**3**문단)
② 1972년에 윤이상이 작곡한 오페라 「심청」이 뮌헨 올림픽의 서막을 열게 되었습니다.(**4**문단)
③ 윤이상은 1969년에 특별 사면으로 풀려난 뒤 독일로 돌아가서 1971년에 독일에 귀화하였고, 죽을 때까지 조국 땅을 밟지 못했습니다.(**3**, **4**문단)
④ 윤이상은 유럽 평론가들에게 '유럽에 현재 존재하는 5대 작곡가'로 선정된 세계적인 음악가입니다.(**1**문단)

4 **4**문단에는 윤이상의 음악사적 의의가 나타나 있습니다. 윤이상은 동양과 서양의 음악을 결합시킴으로써 세계 음악사의 새로운 시대를 연 작곡가입니다.

오답 풀이
①, ②, ⑤ 윤이상이 오페라 「심청」을 작곡한 것, 독일에 귀화한 것, 동베를린 사건으로 시련을 겪은 것은 사실이나, 이는 윤이상의 업적을 알리기 위한 글의 제목으로는 적절하지 않습니다.
③ 윤이상이 인간과 자연을 조화시켰다는 설명은 이 글에 없습니다.

유형 분석/추론하기
글의 핵심 내용을 추론하는 문제입니다. **4**문단에 나타난 윤이상의 음악사적 의의를 살펴보고, 이 내용이 잘 드러날 수 있는 제목을 찾아봅니다.

158쪽 지문 분석

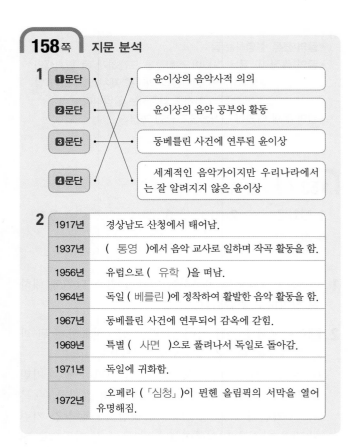

1
1917년	경상남도 산청에서 태어남.
1937년	(통영)에서 음악 교사로 일하며 작곡 활동을 함.
1956년	유럽으로 (유학)을 떠남.
1964년	독일 (베를린)에 정착하여 활발한 음악 활동을 함.
1967년	동베를린 사건에 연루되어 감옥에 갇힘.
1969년	특별 (사면)으로 풀려나서 독일로 돌아감.
1971년	독일에 귀화함.
1972년	오페라 (「심청」)이 뮌헨 올림픽의 서막을 열어 유명해짐.

1 **1**문단에서는 우리나라에서는 잘 알려지지 않은 세계적인 음악가 윤이상을 소개하고, **2**문단에서는 윤이상의 음악 공부와 활동을, **3**문단에서는 윤이상이 동베를린 사건에 연루되어 시련을 겪었던 일을, **4**문단에서는 윤이상의 음악사적 의의를 설명하고 있습니다.

2 이 글은 세계적인 음악가 윤이상의 굴곡진 삶을 시간적 순서에 따라 설명하고 있습니다.

159쪽 오늘의 어휘

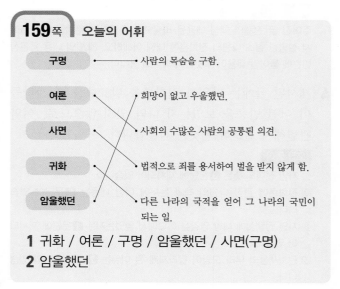

1 귀화 / 여론 / 구명 / 암울했던 / 사면(구명)
2 암울했던

- **글의 종류** 설명하는 글
- **글의 특징** 이 글은 생태계 교란 생물의 의미와 심각성을 알리고 이를 관리하기 위한 관련 법률을 설명하는 글입니다.
- **글의 주제** 생태계 교란 생물의 심각성과 관련 법률

161쪽 **지문 독해**

1 생태계 교란 생물 **2** (2) ○ (3) ○ **3** ③
4 ③

1 이 글은 생태계 교란 생물에 대해 설명하고 있는 글입니다.

2 (2) **2**문단에서는 생태계 교란 생물의 뜻을 자세하게 풀어서 설명하고 있습니다.
(3) **3**문단에서는 우리나라의 대표적인 생태계 교란 생물인 황소개구리를 예로 들어 설명하고 있습니다.

> 오답 풀이
> (1) **1**문단에 개체 수에 관한 내용은 있지만, 구체적인 수치를 언급하고 있지는 않습니다.
> (4) **4**문단에서는 대상을 이루는 구성 요소를 설명하고 있지 않습니다.

3 생태계 교란 생물은 번식력이 매우 강하고 토종 생물을 잡아먹어 개체 수를 감소시키므로 생태계의 균형을 깨뜨립니다. 이는 생태계에 다양한 생물이 공존하지 못하게 하므로 심각한 문제가 됩니다.

4 황소개구리는 한때 우리나라에서 식용을 목적으로 수입한 것이라는 내용이 **3**문단에 제시되어 있으므로, ③은 이 글을 읽고 추가적으로 할 수 있는 질문으로 알맞지 않습니다.

> 오답 풀이
> ① **1**문단에서는 먹이 사슬의 피라미드 구조에 대한 내용만 나오므로 ①의 내용은 추가 질문으로 알맞습니다.
> ② **3**문단에서 생태계 교란 생물의 예를 황소개구리만 언급했으므로 ②의 내용은 추가 질문으로 알맞습니다.
> ④ **3**문단에서는 황소개구리에 의한 문제점만 제시했으므로 ④의 내용은 추가 질문으로 알맞습니다.
> ⑤ **4**문단에서는 생태계 교란 생물 관련 법률만 설명했으므로 ⑤의 내용은 추가 질문으로 알맞습니다.

> 유형 분석 / 추론하기
> 주어진 글의 내용을 통해 추가로 할 수 있는 질문을 묻는 문제입니다. 각 선지에 제시된 질문의 답을 글을 통해 찾을 수 있는지, 없는지를 생각해 봅니다.

162쪽 **지문 분석**

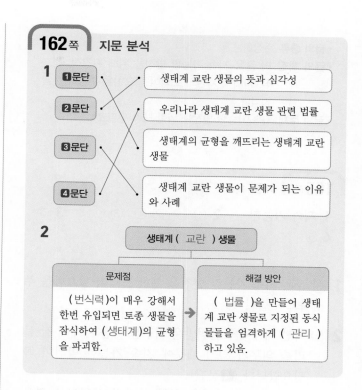

1 **1**문단에서는 생태계 교란 생물이 생태계의 균형을 깨뜨림을 밝히고, **2**문단에서는 생태계 교란 생물의 뜻과 심각성을 설명하였습니다. **3**문단에서는 생태계 교란 생물이 문제가 되는 이유와 관련 사례를 설명하였습니다. **4**문단에서는 우리나라의 생태계 교란 생물 관련 법률을 설명하였습니다.

2 이 글에서는 생태계 교란 생물이 일으키는 문제의 심각성과 이를 해결하려는 노력에 대해 설명하고 있습니다.

163쪽 **오늘의 어휘**

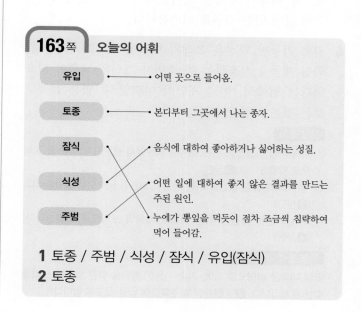

1 토종 / 주범 / 식성 / 잠식 / 유입(잠식)
2 토종

- **글의 종류** 주장하는 글
- **글의 특징** 이 글은 지속 가능한 발전을 위해 환경적, 경제적, 사회적 차원의 노력이 필요함을 주장하는 글입니다.
- **글의 주제** 지속 가능한 발전을 위한 노력의 필요성

165쪽 지문 독해

1 지속 가능한   2 (1) ○ (2) ○ (3) ○   3 ③
4 ⑤

1 이 글은 지속 가능한 발전을 위한 노력이 필요함을 주장하고 있습니다.

2 (1) 이전 세대에게 물려받은 지구를 다음 세대에 잘 물려줄 의무가 있기 때문에 지속 가능한 발전이 꼭 필요합니다.(**4**문단)
(2) 지속 가능한 발전을 위한 환경적 차원의 노력은 **2**문단에 나타나 있습니다.
(3) 지속 가능한 발전을 위해 소비자가 할 수 있는 노력은 **3**문단에 나타나 있습니다.

> **오답 풀이**
> (4) 지속 가능한 발전을 위한 경제적 차원의 노력은 **3**문단에 나타나 있지만, 지속 가능한 발전이 가져다주는 경제적 이익에 대한 내용은 제시되지 않았습니다.

3 ㉮ '형'은 현재 살고 있는 세대를, ㉯ '동생'은 다음 세대, 즉 미래의 세대를 의미합니다. ㉰ '마실 물'은 지구에 남아 있는 자원을 의미합니다.

4 지속 가능한 발전은 쓰레기 배출을 최소화하거나 친환경 제품을 사용하는 등 소비자 개인의 노력이 필요하다는 점에서, 이를 개인이 어찌할 수 없는 문제로 보는 것은 적절하지 않습니다.

> **오답 풀이**
> ① 지속 가능한 발전을 위한 경제적 차원에서 생산자가 해야 할 노력으로 알맞습니다.(**3**문단)
> ②, ③ 지속 가능한 발전을 위한 환경적 차원의 노력으로 알맞습니다.(**2**문단)
> ④ 지속 가능한 발전을 위한 사회적 차원의 노력으로 알맞습니다.(**4**문단)

> **유형 분석 / 적용하기**
> 글의 내용을 바탕으로 하여, 지속 가능한 발전을 위한 알맞은 노력을 찾는 문제입니다. **2**~**4**문단에 주목하여 답을 찾도록 합니다.

166쪽 지문 분석

1

1문단	(지속) 가능한 (발전)을 위한 노력의 필요성
2문단	지속 가능한 발전을 위한 (환경적) 차원의 노력
3문단	지속 가능한 발전을 위한 (경제적) 차원의 노력
4문단	지속 가능한 발전을 위한 (사회적) 차원의 노력
5문단	우리가 (지향)해야 할 중요한 가치인 지속 가능한 발전

2

지속 가능한 발전을 위한 노력

환경적 차원	경제적 차원	사회적 차원
• (친환경) 에너지와 대체 에너지를 개발함. • (인간) 중심적인 사고방식을 전환함.	• 생산자: 상품을 생산할 때 (환경)에 미치는 영향을 고려함. • 소비자: (일회용품) 사용을 줄이고 친환경 제품을 사용함.	• (미래) 세대까지 포함한 모든 인간을 똑같이 존중함. • (공동체) 의식을 갖고 전 지구적인 위험을 함께 극복해 나가도록 함.

1 **1**문단에서는 지속 가능한 발전을 위한 노력이 필요함을 밝히고, **2**~**4**문단에서는 지속 가능한 발전을 위한 환경적, 경제적, 사회적 차원의 노력을 제시하였고, **5**문단에서는 지속 가능한 발전이 우리가 지향해야 할 중요한 가치임을 강조하였습니다.

2 이 글에서는 지속 가능한 발전을 위한 노력을 환경적, 경제적, 사회적 차원으로 나누어 설명하고 있습니다.

167쪽 오늘의 어휘

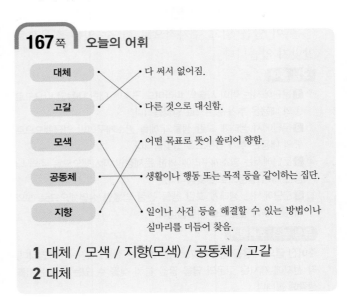

대체	•	• 다 써서 없어짐.
고갈	•	• 다른 것으로 대신함.
모색	•	• 어떤 목표로 뜻이 쏠리어 향함.
공동체	•	• 생활이나 행동 또는 목적 등을 같이하는 집단.
지향	•	• 일이나 사건 등을 해결할 수 있는 방법이나 실마리를 더듬어 찾음.

1 대체 / 모색 / 지향(모색) / 공동체 / 고갈
2 대체

- **글의 종류** 설명하는 글
- **글의 특징** 이 글은 기후 변화 협약을 이행하기 위한 방안인 교토 의정서에 담겨 있는 유연성 체제를 설명하는 글입니다.
- **글의 주제** 교토 의정서에 담긴 유연성 체제

169쪽 지문 독해

1 유연성 체제 　**2** (1) ○ (3) ○ (4) ○ 　**3** ②
4 ③

1 이 글은 교토 의정서에 담긴 유연성 체제에 대해 설명하고 있습니다.

2 (1) 교토 의정서의 의의는 **5**문단에 나타나 있습니다.
(3) 기후 변화 협약은 선진국과 개발 도상국 간의 의견 차이로 인해 잘 지켜지지 않았습니다. (**1**문단)
(4) 청정 개발 제도는 선진국과 개발 도상국 간의 협력 방식이고, 공동 이행 제도는 선진국 간의 협력 방식입니다. (**4**문단)

3 '일석이조'는 돌 한 개를 던져 새 두 마리를 잡는다는 뜻으로, 동시에 두 가지 이득을 봄을 이르는 말입니다. 두 마리의 토끼를 잡는 효과가 있다는 말은 동시에 두 가지 이득을 보는 상황과 관계있으므로 '일석이조'와 뜻이 비슷합니다. 나머지 4개의 한자 성어는 ⓒ과 비슷한 의미로 보기 어렵습니다.

4 개발 도상국인 A는 온실가스 감축에 대한 의무가 없으므로, 온실가스 감축 목표량이 따로 없습니다.

　오답 풀이
① 기후 변화 협약에서 온실가스 감축에 대한 의무가 부여된 것은 선진국만입니다. (**1**문단)
② 선진국은 배출권 거래 제도를 통해 감축 목표량을 초과한 만큼 다른 나라에 팔아서 돈을 벌 수 있습니다. (**2**문단)
④ 선진국이 개발 도상국에 투자해 온실가스 배출을 줄이면 청정 개발 제도를 통해 자국의 감축량으로 인정받을 수 있습니다. (**3**문단)
⑤ 선진국은 공동 이행 제도를 통해 다른 선진국이 온실가스 배출을 줄이는 데 도움을 준 만큼 자국의 감축량으로 인정받을 수 있습니다. (**4**문단)

　유형 분석/적용하기
글의 내용을 이해한 후, 이와 유사한 다른 상황을 가정하여 적용해 보는 문제입니다. 기후 변화 협약과 교토 의정서에서 선진국과 개발 도상국에 각각 어떤 과제를 부여하고 있는지 살펴봅니다.

170쪽 지문 분석

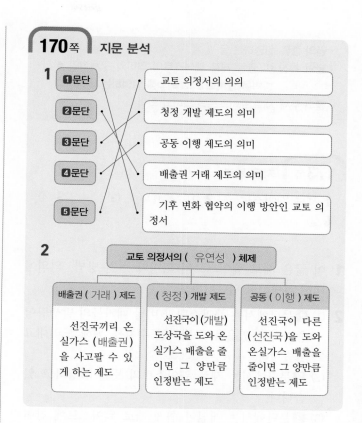

1 **1**문단에서는 기후 변화 협약의 이행 방안인 교토 의정서를 소개하고, **2**~**4**문단에서는 교토 의정서에 담긴 유연성 체제인 배출권 거래 제도, 청정 개발 제도, 공동 이행 제도를 각각 설명하고 있습니다. **5**문단에서는 교토 의정서의 의의를 설명하고 있습니다.

2 이 글에서는 교토 의정서에 담긴 유연성 체제의 세 가지 제도를 설명하고 있습니다.

171쪽 오늘의 어휘

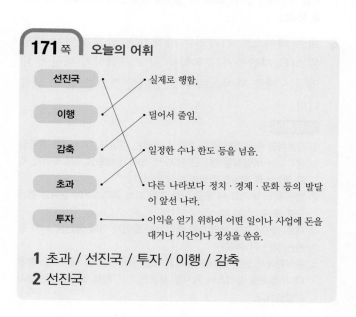

1 초과 / 선진국 / 투자 / 이행 / 감축
2 선진국

- **글의 종류** 설명하는 글
- **글의 특징** 이 글은 제로 웨이스트의 의미와 구체적인 실천 방법을 살펴보고 그 의의를 설명하는 글입니다.
- **글의 주제** 제로 웨이스트의 의미와 의의

173쪽 지문 독해

1 제로 웨이스트 **2** (1) ○ (2) ○ (3) ○ **3** ④
4 ④

1 이 글은 제로 웨이스트의 의미와 실천 방법, 의의에 대해 설명하고 있습니다.

2 (1) **1**문단에서는 플라스틱과 비닐 폐기물의 발생량이 증가하고 있음을 구체적인 수치를 통해 드러내고 있습니다.
(2) **2**문단에서는 제로 웨이스트의 뜻을 설명하고 있습니다.
(3) **3**문단에서는 개인이 쉽게 제로 웨이스트에 참여할 수 있는 예를 제시하고 있습니다.

3 이 글에는 제로 웨이스트에 참여할 경우 얻는 혜택에 대해서는 언급되어 있지 않습니다. ①은 **2**문단, ②는 **4**문단, ③은 **1**문단, ⑤는 **3**문단의 내용에서 답을 찾을 수 있는 질문입니다.

유형 분석/추론하기

주어진 글의 내용을 통해 답을 찾을 수 있는 질문과 찾을 수 없는 질문을 구분하는 문제입니다. 각 질문의 답을 글의 내용에서 찾아보도록 합니다.

4 제로 웨이스트 캠페인은 쓰레기 발생을 줄이는 방법을 다른 사람들과 공유하는 것도 포함하기 때문에 대영이는 제로 웨이스트에 잘 참여한 것으로 볼 수 있습니다.

오답 풀이

① 자동차를 이용하지 않고 가까운 거리는 걸어서 가는 것은 환경을 생각하는 바람직한 행동은 맞지만, 쓰레기 배출을 최소화하는 제로 웨이스트 활동으로 보기는 어렵습니다.
② 입던 옷을 버리고 새 옷을 사는 것은 제로 웨이스트에 참여한 행동으로 볼 수 없습니다.
③ 제로 웨이스트는 쓰레기를 줄이자는 것이지 아예 물건을 사지 말자는 것은 아닙니다.
⑤ 음식점에서 남은 음식을 버리지 않은 것은 환경을 생각하는 행동이나, 일회용 플라스틱 용기를 사용한 것은 제로 웨이스트로 보기 어렵습니다.

174쪽 지문 분석

1

㉮	제로 웨이스트의 의의
㉯	제로 웨이스트의 의미
㉰	제로 웨이스트의 등장 배경
㉱	제로 웨이스트의 실천 방법

(㉰) → (㉯) → (㉱) → (㉮)

2 (제로) 웨이스트란 낭비가 없는 사회를 목표로 (재활용) 및 재사용을 통해 쓰레기 배출을 (최소화)하자는 의미이다. 제로 웨이스트는 환경 보호를 위해 쓰레기를 줄여 나가는 (지속적)인 노력의 필요성을 일깨워 준다는 점에서 그 의의가 있다.

1 **1**문단에서는 제로 웨이스트의 등장 배경을 설명하고, **2**문단에서는 제로 웨이스트의 의미를 설명하고 있습니다. **3**문단에서는 제로 웨이스트의 실천 방법을 설명하고, **4**문단에서는 제로 웨이스트의 의의를 설명하고 있습니다.

2 이 글에서는 제로 웨이스트의 의미가 무엇인지, 제로 웨이스트가 어떤 의의가 있는지 설명하고 있습니다. 제로 웨이스트의 의미는 **2**문단을, 제로 웨이스트의 의의는 **4**문단을 주의 깊게 살펴보도록 합니다.

175쪽 오늘의 어휘

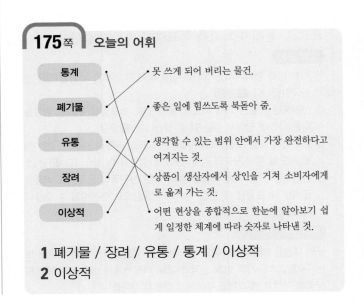

통계	·		·	못 쓰게 되어 버리는 물건.
폐기물	·		·	좋은 일에 힘쓰도록 북돋아 줌.
유통	·		·	생각할 수 있는 범위 안에서 가장 완전하다고 여겨지는 것.
장려	·		·	상품이 생산자에서 상인을 거쳐 소비자에게로 옮겨 가는 것.
이상적	·		·	어떤 현상을 종합적으로 한눈에 알아보기 쉽게 일정한 체계에 따라 숫자로 나타낸 것.

1 폐기물 / 장려 / 유통 / 통계 / 이상적
2 이상적

실수를 줄이는 한 끗 차이!
빈틈없는 연산서

•교과서 전단원 연산 구성   •하루 4쪽, 4단계 학습   •실수 방지 팁 제공

수학의 기본
큐브

실력이 완성되는 강력한 차이!
새로워진
유형서

•기본부터 응용까지 모든 유형 구성
•대표 예제로 유형 해결 방법 학습
•서술형 강화책 제공

개념 이해가 실력의 차이!
대체불가
개념서

•교과서 개념 시각화 구성
•수학익힘 교과서 완벽 학습
•기본 강화책 제공

정답과 해설